SACRE-COEUR
PLACE BLANCHE
DE CLICHY
PLACE PIGALLE
BOULEVARD ROCHECHOUART
BOULEVARD DE LA CHAPELLE
GARE DU NORD
RUE LAFAY
LA VILLETTE
PARC DES BUTTES-CHAUMONT
SAINTE-TRINITE
RUE DU FAUBOURG MONTMARTRE
RUE LAFAYETTE
BOULEVARD
GARE DE L'EST
BOULEVARD DE STRASBOURG
DE MAGENTA
OPERA
OPERA-COMIQUE
GRANDS BOULEVARDS
PORTE ST-DENIS
PORTE ST-MARTIN
BOULEVARD DE BELLEVILLE
RUE DU 4 SEPTEMBRE
BOURSE
RUE MONTMARTRE
RUE REAUMUR
BOULEVARD DE SEBASTOPOL
PLACE DE LA REPUBLIQUE
BIBLIOTHEQUE NATIONALE
RUE DE TURBIGO
ST-EUSTACHE
THEATRE-FRANÇAIS
PALAIS-ROYAL
HALLES CENTRALES
RUE ST-MARTIN
RUE DU TEMPLE
BOULEVARD RICHARD-LENOIR
BOULEVARD DE MENILMONTANT
RUE DE RIVOLI
PALAIS DU LOUVRE
ARCHIVES NATIONALES
TOUR ST-JACQUES
BOULEVARD VOLTAIRE
QUAI DU LOUVRE
P. DES ARTS
ST-GERMAIN-L'AUXERROIS
MUSEE CARNAVALET
QUAI MALAQUAIS
HOTEL DE VILLE
PONT NEUF
SAINTE-CHAPELLE
INSTITUT DE FRANCE
PALAIS DE JUSTICE
ILE DE LA CITE
QUAI DE L'HOTEL DE VILLE
PLACE DES VOSGES
RUE ST-ANTOINE
ST-GERVAIS
PLACE DE LA BASTILLE
JACOB
Q. DES GR. AUGUSTINS
Q ST-MICHEL
QUAI MONTEBELLO
QUAI DES CELESTINS
BOULEVARD HENRI IV
RUE DU FAUBOURG ST-ANTOINE
NOTRE-DAME
ILE ST-LOUIS
RUE DE SEINE
BOULEVARD ST-GERMAIN
SALLE LUXEMBOURG
BOULEVARD ST-MICHEL
RUE ST-JACQUES
QUAI DE LA TOURNELLE
ST-SULPICE
MUSEE DE CLUNY
PALAIS DU LUXEMBOURG
RUE DES ECOLES
QUAI HENRI IV
SEINE
AVENUE DAUMESNIL
QUAI ST-BERNARD
SORBONNE
HALLE AUX VINS
JARDIN DU LUXEMBOURG
GARE DE LYON
PANTHEON
ST-ETIENNE-DU-MONT
ARENES DE LUTECE
JARDIN DES PLANTES
PONT D'AUSTERLITZ
QUAI D'AUSTERLITZ
RUE MONGE
HOPITAL DU VAL-DE-GRACE
MOSQUEE DE PARIS
GARE D'AUSTERLITZ

Modern French

Modern French

Dan Desberg FOREIGN SERVICE INSTITUTE

and

Lucette Rollet Kenan

Harcourt, Brace & World, Inc. NEW YORK BURLINGAME

SOURCES OF PHOTOGRAPHS

Title page: Pierre Belzeaux—Rapho Guillumette

2	Susan McCartney—Photo Researchers
18	Erich Hartmann—Magnum Photos
34	E. Boubat—P.I.P.
48	Paul Duckworth—P.I.P.
64	Sergio Larrain—Magnum Photos
82	Sergio Larrain—Magnum Photos
98	Susan McCartney
116	E. Boubat—P.I.P.
132	Dan Budnik—Magnum Photos
148	Micky Pallas—dpi
164	Susan McCartney
178	Trans World Airlines
196	Brassaï—Rapho Guillumette
212	French National Tourist Office
230	Air France
246	Susan McCartney
266	Brassaï—Rapho Guillumette
284	Ciccione—Rapho Guillumette
300	Susan McCartney
316	Edith Reichmann

End paper maps of Paris and France by Klaus Grutzka

Library of Congress Catalog Card Number: 63-21918

Printed in the United States of America

Contents

Introduction

Modern French is a beginning language textbook having as its primary goal the achievement of a desirable level of *spoken* proficiency within the framework of the traditional college language program—one year at three to five class hours per week. As such, the book tries to provide as thorough and balanced an orientation into linguistic and other aspects of French cultural behavior as is feasible in this short period of contact. At the same time, the authors have attempted to make *Modern French* readily teachable in the conventional fashion, assuming qualified instructors, students within the typical range of aptitude and motivation, a class of manageable size, and a minimum, over the academic year, of three hundred hours available for classroom, laboratory, and outside work.

Our basic philosophy includes the following points:

A. A speaking course The chief goal is to impart automatic speaking control with hearing reinforcement, based on the principle that if the student can produce a satisfactory utterance himself, he will understand it when he hears it. This aim of automaticity calls for a maximum of the oral production and hearing of an acceptable standard of spoken French. Accomplishment of the aim, the "method," is conceived as a three-step sequence:

(1) the *memorization* of sentences in a natural conversational context; the dialogues are learned by heart.

(2) the mechanical *manipulation* of the phrasal parts of each pattern sentence of the memorized dialogue. This is the drill phase; there are several hundred drills in this book, which, hopefully, will enable the student to respond to and produce a limited number of spoken patterns automatically.

(3) the *exploitation* of these learned segments and patterns in a variety of conversational texts and guided conversations with the teacher; they are supplemented later (Units 6 through 20) by reading texts.

B. Inductive grammar Based on the findings of contrastive linguistic analysis, a four-step grammar presentation gives the student the opportunity to induce the grammatical pattern before it is accounted for and tested:

(1) a set of example sentences which the student has already memorized in the dialogue context.

(2) the Presentation Drills, in which the student performs lexical substitutions in a number of frames illustrating the pattern.

(3) the Discussion, which consists of a summary statement of the French grammar point and a comparison with the equivalent structuring in English.

(4) more frames to be drilled, the Verification Drills, which have as their purposes the application, by the student, of the formal changes involved and the verification of his control of the grammatical pattern.

C. Cultural content French patterns of behavior and cultural values form a significant part of the linguistic material throughout the entire book. Built into the Dialogues and Readings are anthropologically oriented statements that highlight French societal behavior where it differs from American norms. The coverage is broad and is directed toward helping the American college student understand and appreciate his French counterpart. The readings, which are introduced at a point where minimal phonological and grammatical control are presumed to have been achieved, are written around the characters already introduced in the dialogues and focus on the way Frenchmen interact in everyday life.

D. Audio activity All dialogues and drills are available on tapes; dialogues are available also on discs. The audio program is construed as an integral part of this course, so that the student can, outside the class, often, and in privacy, *hear, repeat,* and *manipulate* language elements in controlled contexts.

A word about what *Modern French* does not contain:

1. There are no translation drills, exercises, or other translation activities of any kind in this book.
2. Users will find no paradigm recitations, no fill-in-the-blanks, no multiple-choice questions, and no matching exercises.
3. No vocabulary items are presented in isolation; every such item is embedded in a sentence.
4. No attempt has been made to conform with a standard word list; this book offers an opportunity to cope with the total sound system, the basic grammatical system, and a small vocabulary of impressionistically frequent and useful words from everyday spoken French.

Each of the twenty units in *Modern French* has the same basic format; the chart below describes each section of a unit as it appears in the book and on the tapes:

SECTION	BOOK	TAPE
Dialogue	A realistic conversation with expository introduction and narrative stage directions. The Dialogue is to be memorized in its entirety, since it contains all the material from which the subsequent steps are drawn.	There are four steps to aid in memorizing the Dialogue: 1. Dialogue for Listening: the dialogue is overheard as spoken by the characters in the story. 2. Dialogue for Learning: each sentence is built up from the terminals, in partial utterances, by the teaching voices. 3. Dialogue for Fluency: each sentence is said twice by the teaching voices; there is a repeat space after each sentence. 4. Dialogue for Comprehension: the dialogue is overheard again as spoken by the characters in the story.
Tape Aids	Two parts: 1. A transcription of exactly what is said by the teaching voices on the tapes aids the student in visualizing and verifying the sound sequences he hears. 2. English equivalents of the French Dialogue sentences suggest what an English speaker might say in a comparable situation. These are not translations to be read horizontally with the French text; they are to be read vertically in English for the gist of the Dialogue. No analytical or literal translations are provided.	
Supplementary Vocabulary	Short, contextual groupings of sentences based on the Dialogue patterns and subject matter. Each sentence contains one new word or phrase. The Supplementary Vocabulary is to be memorized.	All the Supplementary Vocabulary is on tape. Each sentence is spoken twice by the teaching voices; space is provided for the student to repeat each time.
Dialogue Notes	Notes designed to account for cultural (including linguistic) behavior in the Dialogue and Supplementary Vocabulary sections; they are to be read outside of class. There is no need for class discussion or class work on this section.	The Dialogue Notes are not on tape.
Pronunciation (Units 1–5)	Explanation and drill on specific problems the student will have in learning to pronounce French satisfactorily and understandably.	The Pronunciation Drills are all on tape. Each item is said once for the student to repeat.

SECTION	BOOK	TAPE
Spelling (Units 6–10)	Explanation and drill on specific problems the student will have in learning to spell in French. All material here departs from the sound system.	The Dictations are not on tape.
Vocabulary Drills	Substitution drills without any grammatical changes or new words. The purpose of these drills is speed, accuracy, and flexibility.	The Vocabulary Drills are all taped as follows: First sentence—man's voice First sentence—woman's voice Cue—man's voice Space for student's answer Second sentence—woman's voice Cue—man's voice Space for student's answer Third sentence—woman's voice (The new sentence is always a confirmation or a correction of the student's answer.)
Grammar	1. Examples 2. Presentation Drills 3. Discussion 4. Verification Drills	All the Grammar Drills are on tape.
Conversation Exercises	Short conversations which contain no new grammatical constructions and no new vocabulary items.	The Conversation Exercises are not on tape.
Questions on the Dialogue (Units 1–10)	Suggested questions, readily answerable, using recall of the Dialogue and control of the Grammar in the Unit.	The Questions on the Dialogue are not on tape.
Oral Composition (Units 1–10)	Contextual substitution sentences allowing the student the liberty of speaking about himself within the framework of grammar he can control.	The Oral Compositions are not on tape.
Questionnaire (Units 1–10)	Questions about himself eliciting the information the student has learned to say.	The Questionnaires are not on tape.
Reading (Units 6–20)	Short narratives written around the characters of the Dialogues; the Readings are for reading, not for translation. Readings contain new vocabulary, glossed where it occurs; this vocabulary is passive; it is not drilled.	The Readings are not on tape.

The authors wish to acknowledge their indebtedness to all those people who have given their time and skills to furnish us with valuable advice, constructive criticism, and suggestions. Special thanks in this area are due to:

Margaret Churchill Binda *English Language Services*
James C. Bostain *Foreign Service Institute*
Allan M. Kulakow *Foreign Service Institute*
Marjorie M. Kupersmith *Western Reserve University*
Bernard Shiffman *Purdue University*
James F. M. Stephens, Jr. *University of Texas*
William S. Woods *Tulane University*

Others who deserve special mention are: Geneviève Ducastel Collins, Monique Cossard, Constance Giddings, Carol Harbula, Noémie S. Pagès, and Robert Salazar. The authors, of course, are fully responsible for any errors.

The recording staff consisted of:

DIRECTOR	Allan M. Kulakow	
TEACHING VOICES	Monique Cossard	
	Robert Salazar	
CAST	Pierre-Yves Cossard	PAUL
	Alain Mornu	PHILIPPE
	Chantal Warolin	JACQUELINE
	Gaud Le Pelch	GISELE
	G. E. Morris Allen	ME CHATEL
	Marcelle Mattret	MME CHATEL
	Pierre Oberthur	CHARLES GUERARD

Spoken and Written French

Speech and Writing

Human language always involves speech, and speech is *organized noise.* The two characteristics of *sound* and its *organization* are found in every language in the world. Every social group is held together by a number of conventionalized habits, and among these habits is speech.

Writing is also a conventionalized habit within a social group, but unlike speech, writing systems are not the property of every speech community. In fact, most of the languages spoken today have no writing systems at all. Speakers of major languages such as French and English use highly formalized systems of writing which have served as vehicles for great literature over several centuries. Educated speakers of these languages, however, sometimes forget that speech and writing are different systems. In this text we are primarily concerned with spoken rather than written French, and we shall regard writing as the systematic representation of speech. It is of the highest importance for anyone using this book to keep speech and writing separate at all times.

The Sound System of French

French speakers have exactly the same organs of speech as anyone else; however, they use their tongues, lips, and vocal cords to produce noises quite different from English noises, and they organize their noises into a system radically different from that of English speakers.

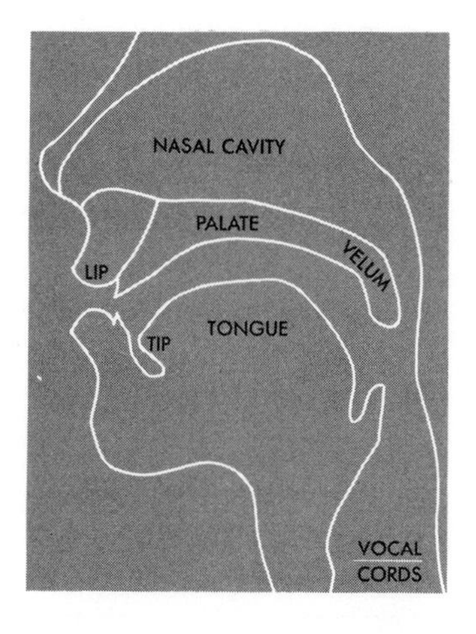

The French sound system can be broken down into more than forty contrastive classes of sounds, called *phonemes.* Most of these phonemes (the consonants and vowels) involve articulations of the organs of speech; other phonemes (the intonation phonemes) involve pitch, stress, and length.

Because the traditional French alphabet offers many possibilities for writing a given unit of speech, we have selected symbols which represent each phoneme consistently. Our criterion has been "one symbol for one phoneme," no matter what the writing convention may be.

The Consonant System

In order to describe the French consonant system systematically, it is necessary to state (1) the manner of articulation, (2) the place of articulation, and (3) whether or not the vocal cords are vibrating.

MANNER OF ARTICULATION

Consonants are sounds produced when the stream of air coming from the lungs is in some way obstructed before it leaves the mouth. If the air stream is completely stopped, the sound is called a *stop;* if the air is forced through a narrow passage, producing audible friction, the sound is a *fricative;* if the air stream resonates in the nasal passages, the sound is a *nasal;* if the air is forced over the sides of the tongue, the sound is called a *lateral.*

PLACE OF ARTICULATION

The places of articulation relevant to the French consonants are:

1. *Bilabial,* involving closure of both lips;
2. *Labiodental,* involving contact between the lower lip and the upper teeth;
3. *Dental,* involving contact between the tip of the tongue and the backs of the upper front teeth;
4. *Palatal,* involving complete or partial contact between the tongue and the palate;
5. *Velar,* involving contact or narrowing of the passage between the back of the tongue and the velum.

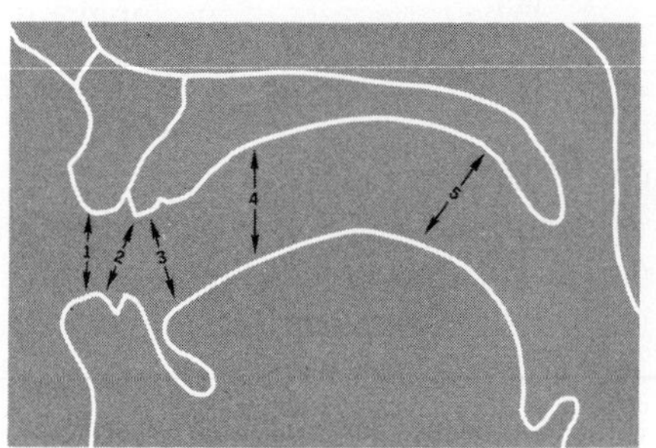

PLACES OF FRENCH CONSONANT ARTICULATION

1. *Bilabial* p b m
2. *Labiodental* f v
3. *Dental* t d s z n l
4. *Palatal* ʃ ʒ ɲ
5. *Velar* k g r

VOICING/VOICELESSNESS

A voiced sound (VD) involves vibration of the vocal cords; a voiceless sound (VL) has no such vibration. You can detect the difference easily by placing your hand on your throat and feeling the vibrations or lack of them as you produce the sounds we describe. For example, if you produce a continuing [z] sound, you will feel the vibrations against your hand held against your Adam's apple and hear [z]; if you then whisper [z], you will feel no vibrations and hear [s].

Here are some French words that you will encounter in the first lessons which illustrate our use of the consonant phoneme symbols:

		Bilabial	Labiodental	Dental	Palatal	Velar
Stops	(*VL*)	/p/ **père**		/t/ **tante**		/k/ **cousin**
	(*VD*)	/b/ **bien**		/d/ **dans**		/g/ **gare**
Fricatives	(*VL*)		/f/ **frère**	/s/ **salle**	/ʃ/ **chez**	
	(*VD*)		/v/ **vous**	/z/ **cousine**	/ʒ/ **jeune**	/r/ **répétez**
Nasals		/m/ **mère**		/n/ **non**	/ɲ/ **accompagne**	
Lateral				/l/ **là**		

The Vowel System

To describe the vowel phonemes of French, a different set of criteria must be adopted, for vowels are produced without being obstructed at a specific place and in a specific manner. Furthermore, voicing (VD) is a characteristic of all the vowel phonemes.

There are four features relevant to the description of French vowels:

1. Jaw aperture: high, higher-mid, lower-mid, low

   When the jaws are close together, the vowel is said to be a *high* vowel. When the lower jaw is fully extended, the vowel is *low.* The in-between positions are *higher-mid* and *lower-mid.*

2. Tongue placement: front/back

   When the bulk of the tongue is farther forward than it would be in its normal at-rest position, the vowel is *front,* when farther back than its at-rest position, the vowel is *back.*

3. Lip position: rounded/spread

   The lips are *rounded* and protruded, approaching a whistling position, or they are *spread,* approaching a smiling position.

4. Nose air: nasal/oral

   When air resonates in the nasal passages, the vowel is *nasal,* when air comes out the mouth only, the vowel is *oral.* Nasal vowels are transcribed with a tilde [˜].

Here are illustrations of the vowel phonemes:

	FRONT				BACK		
	Spread		*Rounded*		*Spread*	*Rounded*	
	Oral	*Nasal*	*Oral*	*Nasal*		*Oral*	*Nasal*
High	/ i / **fille**		/ y / **bienvenu**			/ u / **vous**	
Higher-mid	/ e / **année**		/ ø / **jeûne**			/ o / **vos**	/ õ / **sont**
Lower-mid	/ ɛ / **très**	/ ɛ̃ / **bien**	/ œ / **jeune**	/ œ̃ / **un**		/ ɔ / **Paul**	
Low	/ ɛ: / **être**				/ a / **malle**	/ ɑ / **mâle**	/ ã / **dans**

The Semiconsonant System

There are three phonemes in French that behave like consonants but share articulatory qualities with the high vowels:

/ j /, which parallels / i /: / bjɛ̃ / **bien**
/ ɥ /, which parallels / y /: / sɥi / **suis**
/ w /, which parallels / u /: / wi / **oui**

In certain words (not those illustrated above), / j ɥ w / may be replaced stylistically by / i y u /, making the sequence in which they occur one syllable longer:

/ wɛ ma mã ↘ / / u ɛ ma mã ↘ /	**Où est maman ?**
/ il sa pɛl lwi ↘ / / il sa pɛl lu i ↘ /	**Il s'appelle Louis.**

Summary of the Phonemes of French

	Bilabial		*Labiodental*		*Dental*		*Palatal*		*Velar*	
	VL	*VD*	*VL*	*VD*	*VL*	*VD*	*VL*	*VD*	*VL*	*VD*
17 Consonants										
Stops	p	b			t	d			k	g
Fricatives			f	v	s	z	ʃ	ʒ		r
Nasals		m				n		ɲ		
Lateral						l				

	FRONT				BACK			
	Spread		*Rounded*		*Spread*		*Rounded*	
	Oral	*Nasal*	*Oral*	*Nasal*	*Oral*	*Nasal*	*Oral*	*Nasal*
3 Semiconsonants	j		ɥ				w	
16 Vowels								
High	i		y				u	
Higher-Mid	e		ø				o	õ
Lower-Mid	ɛ	ɛ̃	œ	œ̃			ɔ	
Low	ɛ:				a		ɑ	ã

The Intonation System

Other features occur simultaneously with the articulations of the consonants, semiconsonants, and vowels. These are the features of pitch, stress, and length, which combine to form the intonation system of French.

TERMINALS

The last syllable before silence may include a rapid upward movement, symbolized / ↗ /. This rising pitch movement often signals a question:

/ wi ↗ /	**Oui ?**
/ ma sœr ↗ /	**Ma sœur ?**
/ la sa la mã ʒe ↗ /	**La salle à manger ?**

A rapid downward movement as the voice trails off into silence, symbolized / ↘ /, signals a completed utterance:

/ wi ↘ /	**Oui.**
/ ma sœr ↘ /	**Ma sœur.**
/ la sa la mã ʒe ↘ /	**La salle à manger.**

If the pitch of the final, lengthened syllable is sustained before pause, symbolized / → /, the signal may mean that the speaker has more to say:

/ wi → dã lã tre ↘ /	**Oui... dans l'entrée.**
/ ma sœr → ɛ ti si ↘ /	**Ma sœur... est ici.**
/ la sa la mã ʒe → ɛ la ↘ /	**La salle à manger... est là.**

PITCH LEVELS

Besides the terminal pitch movement within the last syllable before pause, each syllable of an utterance occurs with a definite tone, the frequency of the voice vibration. There are four distinctive levels of pitch in French. These are not singing pitches comparable to specific notes struck on the piano, but groupings or ranges of pitches which may be described as being on higher or lower levels relative to one another.

Most utterances having more than one syllable will be found to have at least two pitch levels. Compare these contrastive contours:

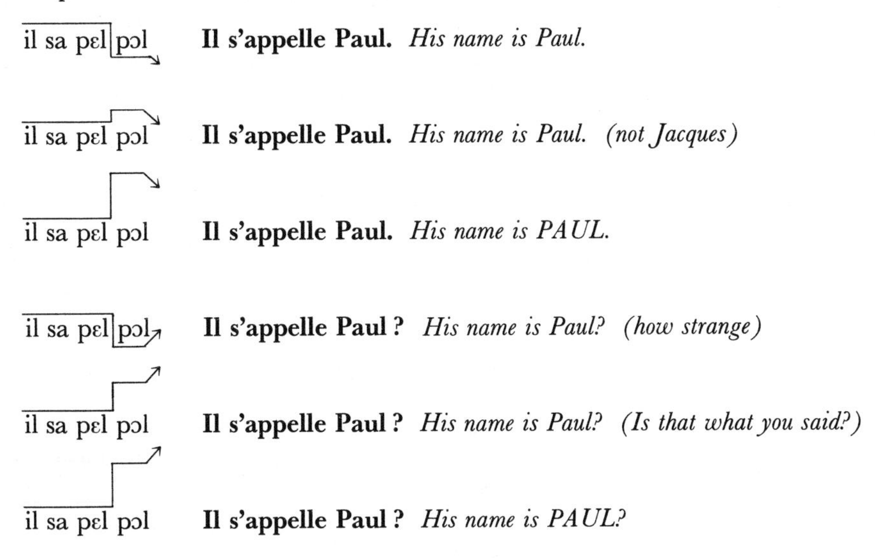
il sa pɛl pɔl
Il s'appelle Paul. His name is Paul.
il sa pɛl pɔl
Il s'appelle Paul. His name is Paul. (not Jacques)
il sa pɛl pɔl
Il s'appelle Paul. His name is PAUL.
il sa pɛl pɔl
Il s'appelle Paul ? His name is Paul? (how strange)
il sa pɛl pɔl
Il s'appelle Paul ? His name is Paul? (Is that what you said?)
il sa pɛl pɔl
Il s'appelle Paul ? His name is PAUL?

STRESS AND LENGTH

The term stress is applied to the relative prominence of a certain syllable as compared with its neighboring syllables in the same phrase. In French the effect of prominence is achieved primarily through lengthening of the vowels. The occurrence of stress on final syllables is predictable, since it occurs automatically before the terminals. / ↗ ↘ → /.

RHYTHM

With the exception of those syllables which occur before the terminals, each syllable is heard by French speakers as being of equal length. The constant occurrence of a sequence of syllables with no apparent length or stress differences helps give Americans the impression that French is spoken very rapidly. However, Frenchmen are just as perplexed by the stress-timed rhythm of English as English speakers are by the syllable-timed rhythm of French. English has complex, syncopated rhythms, determined by the recurrence of the stressed syllables; French has a relatively even rhythm, determined by the final stress. Compare the following pronunciations:

English	*French*
C á n ă d ă	C ă n ă d á
P á n ă m à	P ă n ă m á
À l ă b á m ă	Ă l ă b ă m á

Variations

GRAMMATICAL AND STYLISTIC VARIANTS

Variations in pronunciation are perfectly normal in all languages; no two people speak alike. For example, no matter which pronunciation of *aunt* you may use in English, your aunt is still your uncle's wife or the sister of one of your parents. At the same time, people will tend to pass judgment on you, depending on (1) which pronunciation *you* use and (2) which pronunciation *they* prefer.

There are basically two kinds of variations to consider:

1. *Grammatical variation,* where no speaker ever has a choice of pronunciation, the pronunciation being determined by the grammatical structure of French:

/ sõ kuzɛ̃ /	**Son cousin.**
/ sɔn ami /	**Son ami.**

   The selection of / sõ / (before a consonant) or / sɔn / (before a vowel) is determined by the language and not by the speaker. All native speakers of French have developed these habits in childhood and control this kind of variation without ever thinking about it.
2. *Stylistic variation,* including *regional variation,* where the use of one of several possible pronunciations marks a speaker as coming from a certain region of the French-speaking world,[1] and *social variation,* where all speakers, no matter which their regional dialect, may choose, at a given moment, one of several possible pronunciations. These possibilities are of three types which, although they are problems for the language learner, are not random choices but systematic selections of certain vowels and consonants.

VOWEL DIFFERENCES

Not all speakers of French have all sixteen vowel contrasts as indicated previously. The following chart shows the substitutions made by those speakers who do not have the maximum number of vowel contrasts in their speech:

[1] The voices on the tapes that accompany this book are all speakers of the standard French of France. They have carefully maintained stylistic consistency within the respective contexts.

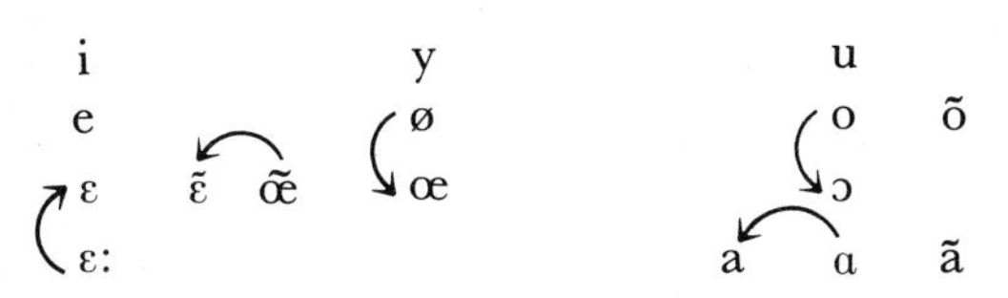

For example, a speaker who does not pronounce **être** as / ɛ:tr / will pronounce it as / ɛtr /, substituting / ɛ / for / ɛ: / as the arrow indicates; similarly, a speaker who does not pronounce **un** as / œ̃ / will pronounce it as / ɛ̃ /.

LOSS OF / ə /[1]

In many sequences the vowel / ə / will occur in formal French but will not occur in the everyday, spontaneous speech of even the best educated native speaker of French. The loss of / ə / before consonants, particularly in such words as **le, me, te, de, je, se, ce, que,** and **ne** is a normal and very frequent phenomenon:

/ la ri ve də pɔl / / la ri ved pɔl /	**L'arrivée de Paul.**
/ swa je lə bjɛ̃ və ny / / swa jel bjɛ̃ vny /	**Soyez le bienvenu.**

LINKING

The third stylistic device of which all literate French speakers are aware is the optional addition of a consonant sound (usually / z / or / t /) before vowels which begin a word. The choice of consonant is always represented in the writing system and only two selections are possible: presence or absence of the consonant:

/ il sõt isi / / il sõ isi /	**Ils sont ici.**
/ dɛz etydjãz amerikɛ̃ / / dɛz etydjã amerikɛ̃ /	**Des étudiants américains.**

The Writing System of French

We have defined writing as the systematic representation of speech. Phonemes symbolize classes of sounds; the letters of a writing system are symbols for phonemes. Thus the alphabet letters turn out to be symbols for symbols, twice removed from the act of speech.

It is not to be construed that we are arguing here against writing, which is one of man's major accomplishments. Anthropologists believe that the development of a writing system is one of the major defining criteria of a civilization. A writing system serves to remind people of something that has been *said* or that might have been *said.*

The efficiency of an alphabet is measurable in terms of the correspondence between the phonemes and their written symbolizations. An ideal alphabet would have a one-to-one correspondence, i.e., each phoneme would be represented by one letter only, and each letter would represent only one phoneme. Our phonemic transcription is based on this concept.

[1] The symbol / ə / is the equivalent of / œ /; sequences in the grammar discussions written with / ə / are subject to vowel loss, those with / œ / are not.

Unfortunately, neither English nor French come anywhere near having ideal alphabets. English and French each have forty-five phonemes; both have inherited a modified Latin alphabet of twenty-six letters. As a result, the writing systems of both languages have more ties with history than with speech.

On the whole, the spelling of modern French corresponds to the pronunciation of the French of Eastern France in the late twelfth century. The **Académie française,** which has jurisdiction over matters of orthography and has been publishing the official French dictionary since 1694, still holds today to the original doctrine:

> The Company declares that it desires to follow the old spelling which distinguishes people of letters from uneducated men and mere women.[1]

The characteristics of French orthography today are thus intellectual rather than phonemic. The letter combinations have been selected over the centuries to show

1. etymological origins:

LATIN	FRENCH	
tempus	**tem*ps***	/ tã /
institutio	**institu*tion***	/ ɛ̃stitysjõ /
passio	**pa*ssion***	/ pasjõ /
suspicio	**suspi*cion***	/ syspisjõ /
GREEK		
ortho + graphê	**or*th*ogra*ph*e**	/ ɔrtɔgraf /
theatron	***th*éâtre**	/ teatr /
phrasis	***ph*rase**	/ fraz /

2. grammatical relationships:

parlai **parlé** **parlée** **parlées** **parlés** **parler** **parlez**	/ parle /	**eu** **eue** **eues** **eus** **eut** **eût**	/ y /

3. homonym differentiations:

vain **vainc** **vin** **vingt** **vint**	/ vɛ̃ /	**vair** **ver** **verre** **vers** **vert**	/ vɛr /

[1] « La Compagnie declare qu'elle desire suiure l'ancienne orthographe qui distingue les gents de lettres davec les ignorants et les simples femmes » (1673).

Modern French

UNIT **1**

DIALOGUE

L'Arrivée de Paul

Paul Adams est un jeune étudiant américain. Il va passer l'année à Paris, chez un ami français, Philippe Chatel. Philippe et Paul arrivent de la gare ; ils trouvent la sœur de Philippe dans l'entrée.

PHILIPPE — Jacqueline, je te présente Paul Adams. Paul, voilà ma sœur (1).
PAUL — Bonjour, Mademoiselle.
JACQUELINE — Bonjour, Monsieur.
PHILIPPE — Où est maman ?
JACQUELINE — Elle est dans la salle à manger.

Madame Chatel entre.

PHILIPPE — Maman, voici Paul.
MME CHATEL — Soyez le bienvenu. Vous êtes ici chez vous, Monsieur.
PAUL — Merci, Madame. Je suis très heureux de faire votre connaissance.
MME CHATEL — Vous devez être fatigué. Voulez-vous voir votre chambre ?
PAUL — Oui, avec plaisir, Madame.
MME CHATEL — Est-ce que tous vos bagages sont là ?
PHILIPPE — Non, pas tous. Ses valises sont ici, mais sa malle est encore à la gare.

◀ **Paris : Quai Montebello.**

TAPE AIDS The English sentences are equivalents and not literal translations of the French sentences; for the literal meaning of any French word, see the Vocabulary section in the Appendix.

la ri ve də pɔl ↘	*Paul's Arrival*
pɔ la dã ↗ ɛ tœ̃ ʒœn e ty djã a me ri kɛ̃ ↘ il va pa se la ne a pa ri ↗ ʃe zœ̃ na mi frã sɛ ↗ fi lip ʃa tɛl ↘ fi lip e pɔl ↗ a riv də la gar ↘ il truv la sœr də fi lip dã lã tre ↘	Paul Adams is a young American student. He is going to spend the year in Paris, at the home of a French friend, Philippe Chatel. Philippe and Paul arrive from the station; they find Philippe's sister in the front hall.
ʒak lin ↗ ʒə tə pre zãt pɔ la dã ↘ pɔl vwa la ma sœr ↘	PHILIPPE Jacqueline, meet Paul Adams. Paul, this is my sister.
bõ ʒur mad mwa zɛl→	PAUL How do you do, Miss Chatel.
bõ ʒur mə sjø ↘	JACQUELINE How do you do, Mr. Adams.
u ɛ ma mã→	PHILIPPE Where's Mom?
ɛ le dã la sa la mã ʒe ↘	JACQUELINE She's in the dining room.
ma dam ʃa tɛl ↗ ãtr ↘	*Mrs. Chatel comes in.*
ma mã ↗ vwa si pɔl ↘	PHILIPPE Mom, this is Paul.
swa je lə bjɛ̃ və ny ↘ vu zɛt zi si ʃe vu mə sjø ↘	MRS. CHATEL Welcome! Feel at home here, Mr. Adams.
mɛr si ma dam→ ʒə sɥi trɛ zø rød fɛr vɔ trə kɔ nɛ sãs ↘	PAUL Thank you, Ma'am. I'm very happy to meet you.
vu də ve zɛtr fa ti ge ↘ vu le vu vwar vɔtr ʃãbr ↗	MRS. CHATEL You must be tired. Would you like to see your room?
wi ↗ a vɛk ple zir ma dam ↘	PAUL Yes, with pleasure, Mrs. Chatel.
ɛs kə tu vo ba gaʒ sõ la ↗	MRS. CHATEL Is all your luggage here?
nõ pa tus ↘ sɛ va liz sõ ti si mɛ sa ma lɛ tã kɔ ra la gar ↘	PHILIPPE No, not all. His bags are here, but his trunk is still at the station.

SUPPLEMENTARY VOCABULARY

La Famille	*The Family*
Comment s'appelle sa mère ?	What is his mother's name?
Comment s'appelle sa tante ?	What is his aunt's name?
Comment s'appelle sa fille ?	What is his daughter's name?
Comment s'appelle sa cousine ?	What is his cousin's name?
Comment s'appelle son amie ?	What is his girlfriend's name?
Elle s'appelle Suzanne.	Her name is Suzanne.
Comment vous appelez-vous ?	What is your name?
Je m'appelle Jacques.	My name is Jacques.
Comment va son père ?	How is his father?
Comment va son oncle ?	How is his uncle?

Comment va son fils ?	How is his son?
Comment va son frère ?	How is his brother?
Il va bien.	He is well.
Comment allez-vous ?	How are you?
Très bien, merci, et vous ?	Fine, thank you, and you?
Où sont ses parents ?	Where are his parents?
Où sont ses enfants ?	Where are his children?
Où sont ses cousins ?	Where are his cousins?
Ils sont ici.	They are here.

Expressions utiles	*Useful Expressions*
Bonjour, Messieurs (2).	Good morning, gentlemen.
Bonsoir, Mesdames.	Good evening, ladies.
Au revoir, Mesdemoiselles.	Good-bye, ladies.
Parlez plus lentement, s'il vous plaît.	Speak more slowly, please.
Fermez la porte, s'il vous plaît.	Close the door, please.
Ouvrez vos livres, s'il vous plaît.	Open your books, please.
Ecoutez.	Listen.
Répétez.	Repeat.
Taisez-vous.	Be quiet.
Je ne sais pas.	I don't know.
Je ne comprends pas la question.	I don't understand the question.

DIALOGUE NOTES

(1) In situations where the speaker feels it necessary to indicate proximity to himself, **voici** means relatively near the speaker, **voilà** relatively distant from him. Otherwise, **voici** and **voilà** are interchangeable. The same is true for **ici** and **là.**

(2) **Bonjour** is a greeting equivalent to *Good morning, Good afternoon, Good day.* **Bonsoir** is a greeting and a leave-taking used from late afternoon on. **Au revoir** is a leave-taking used at any time of the day or night.

Pronunciation

A. Stress Patterns As you look at French writing, you will recognize many words as being similar, sometimes identical, in form to English written words. You may be certain, however, that although the meanings *may* be similar, the French words will *never* sound like English words: not only will the consonants and the vowels sound different, but the stress placement may differ as well. In French there is always a stress on the final syllable.

INSTRUCTIONS: Listen for the stress patterns of the English words, which are followed directly by their French cognates; repeat the French.

1.

English (–́ –)	*French* (– –́)
Paris	Paris
pleasure	plaisir
cousin	cousin
parents	parents
baggage	bagages

2.

English (–́ – –)	*French* (– – –́)
exercise	exercice
restaurant	restaurant
library	librairie
pharmacy	pharmacie
catalogue	catalogue

3.

English (– –́ –)	*French* (– – –́)
arrival	arrivée
professor	professeur
inversion	inversion
important	important

4.

English (– –́ – –)	*French* (– – – –́)
American	américain
intelligent	intelligent
utility	utilité
particular	particulier

5.

English (– – –́ –)	*French* (– – – –́)
conversation	conversation
presentation	présentation
opposition	opposition
revolution	révolution

6.

English (– – –́ – –)	*French* (– – – – –́)
opportunity	opportunité
possibility	possibilité
personality	personnalité
anthropology	anthropologie

7.

English (– – – –́ –)	*French* (– – – – –́)
verification	vérification
organization	organisation
authorization	autorisation
purification	purification

B. Rhythm A French utterance has as many syllables as it has vowel sounds. Each syllable is impressionistically equal in length to all others, except for final syllables which end in a consonant—these are heard as longer.

■ REPETITION DRILLS

INSTRUCTIONS: Repeat exactly what you hear, paying particular attention to the even spacing of the syllables. Tapping with a pencil may help make you aware of this regular kind of rhythm.

1. *Two Syllables*	2. *Three Syllables*	3. *Four Syllables*	4. *Five Syllables*
passer	mademoiselle	américain	la salle à manger
Jacqueline	son amie	chez un ami	je suis très heureux
monsieur	écoutez	Philippe et Paul	elle s'appelle Suzanne
sa tante	taisez-vous	où est maman	comment allez-vous
bonjour	s'il vous plaît	avec plaisir	où sont ses parents

C. Vowel Reduction All French vowels can occur unstressed; most English vowels cannot.

■ CONTRAST DRILLS

INSTRUCTIONS: Repeat the French contrasting pairs; do not change the stress pattern.

1. le livre *the book* — la livre *the pound*
   le père *the father* — la paire *the pair*
   le teint *the complexion* — latin *latin*
   le nez *the nose* — l'année *the year*
   revoir *see again* — ravoir *have again*

2. Où est le maire ? *Where's the mayor?* — Où est la mère ? *Where's the mother?*
   Montrez-moi le chêne. *Show me the oak.* — Montrez-moi la chaîne. *Show me the chain.*
   Levez-vous ! *Get up!* — Lavez-vous ! *Wash yourself!*
   Ils nous ressemblent. *They resemble us.* — Ils nous rassemblent. *They're getting us together.*
   Il va le tendre. *He's going to stretch it.* — Il va l'attendre. *He's going to wait for it.*
   Je vais écouter. *I'm going to listen.* — J'avais écouté. *I had listened.*

Vocabulary Drills

These drills, like all the drills in this book, are designed for oral recitation in class with books closed. You can best prepare yourself for class recitation by doing the drills aloud in the language laboratory without referring to the text.

The purpose of the Vocabulary Drills is *speed* and *accuracy.* These drills consist of new sentences composed of words and phrases you already know from the Dialogue and Supplementary Vocabulary sections. There are no grammatical changes for you to make; merely substitute the italicized cue word or phrase into the preceding sentence framework. Here is an English example:

Teacher says italicized cue:	You say:
I'm very happy.	I'm very happy.
very tired.	I'm very tired.
He's	He's very tired.
very hungry.	He's very hungry.
I'm	I'm very hungry.
very happy.	I'm very happy.

and you are back where you started. The goal of these drills is to get you to say with speed and accuracy sentences you may have envisaged, but have never said before; the aim is mechanical automaticity for a large number of sentences *before* they are broken down into their grammatical components in the grammar sections. If there is hesitation in doing these drills, then the Dialogue and Supplementary Vocabulary have not been thoroughly mastered. If you do not understand the meaning of the new sentences you are making, ask your teacher—after you have proved that you can say the sentences.

1. Il va à Paris.
   Il va *à la gare.*
   Il est à la gare.
   Il est *dans votre chambre.*
   Il va dans votre chambre.
   Il va *chez un ami.*
   Il est chez un ami.
   Il est *à la porte.*
   Il va à la porte.
   Il va *à Paris.*

2. Je te présente Paul Adams.
   Je te présente *ma cousine.*
   Je ne comprends pas ma cousine.
   Je ne comprends pas *Monsieur Chatel.*
   Je te présente Monsieur Chatel.
   Je te présente *son frère.*
   Je ne comprends pas son frère.
   Je ne comprends pas *son oncle.*
   Je te présente son oncle.
   Je te présente *Paul Adams.*

3. Voilà ma sœur.
   Voilà *son frère.*
   Voici son frère.
   Voici *son fils.*
   Voilà son fils.
   Voilà *sa cousine.*
   Voici sa cousine.
   Voici *ma sœur.*
   Voilà ma sœur.

4. Vous êtes fatigué.
   Vous êtes *français.*
   Je suis français.
   Je suis *jeune.*
   Il est jeune.
   Il est *français.*
   Vous êtes français.
   Vous êtes *fatigué.*

5. Elle est dans la salle à manger.
   Elle est *dans votre chambre.*
   Je suis dans votre chambre.
   Je suis *dans l'entrée.*
   Elle est dans l'entrée.
   Elle est *dans la salle à manger.*

6. Tous vos bagages sont là.
   Tous vos bagages *sont ici.*
   Tous vos livres sont ici.
   Tous vos livres *sont là.*
   Tous ses cousins sont là.
   Tous ses cousins *sont ici.*
   Tous vos bagages sont ici.
   Tous vos bagages *sont là.*

7. Sa malle est encore à la gare.
   Son oncle est encore à la gare.
   Son oncle est encore *dans l'entrée.*
   Son ami est encore dans l'entrée.
   Son ami est encore *chez vous.*
   Sa sœur est encore chez vous.
   Sa sœur est encore *à la gare.*
   Sa malle est encore à la gare.

8. Fermez la porte.
   Fermez *sa malle.*
   Ouvrez sa malle.
   Ouvrez *vos livres.*
   Fermez vos livres.
   Fermez *vos bagages.*
   Ouvrez vos bagages.
   Ouvrez *ses valises.*
   Fermez ses valises.
   Fermez *la porte.*

9. Bonjour, Mademoiselle.
   Bonjour, *Monsieur.*
   Merci, Monsieur.
   Merci, *Madame.*
   Avec plaisir, Madame.
   Avec plaisir, *Monsieur.*
   Au revoir, Monsieur.
   Au revoir, *Mademoiselle.*
   Bonjour, Mademoiselle.

1 Present tense of *être*

EXAMPLES
Vous **êtes** ici chez vous.
Ses valises **sont** ici.
Je **suis** très heureux.
Elle **est** dans la salle à manger.

Presentation Drills

■ SIMPLE SUBSTITUTION DRILLS

1. *Sa malle est* à la gare.
   (Son père est, Monsieur et Madame Chatel sont, Sa cousine est, Elle est, Ses enfants sont, Ils sont, Philippe est, Ses bagages sont, Elles sont, Madame Chatel et Jacqueline sont, Il est, Sa malle est)
2. *Vous êtes* ici.
   (Nous sommes, Je suis, Tu es, Nous sommes, Tu es, Je suis, Vous êtes)
3. *Elle est* dans la salle à manger.
   (Nous sommes, Ils sont, Vous êtes, Il est, Elles sont, Ma sœur est, Philippe et sa tante sont, Tu es, Je suis, Elle est)
4. *Paul est* à Paris.
   (Son père est, Nous sommes, Je suis, Monsieur et Madame Adams sont, Vous êtes, Tu es, Philippe est, Ils sont, Elle est, Elles sont, Paul est)

Discussion

A verb **(un verbe)** is a set of forms which are related in meaning but which differ from one another to show the grammatical categories of person, number, and tense. An English verb may have as many as eight different forms, e.g., *be, being, been, am, is, are, was, were;* most French verbs have many more than eight.

The verb **être** *to be* has the largest number of different forms; it is also the most frequently occurring verb in the French language.

The chart below, like many others throughout the book, is divided by a vertical line into two halves, marked *Speech* and *Writing,* since many of the problems of spoken French are not revealed in the writing system, and many of the problems of written French are not problems in speech. The chart is divided in order to separate these congruent but not identical systems.

Verb forms will always be presented with the plural forms first, since the plural forms show the greatest variety of stem and ending differences.

	SPEECH			WRITING
		ɛ:tr		**être** *to be*
Plural	nu	sɔm	z	nous sommes
	vuz	ɛt	z	vous êtes
	il	sõ	t	ils sont
Singular	ʒə	sɥi	z	je suis
	ty	ɛ	z	tu es
	il	ɛ	t	il est

The raised / ^{z} / and / ^{t} / symbols in the chart above represent / z / and / t / sounds whose optional presence or absence before a following vowel may make a social but never a meaning difference. For example,

/ nu sɔm za la gar /
and
/ nu sɔm a la gar /
Nous sommes à la gare.

mean the same thing linguistically, *We're at the station.* However, absence of the / z / may cause a French speaker to draw conclusions about your social background, since educated speakers prefer to hear these / z / and / t / consonants. This practice of linking a word-final consonant to a following vowel is called **liaison,** and it is a stylistic matter.

Verification Drills

■ SIMPLE CORRELATION DRILLS

1. *Paul* est à la porte.
   (Ses valises, Tu, Je, Maman, Vos bagages, Nous, La sœur de Paul, Philippe et Jacqueline, Son oncle, Ses enfants, Vous, Je, Nous, Paul)
2. *Je* suis dans la salle à manger.
   (Tu, Maman, Son fils, Jacqueline et Philippe, Nous, La sœur de Philippe, Vous, Ses valises, Madame Chatel, Ses enfants, Son père, Je)
3. Où est *maman ?*
   (ses valises, sa malle, son père, Philippe et Paul, la porte, vos bagages, maman)

■ QUESTION DRILL

Où est Madame Chatel ?
Madame Chatel est à Paris.
Où est-il ?
Où êtes-vous ?
Où sont Philippe et Paul ?
Où est Jacqueline ?

2 Subject pronouns

EXAMPLES

Je te présente Paul Adams.
Il va passer l'année à Paris.
Elle est dans la salle à manger.
Vous devez être fatigué.
Ils trouvent la sœur de Philippe dans l'entrée.

Presentation Drills

■ SIMPLE SUBSTITUTION DRILL

Il est chez un ami.
(Elle est, Tu es, Nous sommes, Ils sont, Vous êtes, Elles sont, Je suis, Il est)

■ REPLACEMENT DRILL

Paul Adams est américain. (Il)
Philippe et Paul arrivent de la gare. (Ils)
Madame Chatel entre. (Elle)
Est-ce que *vos bagages* sont là ? (Ils)
Ses valises sont ici. (Elles)
Sa malle est à la gare. (Elle)
Sa cousine s'appelle Suzanne. (Elle)
Ses parents sont ici. (Ils)

Discussion

A verb form in French is often preceded by a noun or by one of a set of short, unstressable forms, a subject pronoun **(un pronom sujet).** These pronouns often refer back to some person or thing previously mentioned or indicated.

The subject pronouns must be followed or preceded by a verb form; some verb forms, however, can occur without subject pronouns.

SUBJECT PRONOUN (WRITTEN FORM)	REFERS TO	ENGLISH EQUIVALENT(S)
je	the speaker	*I*
tu	one listener, with whom the speaker is on intimate terms	*you*
vous	more than one listener, or to one listener with whom the speaker is not on an intimate basis	*you*
elle	one person or thing of feminine gender spoken about	*she, it*
il	one person or thing of masculine gender spoken about	*he, it*
elles	more than one person or thing spoken about, all of feminine gender	*they*
ils	more than one person or thing spoken about, not all of feminine gender	*they*
nous	speaker plus any of the other references above	*we*

The subject pronouns have the following spoken forms when they precede verb forms:

<table>
<tr><th></th><th colspan="2">SINGULAR</th><th colspan="2">PLURAL</th></tr>
<tr><th></th><th>Before Vowel</th><th>Before Consonant</th><th>Before Vowel</th><th>Before Consonant</th></tr>
<tr><td>FIRST PERSON</td><td>ʒ</td><td>ʒə</td><td>nuz</td><td>nu</td></tr>
<tr><td>SECOND PERSON</td><td colspan="2">ty</td><td>vuz</td><td>vu</td></tr>
<tr><td>THIRD PERSON</td><td></td><td></td><td></td><td></td></tr>
<tr><td>Fem</td><td colspan="2">ɛl</td><td>ɛlz</td><td>ɛl</td></tr>
<tr><td>Masc</td><td colspan="2">il</td><td>ilz</td><td>il</td></tr>
</table>

Verification Drills

■ TRANSFORMATION DRILL

Paul et son père sont américains.
Ils sont américains.
Son père s'appelle Jacques.
Paul va passer l'année à Paris.
Paul et Philippe arrivent de la gare.
Jacqueline est à la porte.
Madame Chatel est dans la salle à manger.
Paul, Philippe, Jacqueline, et Madame Chatel sont très heureux.

■ QUESTION DRILL

Où est maman ?
Elle est chez vous.
Où sont Paul et Philippe ?
Où est Jacqueline ?
Où sont ses parents ?
Où sont Monsieur et Madame Chatel ?
Où est son fils ?
Où est sa tante ?

■ CONTEXTUAL QUESTION DRILL

Est-ce que Philippe est dans l'entrée ?
Oui, il est dans l'entrée.
Est-ce que sa mère est dans la salle à manger ?
Est-ce que Philippe va à la porte ?
Est-ce que Jacqueline et sa cousine arrivent ?
Est-ce que la cousine de Jacqueline s'appelle Suzanne ?

3 Noun marker $\sqrt{le}$[1]

EXAMPLES Ils trouvent **la** sœur de Philippe dans l'entrée.
Philippe et Paul arrivent de **la** gare.
Soyez **le** bienvenu.

Presentation Drills

■ SIMPLE SUBSTITUTION DRILLS

1. *Le frère* de Jacqueline est à la gare.
(La sœur, La valise, L'oncle, L'amie, La famille, Le cousin, La mère, La malle, La cousine, Le frère)

2. Vous devez être *les frères* de Jacques.
(les sœurs, les tantes, les oncles, les cousines, les amis, les cousins, les frères)

Discussion

The term *noun* **(le nom)** is a convenient label for a large class of words which share similar functions: nouns are forms which may be preceded by one of the markers below. In French, nouns are marked for number and gender by one of six different sets of forms which precede them. These sets all share the same syntactic function of marking nouns, so we will call them *noun markers* and discuss them all in the first five units. We will symbolize them as follows:

$\sqrt{\text{le}}$	**(l'article défini)**
$\sqrt{\text{un}}$	**(l'article indéfini)**
$\sqrt{3}$	**(le nombre cardinal)**
$\sqrt{\text{ce}}$	**(l'adjectif démonstratif)**
$\sqrt{\text{mon}}$	**(l'adjectif possessif)**
$\sqrt{\text{plusieurs}}$	**(l'adjectif indéfini)**

Each noun marker has several shapes, determined by whether the noun which follows them (1) is classified in the language system as being of feminine **(le féminin)** or masculine **(le masculin)** gender (although most nouns do not refer to sex at all), (2) is marked as singular **(le singulier)** or plural **(le pluriel),** (3) begins with a vowel **(la voyelle)** or with a consonant **(la consonne)** sound.

	SPEECH				WRITING		
	Singular		*Plural*		*Singular*		*Plural*
	Before Vowel	*Before Consonant*	*Before Vowel*	*Before Consonant*	*Before Vowel*	*Before Consonant*	
Fem *Masc*	l	la lə	lɛz	lɛ	l'	la le	les

[1] The symbol $\sqrt{\ }$ is to read as "all the variant shapes of." Thus $\sqrt{\text{le}}$ represents **le, la, l', les.**

Verification Drills

■ TRANSFORMATION DRILLS

1. Fermez la porte.
   Fermez les portes.
   Fermez la malle.
   Fermez la valise.
   Fermez le livre.
2. Voici les chambres.
   Voici la chambre.
   Voici les malles.
   Voici les valises.
   Voici les chambres.
   Voici les cousines de Paul.
3. Voici les livres.
   Voici le livre.
   Voici les frères de Paul.
   Voici les amis de Philippe.
   Voici les oncles de Jacques.
   Voici les enfants.
4. Le frère de Jacqueline est à Paris.
   Les frères de Jacqueline sont à Paris.
   L'ami de Monsieur Adams est à la gare.
   La cousine de Paul est chez nous.
   La malle est dans votre chambre.
   Ouvrez le livre.
   Voilà l'amie de Jacqueline.

4 Inversion questions

EXAMPLE **Voulez-vous** voir votre chambre ?

Presentation Drills

■ SIMPLE SUBSTITUTION DRILLS

1. *Est-il* dans votre chambre ?
   (Etes-vous, Est-elle, Suis-je, Sommes-nous, Sont-ils, Sont-elles, Etes-vous, Est-il)
2. *Ses valises sont-elles* dans l'entrée ?
   (Sa malle est-elle, Son ami est-il, Vos livres sont-ils, Sa fille est-elle, Son fils est-il, Vos bagages sont-ils, Son père est-il, Ses valises sont-elles)

Discussion

If the position of the subject pronoun and verb form is reversed, that is, **il est** becoming **est-il,** we call the process inversion. Most inversions change statements into questions answerable by *yes* or *no*.

Most of the subject pronoun forms which follow the verb differ from those which occur before the verb:

SPEECH			WRITING
Before Verb		*After Verb*	*After Verb*
Before Vowel	*Before Consonant*		
ʒ	ʒə	ʒ	-je
ty		ty	-tu
ɛl		tɛl	-t-elle[1] -elle[2]
il		til	-t-il[1] -il[2]
nuz	nu	nu^{z}	-nous
vuz	vu	vu^{z}	-vous
ilz	il	til^{z}	-ils
ɛlz	ɛl	tɛl^{z}	-elles

Note particularly that all spoken third person forms have / t / : / tɛl til tɛl^{z} til^{z} /.

Yes/no question inversion is possible only with a subject pronoun and a verb form. When the verb is preceded by a subject noun, the appropriate third person subject pronoun follows the verb.

Verb	*Subject Pronoun*	*Remainder (if any)*
Sont-	elles	dans l'entrée ?
Est-	elle	encore à la gare ?
S'appelle-	t-il	Paul ?
S'appelle-	t-elle	Suzanne ?

Noun	*Verb*	*Subject Pronoun*	*Remainder (if any)*
Ses valises	sont-	elles	dans l'entrée ?
Sa malle	est-	elle	encore à la gare ?
Son amie	s'appelle-t-elle		Suzanne ?
Son ami	s'appelle-t-il		Paul ?

Verification Drills

■ TRANSFORMATION DRILLS

1. Vous êtes dans votre chambre.
   Etes-vous dans votre chambre ?
   Il est dans la salle à manger.
   Il va à Paris.
   Ils arrivent de la gare.
   Vous voulez voir la malle.
   Elles sont dans l'entrée.

[1] If the written form ends in a vowel: **va-t-elle, va-t-il.**
[2] If the written form ends in a consonant: **est-elle, est-il.**

2. Madame Chatel est dans l'entrée.
Madame Chatel est-elle dans l'entrée?
Paul est très heureux.
Vos bagages sont dans votre chambre.
Sa malle est encore chez vous.
Vos valises sont dans la salle à manger.

3. Paul et Philippe arrivent de la gare.
Paul et Philippe arrivent-ils de la gare?
L'étudiant s'appelle Philippe.
Madame Chatel entre.
Philippe présente Paul à sa mère.
Paul va dans sa chambre.

■ CONTEXTUAL TRANSFORMATION DRILL

Philippe est français.
Philippe est-il français?
Il est étudiant à Paris.
Vous êtes son ami.
Vous êtes chez Philippe.
Nous sommes très heureux.

■ CONVERSATION EXERCISES

1.

HENRI Bonjour, Philippe. Comment allez-vous?
PHILIPPE Très bien, merci, et vous?
HENRI Bien, merci. Est-ce que vos parents sont là?
PHILIPPE Oui, ils sont chez nous.
HENRI Vous devez être heureux. Comment va votre père?
PHILIPPE Il est encore très fatigué.
HENRI Et votre mère?
PHILIPPE Elle va bien, merci.

2.

MME CHATEL Voici votre chambre, Monsieur.
PAUL Merci, Madame.
MME CHATEL Où sont vos bagages?
PAUL Ma valise est dans l'entrée.
MME CHATEL Et votre malle?
PAUL Elle est encore à la gare.

3.

SUZANNE Où est Philippe?
PAUL Chez un ami. Voulez-vous voir sa sœur?
SUZANNE Oui; où est-elle?
PAUL Dans la salle à manger avec sa mère.

■ QUESTIONS ON THE DIALOGUE

Comment s'appelle le jeune étudiant américain?
Philippe est-il français?
Paul est-il français?
Comment s'appelle la sœur de Philippe?
Où est-elle?
Madame Chatel est-elle dans l'entrée?
Où est la malle de Paul?
Où sont ses valises?

■ ORAL COMPOSITION[1]

INSTRUCTIONS: Change the sentences by substituting where italicized to tell about yourself.

Je m'appelle *Jacques Chatel.*
Je suis *étudiant* ici.
Je suis *français.*
Ma famille est *à Paris.*

■ QUESTIONNAIRE[1]

INSTRUCTIONS: Ask another student the following questions.

Comment vous appelez-vous ?
Etes-vous étudiant ici ?
Etes-vous français ?
Où est votre famille ?

---

[1] Necessary feminine forms for these exercises are:

/etydjɑ̃t/ **étudiante** /amerikɛn/ **américaine** /frɑ̃sɛz/ **française**

D DVX RICHELIVS·SORBONAE·PROVISOR
XALTAVIT·TEMPLVM·S·DOMINO·MDCXLII

UNIT **2**

DIALOGUE

Avant la classe

A la Sorbonne (1) : Philippe accompagne Paul à son premier cours, qui commence à dix heures. Les deux garçons avancent parmi les groupes d'étudiants.

PHILIPPE Il n'est que neuf heures et demie. Nous avons le temps.
PAUL Où se trouve la salle de cours ?
PHILIPPE Elle est par ici, je crois. Attends, je vais demander à Gisèle.
PAUL Qui est Gisèle ?
PHILIPPE La jeune fille en blanc devant nous. C'est la meilleure amie de ma sœur.
PAUL Elle est bien jolie.
PHILIPPE Bonjour, Gisèle. Permettez-moi de vous présenter Paul Adams (2).

Ils se serrent la main (3) ; *Gisèle sourit.*

PHILIPPE Nous sommes perdus ; nous ne trouvons pas la salle huit.
GISELE Elle est au bout du couloir. Quelle heure avez-vous ? Je n'ai pas ma montre aujourd'hui.
PAUL Il est presque dix heures moins le quart.
GISELE Il y a déjà beaucoup de monde.
PHILIPPE Vous avez raison ; dépêchons-nous.

◀ **La Sorbonne : la cour centrale.**

a vã la klas ↘

a la sɔr bɔn ↘ fi lip ↗ a kõ paɲ pɔl a sõ prə mje kur ↗ ki kɔ mãs a di zœr ↘ le dø gar sõ ↗ a vãs par mi le grup de ty djã ↘

il nek nœv œr ed mi ↘ nu za võl tã ↘

us truv la sal də kur ↘
ɛ le pa ri si ʒə krwa ↘ a tãʒ ved mã de a ʒi zɛl ↘
ki ɛ ʒi zɛl →
la ʒœn fi jã blãd vã nu ↘ sɛ la mɛ jœr a mid ma sœr ↘
ɛ le bjɛ̃ ʒɔ li ↘
bõ ʒur ʒi zɛl ↘ pɛr mɛ tem wad vu pre zã te pɔl a dã ↘

il sə sɛr la mɛ̃ ↘ ʒi zɛl su ri ↘

nu sɔm pɛr dy ↘ nun tru võ pa la sal ɥit ↘

ɛ lɛ to bu dy kul war ↘ kɛ lœr a ve vu ↗ ʒə ne pa ma mõ tro ʒur dɥi ↘
i lɛ prɛsk di zœr mwɛ̃l kar ↘
i li a de ʒa bo kud mõd ↘
vu za ve rɛ zõ ↘ de pɛ ʃõ nu ↘

Before Class

At the Sorbonne: Philippe goes with Paul to his first class, which begins at ten o'clock. The two boys make their way through the groups of students.

PHILIPPE It's only nine thirty. We've got time.
PAUL Where's the classroom?
PHILIPPE It's around here, I think. Wait, I'll ask Gisèle.
PAUL Who's Gisèle?
PHILIPPE The girl in white in front of us. She's my sister's best friend.
PAUL She's very pretty.
PHILIPPE Good morning, Gisèle. May I present Paul Adams?

They shake hands; Gisèle smiles.

PHILIPPE We're lost; we can't find room eight.
GISELE It's at the end of the hall. What time do you have? I don't have my watch today.
PAUL It's almost a quarter to ten.
GISELE There's already a crowd.
PHILIPPE You're right; let's hurry.

SUPPLEMENTARY VOCABULARY

A quelle heure le cours commence-t-il ?
Il commence à une heure.
Il commence à deux heures.
Il commence à trois heures et demie.
Il commence à quatre heures et demie.

What time does the class begin?
It begins at one o'clock.
It begins at two o'clock.
It begins at three thirty.
It begins at four thirty.

A quelle heure arrivent-ils ?
Ils arrivent à cinq heures et quart.
Ils arrivent à six heures et quart.
Ils arrivent à sept heures et quart.

What time do they arrive?
They arrive at a quarter after five.
They arrive at a quarter after six.
They arrive at a quarter after seven.

Quelle heure est-il ?
Il est huit heures cinq.
Il est neuf heures cinq.
Il est dix heures cinq.
Il est onze heures moins vingt.
Il est midi moins vingt.
Il est minuit moins vingt.

What time is it?
It's five after eight.
It's five after nine.
It's five after ten.
It's twenty to eleven.
It's twenty to twelve (noon).
It's twenty to twelve (midnight).

Quel âge a-t-elle?	How old is she?
Elle a douze ans.	She's twelve.
Elle a treize ans.	She's thirteen.
Elle a quatorze ans.	She's fourteen.
Elle a quinze ans.	She's fifteen.
Elle a seize ou dix-sept ans.	She's sixteen or seventeen.
Quel âge avez-vous?	How old are you?
J'ai dix-sept ans.	I'm seventeen.
J'ai dix-huit ans.	I'm eighteen.
J'ai dix-neuf ans.	I'm nineteen.
J'ai vingt ans.	I'm twenty.

DIALOGUE NOTES

(1) **La Sorbonne,** the most renowned division of the University of Paris, includes amphitheater classrooms, the administrative offices of the university, a library, and a church. Opened in 1253, the **Sorbonne** today houses two of the four divisions of the **Université de Paris:** the **Faculté des Lettres** and the **Faculté des Sciences.** The **Faculté de Droit** (*law*) and the **Faculté de Médecine** are housed separately in nearby buildings.

(2) Philippe does not know Gisèle very well, so he addresses her as **vous.** Most university students switch to **tu** forms as soon as they get to know one another.

(3) Shaking hands is a gesture of very frequent occurrence in French social behavior. Since it often accompanies verbal greetings and leave-takings, the same two people may shake hands several times in one day. A French handshake consists of one firm shake and release.

Pronunciation

Oral vowels The three front rounded vowels of French / y ø œ / do not occur in spoken English. However, the French front spread vowels / i e ɛ / are readily recognizable to all speakers of English. Consequently, the French front rounded sounds may be approximated by rounding and protruding the lips as follows:

/ y / is / i / made with the lips in a whistling position;
/ ø / is / e / made with the lips positioned as if you were holding a dime between them;
/ œ / is / ɛ / made with the lips positioned as if you were holding a quarter between them.

■ CONTRAST DRILLS

INSTRUCTIONS: Repeat the contrasting items exactly as you hear them.

1.

/i/	/y/	/u/
Lips spread Tongue front Jaws high	Lips rounded Tongue front Jaws high	Lips rounded Tongue back Jaws high
a. mie *crumb*	mu *moved*	mou *flabby*
ni *neither*	nu *nude*	nous *we*
hisse *hoists*	eusse *had*	housse *cover*
vie *life*	vue *view*	vous *you*
si *if*	su *known*	sous *under*
mille *thousand*	mule *mule*	moule *mold*
bile *bile*	bulle *bubble*	boule *ball*
habit *dress*	abus *abuse*	à bout *exhausted*
b. Il est pire. *It's worse.*	Il est pur. *It's pure.*	Il est pour. *He's for it.*
Ceci est dit. *This is said.*	Ceci est dû. *This is due.*	Ceci est doux. *This is sweet.*
Regardez cette biche. *Look at that doe.*	Regardez cette bûche. *Look at that log.*	Regardez cette bouche. *Look at that mouth.*

2.

/e/	/ø/	/o/
Lips spread Tongue front Jaws higher-mid	Lips rounded Tongue front Jaws higher-mid	Lips rounded Tongue back Jaws higher-mid
a. fée *fairy*	feu *fire*	faux *false*
dés *dice*	deux *two*	dos *back*
né *born*	nœud *knot*	nos *our*
coûter *cost*	coûteux *costly*	couteau *knife*
crée *create*	creux *hollow*	croc *hook*
b. C'est un v. *It's a v.*	C'est un vœu. *It's a vow.*	C'est un veau. *It's a calf.*
Voilà les bées. *There are the door openings.*	Voilà les bœufs. *There are the oxen.*	Voilà les beaux. *There are the beautiful ones.*

3.

/ɛ/	/œ/	/ɔ/
Lips spread Tongue front Jaws lower-mid	Lips rounded Tongue front Jaws lower-mid	Lips rounded Tongue back Jaws lower-mid
a. père *father*	peur *fear*	port *port*
mère *mother*	meurt *dies*	mort *dead*
ber *launching cradle*	beurre *butter*	bord *edge*
flair *scent*	fleur *flower*	flore *flora*
b. Ça sert. *That's in use.*	Sa sœur. *His sister.*	Ça sort. *That's sticking out.*
C'est l'air. *It's the air.*	C'est l'heure. *It's time.*	C'est l'or. *It's gold.*
Voilà le sel. *There's the salt.*	Voilà le seul. *There's the only one.*	Voilà le sol. *There's the soil.*

4. /y/

Lips rounded
Tongue front
Jaws high

a. Tu vas bien. *You're well.*
Il vit dans l'abus. *He lives in abuse.*
La rousse est russe. *The redhead is Russian.*

b. Elle a du thé. *She has tea.*
Nous sommes près du fût. *We're near the cask.*
Où est la rue? *Where's the street?*
Il a vu ce qu'il a fait. *He has seen what he has done.*

/u/

Lips rounded
Tongue back
Jaws high

Tout va bien. *All's well.*
Il vit dans la boue. *He lives in the mud.*
La Russe est rousse. *The Russian girl is a redhead.*

Elle a douté. *She doubted.*
Nous sommes près du fou. *We're near the madman.*
Où est la roue? *Where's the wheel?*
Il avoue ce qu'il a fait. *He acknowledges what he has done.*

5. /a/

Lips spread
Tongue back
Jaws low

a. bal *ball*
natte *mat*
lard *bacon*
marc *coffee ground*
cale *wedge*

b. C'est son calvaire. *It's his Calvary.*
Il la crache. *He spits it out.*

/ɔ/

Lips rounded
Tongue back
Jaws lower-mid

bol *bowl*
note *note*
lors *then*
mort *dead*
colle *glue*

C'est son col vert. *It's his green collar.*
Il l'accroche. *He hangs it up.*

Vocabulary Drills

1. Il n'est que neuf heures et demie.
Il n'est pas neuf heures et demie.
Il n'est pas *dix heures et quart.*
Il n'est que dix heures et quart.
Il n'est que *midi moins cinq.*
Il n'est pas midi moins cinq.
Il n'est pas *huit heures dix.*
Il n'est que huit heures dix.
Il n'est que *neuf heures et demie.*

2. Où se trouve la salle de cours?
Où est la salle de cours?
Où est *la gare?*
Où se trouve la gare?
Où se trouve *la salle à manger?*
Où est la salle à manger?
Où est *la Sorbonne?*
Où se trouve la Sorbonne?
Où se trouve *la salle de cours?*

3. Je vais demander à Gisèle.
Je vais te présenter à Gisèle.
Je vais te présenter *à ma mère.*
Je vais demander à ma mère.
Je vais demander *à ses parents.*
Je vais vous présenter à ses parents.
Je vais vous présenter *à ma cousine.*
Je vais demander à ma cousine.
Je vais demander *à Gisèle.*

4. Elle est devant nous.
   Elle est *chez vous.*
   Il va chez vous.
   Il va *avec vous.*
   Ils arrivent avec vous.
   Ils arrivent *chez nous.*
   Elles sont chez nous.
   Elles sont *devant nous.*
   Elle est devant nous.

5. Nous ne trouvons pas la salle huit.
   Nous ne trouvons pas *ses bagages.*
   Je n'ai pas ses bagages.
   Je n'ai pas *votre livre.*
   Je ne comprends pas votre livre.
   Je ne comprends pas *votre ami.*
   Ils ne trouvent pas votre ami.
   Ils ne trouvent pas *la salle huit.*
   Nous ne trouvons pas la salle huit.

6. Elle est au bout du couloir.
   Elle est *dans l'entrée.*
   Elle va dans l'entrée.
   Elle va *chez ses parents.*
   Elle est chez ses parents.
   Elle est *parmi les étudiants.*
   Elle va parmi les étudiants.
   Elle va *au bout du couloir.*
   Elle est au bout du couloir.

7. A quelle heure arrivent-ils ?
   A quelle heure *est le cours ?*
   Dans quelle salle est le cours ?
   Dans quelle salle *entre-t-elle ?*
   Avec quelle amie entre-t-elle ?
   Avec quelle amie *se trouve-t-elle ?*
   Devant quelle porte se trouve-t-elle ?
   Devant quelle porte *arrivent-ils ?*
   A quelle heure arrivent-ils ?

5 Present tense of *avoir*

EXAMPLES Nous **avons** le temps.
Vous **avez** raison.
Je n'**ai** pas ma montre aujourd'hui.

Presentation Drills

■ SIMPLE SUBSTITUTION DRILLS

1. *Nous avons* beaucoup d'amis.
   (J'ai, Elles ont, Vous avez, Madame Chatel a, Philippe a, Ils ont, Tu as, Nous avons)

2. *As-tu* le temps ?
   (Avons-nous, Ai-je, Paul a-t-il, Avez-vous, Les garçons ont-ils, Jacqueline a-t-elle, As-tu)

■ PROGRESSIVE SUBSTITUTION DRILL

Avez-vous l'heure ?
Avez-vous *sa montre ?*
As-tu sa montre ?
As-tu *un cours ?*
Ont-ils un cours ?
Ont-ils *raison ?*
Ai-je raison ?
Ai-je *le temps ?*
Avons-nous le temps ?
Avons-nous *ses bagages ?*
A-t-elle ses bagages ?
A-t-elle *l'heure ?*
Avez-vous l'heure ?

Discussion

SPEECH	WRITING
avwar	**avoir** *to have*
nuz av õ^{z}	nous avons
vuz av e^{z}	vous avez
ilz õ^{t}	ils ont
ʒ e$^{=}$	j'ai
ty a^{z}	tu as
il a$^{=}$	il a

The verb **avoir** is the second most frequently occurring verb in French. It has four different present tense stems in speech. The symbol $^{=}$ means that there is no possible linking consonant.

Verification Drills

■ SIMPLE CORRELATION DRILLS

1. *Tu* as un cours à cinq heures.
   (Nous, Paul, Vous, Gisèle, Les étudiants, Mon frère, Je, Les jeunes filles, Tu)

2. As-*tu* l'heure ?
   (Paul, vous, Gisèle, les étudiants, nous, votre ami, les garçons, tu)

■ TRANSFORMATION DRILL

J'ai un cours.
Ai-je un cours ?
Elle a deux filles.
Vous avez une malle.
Ils ont une cousine.
Nous avons raison.
Elles ont une sœur.
Il a ses bagages.
Vous avez un frère.
Nous avons une classe à dix heures.

■ QUESTION DRILL

Avons-nous le temps ?
Oui, nous avons le temps.
Ai-je raison ?
A-t-il sa montre ?
Ont-ils les bagages ?
Avez-vous ses livres ?
A-t-elle l'heure ?
Ont-elles un frère ?

6 Noun marker √*un*

EXAMPLES Paul Adams est **un** jeune étudiant.
Il va chez **un** ami français.

Presentation Drills

■ SIMPLE SUBSTITUTION DRILL

Avez-vous *une sœur?*
(des cousines, un frère, une malle, des amis, un oncle, une montre, des livres, un ami, une sœur)

■ PROGRESSIVE SUBSTITUTION DRILL

Voici une montre.
J'ai une montre.
J'ai *un cousin.*
Il a un cousin.
Il a *des bagages.*
Voilà des bagages.
Voilà *une valise.*
Nous avons une valise.
Nous avons *des amis.*
Ils ont des amis.
Ils ont *un livre.*
Voici un livre.
Voici *une montre.*

Discussion

The noun marker √**un** has the following forms:

<table>
<tr><th></th><th colspan="4">SPEECH</th><th colspan="2">WRITING</th></tr>
<tr><th></th><th colspan="2">Singular</th><th colspan="2">Plural</th><th rowspan="2">Singular</th><th rowspan="2">Plural</th></tr>
<tr><th></th><th>Before Vowel</th><th>Before Consonant</th><th>Before Vowel</th><th>Before Consonant</th></tr>
<tr><td>Fem</td><td colspan="2">yn</td><td rowspan="2">dɛz</td><td rowspan="2">dɛ</td><td>une</td><td rowspan="2">des</td></tr>
<tr><td>Masc</td><td>œ̃n</td><td>œ̃</td><td>un</td></tr>
</table>

Verification Drills

■ TRANSFORMATION DRILLS

1. Voici l'étudiant.
   Voici un étudiant.
   Je vais demander le livre.
   Nous avons les bagages.
   Je vous présente l'ami de Paul.
   Voulez-vous voir la chambre?
   Voilà la salle de cours.
   Il accompagne les amis.
   Nous trouvons la jeune fille.

2. Nous avons des cours dans la salle huit.
   Nous avons un cours dans la salle huit.
   Il a des fils.
   Tu as des professeurs américains.
   Elle a des valises.
   Il y a des étudiants dans la classe.
   J'ai des sœurs.
   Voici des livres.
   Ils trouvent des garçons dans l'entrée.
   Nous avons des classes aujourd'hui.
   Il accompagne des jeunes filles au cours.

7 Cardinal numbers 1–20

EXAMPLES Il n'est que **neuf** heures.
Nous ne trouvons pas la salle **huit.**

Presentation Drills

■ SIMPLE SUBSTITUTION DRILLS

1. Nous avons *un frère.*
   (une heure, deux professeurs, deux amis, trois valises, trois oncles, quatre cousines, quatre amies, cinq livres, cinq étudiants, un frère)
2. Ils ont *six étudiants.*
   (six livres, sept oncles, sept chambres, huit amis, huit malles, neuf cousins, neuf heures, dix ans, dix valises, six étudiants)

■ PROGRESSIVE SUBSTITUTION DRILLS

1. Suzanne a onze ans.
   Sa sœur a onze ans.
   Sa sœur a *douze ans.*
   Ils ont douze ans.
   Ils ont *treize ans.*
   Vous avez treize ans.
   Vous avez *quatorze ans.*
   J'ai quatorze ans.
   J'ai *quinze ans.*
   Suzanne a quinze ans.
   Suzanne a *onze ans.*

2. Tu as seize ans.
   Nous avons seize ans.
   Nous avons *dix-sept ans.*
   Ils ont dix-sept ans.
   Ils ont *dix-huit ans.*
   Elle a dix-huit ans.
   Elle a *dix-neuf ans.*
   Vous avez dix-neuf ans.
   Vous avez *vingt ans.*
   Tu as vingt ans.
   Tu as *seize ans.*

Discussion

The cardinal numbers are noun markers. They have as many as three different spoken forms, depending on whether they occur before a vowel, before a consonant, or before silence (symbolized in this book by #). The before-silence forms are also the "names" of the numbers and are used in counting. (**Un** and **une** are the only forms showing gender.) The other two forms occur often before nouns.

		SPEECH			WRITING
		Before Vowel	*Before Consonant*	*Before #*	
1	*Fem*	yn	yn	yn	une
	Masc	œ̃n	œ̃	œ̃	un
2		døz	dø	dø	deux
3		trwaz	trwa	trwa	trois
4		katr	katrə	katr	quatre
5		sɛ̃k	sɛ̃	sɛ̃k	cinq
6		siz	si	sis	six
7		sɛt	sɛt	sɛt	sept
8		ɥit	ɥi	ɥit	huit
9		nœf/nœv[1]	nœf	nœf	neuf
10		diz	di	dis	dix

The numbers from 11 through 17 have only one form:

11	õz	onze
12	duz	douze
13	trɛz	treize
14	katɔrz	quatorze
15	kɛ̃z	quinze
16	sɛz	seize
17	dissɛt	dix-sept

The numbers 18 and 19 parallel 8 and 9:

18	dizɥit	dizɥi	dizɥit	dix-huit
19	diznœf/diznœv[1]	diznœf	diznœf	dix-neuf
20	vɛ̃t	vɛ̃	vɛ̃	vingt

[1] The second pre-vowel forms / nœv / and / diznœv / are used before **heures** and **ans:**

/ nœvœr /	**neuf heures**
/ nœvɑ̃ /	**neuf ans**

/ nœf / and / diznœf / occur before all other words which begin with a vowel.

Verification Drills

■ ORAL RAPID READING DRILLS

1.

5; 15   3; 13   1; 11
2; 12   6; 16   4; 14

2.

4; 11; 5   16; 5; 18
19; 7; 10   7; 13; 6
15; 9; 3   10; 4; 13

20; 2; 18   17; 3; 11
12; 1; 17   10; 8; 12
2; 14; 8   6; 20; 19

3. Quelle heure est-il ?

■ PROGRESSIVE SUBSTITUTION DRILL

Il a cinq oncles.
Il a cinq *valises.*
Il a *deux* valises.
Il a deux *amis.*
Il a *trois* amis.
Il a trois *classes.*
Il a *six* classes.
Il a six *étudiants.*
Il a *dix* étudiants.
Il a dix *malles.*
Il a *cinq* malles.
Il a cinq *oncles.*

■ ADDITION DRILL

10 et 2 = 12 (Dix et deux font douze.)

3 et 2 =	1 et 5 =	12 et 7 =	3 et 1 =	6 et 7 =
5 et 3 =	13 et 4 =	4 et 3 =	9 et 2 =	7 et 10 =
10 et 8 =	17 et 2 =	8 et 6 =	11 et 9 =	16 et 4 =

8 Verb negator *ne... pas*

EXAMPLES Nous **ne** trouvons **pas** la salle huit.
Je **n'**ai **pas** ma montre aujourd'hui.

Presentation Drills

■ SIMPLE SUBSTITUTION DRILLS

1. *Il n'est pas* fatigué.
   (Ils ne sont pas, Nous ne sommes pas, Vous n'êtes pas, Je ne suis pas, Tu n'es pas, Elles ne sont pas, Vous n'êtes pas, Il n'est pas)
2. *N'êtes-vous pas* américain ?
   (Paul n'est-il pas, Ne sommes-nous pas, Ne sont-ils pas, N'es-tu pas, Les étudiants ne sont-ils pas, Son père n'est-il pas, Ne suis-je pas, N'êtes-vous pas)
3. *Nous n'avons pas* le temps.
   (Je n'ai pas, Il n'a pas, Jacqueline n'a pas, Vous n'avez pas, Tu n'as pas, Les jeunes filles n'ont pas, Paul n'a pas, Nous n'avons pas)
4. *N'ont-ils pas* raison ?
   (N'a-t-il pas, N'ai-je pas, N'avons-nous pas, N'ont-elles pas, N'avez-vous pas, N'as-tu pas, N'ont-ils pas)

Discussion

The most frequent of the verb negator constructions in French is **ne... pas.** This construction functions in four patterns:

Subject Pronoun	**ne**	*Verb*	**pas**	*Remainder (if any)*
Nous	ne	trouvons	pas	la salle huit.
Je	n'	ai	pas	ma montre aujourd'hui.
Il	n'	est	pas	ici.
Vous	ne	comprenez	pas.	
Il	n'	y a	pas	beaucoup de monde.

Ne	*Verb–Subject Pronoun*	**pas**	*Remainder (if any)*
Ne	trouvons-nous	pas	la salle huit ?
N'	ai-je	pas	ma montre aujourd'hui ?
N'	est-il	pas	ici ?
Ne	comprenez-vous	pas ?	
N'	y a-t-il	pas	beaucoup de monde ?

Noun	**ne**	*Verb*	**pas**	*Remainder (if any)*
Ses valises	ne	sont	pas	dans l'entrée.
Le cours	ne	commence	pas	à dix heures.
Jacqueline	n'	a	pas	raison.
Paul	ne	comprend	pas.	

Noun	**ne**	*Verb–Subject Pronoun*	**pas**	*Remainder (if any)*
Ses valises	ne	sont-elles	pas	dans l'entrée ?
Le cours	ne	commence-t-il	pas	à dix heures ?
Jacqueline	n'	a-t-elle	pas	raison ?
Paul	ne	comprend-il	pas ?	

The variants of **ne** are:

SPEECH		WRITING	
Before Vowel	*Before Consonant*		
n	nə	n'	ne

The form **pas** has a stylistic variant / z /:

SPEECH		WRITING
Before Vowel	*Before Consonant*	
pa^{z}	pa	pas

When there is no verb form, there is no **ne,** and the form **pas** negates any construction which it precedes:

Pas Jacqueline.	Not Jacqueline.
Pas aujourd'hui.	Not today.

Verification Drills

■ QUESTION DRILL

Aujourd'hui ?
Non, pas aujourd'hui.
A neuf heures ?
Beaucoup ?
Plus lentement ?
Dans l'entrée ?
Par ici ?
Par là ?
Dans la salle neuf ?
A la gare ?
Vous ?

■ TRANSFORMATION DRILLS

1. Elle est jolie.
   Elle n'est pas jolie.
   Ses bagages sont là.
   Nous sommes heureux.
   Elle va à Paris.
   Ils sont dans la salle à manger.
   Je comprends.
   Vous avez le temps.
   J'ai dix-huit ans.
   Sa mère va dans l'entrée.
   Il entre dans la salle.
   Je crois.
   Elle sourit.
   Nous avons l'heure.

2. Etes-vous heureux ?
   N'êtes-vous pas heureux ?
   Est-il fatigué ?
   Sommes-nous chez Madame Chatel ?
   Ai-je raison ?
   Suis-je le bienvenu ?
   Avez-vous deux frères ?
   Voulez-vous vos livres ?

3. Paul est-il dans le couloir ?
   Paul n'est-il pas dans le couloir ?
   Les jeunes filles sont-elles ici ?
   Ses amis sont-ils français ?
   Paul va-t-il à Paris ?
   Son cousin s'appelle-t-il Philippe ?
   Son fils est-il chez vous ?
   La classe commence-t-elle à huit heures ?

■ CONVERSATION EXERCISES

1.

HENRI Qui est la jeune fille en blanc, devant la fenêtre ?
PHILIPPE C'est la sœur de Michel Martin.
HENRI Elle est très jolie.
PHILIPPE Très.
HENRI Comment s'appelle-t-elle ?
PHILIPPE Monique. Elle est très jeune ; elle n'a que seize ans, je crois.
HENRI Est-ce que vous voulez me présenter ?
PHILIPPE Avec plaisir.

2.

PAUL Quelle heure est-il ?
PHILIPPE Je ne sais pas ; je vais demander à Suzanne.
PAUL Où est-elle ?
PHILIPPE Elle est dans le couloir.
Il va à la porte
PHILIPPE Quelle heure avez-vous, Suzanne ?
SUZANNE Presque onze heures.
PHILIPPE Déjà ?
SUZANNE N'avez-vous pas classe à onze heures ?
PHILIPPE Non, à onze heures et quart. Dépêchons-nous, Paul, nous n'avons pas beaucoup de temps.

■ QUESTIONS ON THE DIALOGUE

Où sont les deux amis ?
A quelle heure arrivent-ils ?
Le cours commence-t-il à neuf heures et demie ?
Comment s'appelle la jeune fille en blanc ?
Qui est-elle ?
Quelle salle les deux amis cherchent-ils ?
Où est la salle huit ?
Gisèle a-t-elle une montre ?

■ ORAL COMPOSITION

J'ai *dix-sept ans.*
J'ai une classe *aujourd'hui.*
Elle commence *à onze heures.*
Il y a *quinze étudiants* dans la classe.

■ QUESTIONNAIRE

Quel âge avez-vous ?
Avez-vous une classe aujourd'hui ?
A quelle heure commence-t-elle ?
Y a-t-il quinze étudiants dans la classe ?

UNIT **3**

DIALOGUE

Au Quartier latin (1)

Le cours est fini. Professeur, étudiants et étudiantes quittent la salle (2). Paul, Philippe et Gisèle sortent ensemble du bâtiment.

GISELE Il fait vraiment beau ce matin.
PHILIPPE Trop beau pour étudier, certainement. Veux-tu visiter le Quartier, Paul ?
PAUL Volontiers. Pouvez-vous rester avec nous, Mademoiselle ?
GISELE Oui, je veux bien. Je suis libre jusqu'à deux heures.
PAUL Qu'est-ce qu'il y a à voir ?
GISELE Il y a Cluny ; c'est tout près, dans cette petite rue.
PHILIPPE Oh, Cluny... C'est un musée, Paul. Tu as envie de voir un musée ?
PAUL Nous pouvons y aller demain, peut-être.

Ils s'arrêtent.

PHILIPPE Ce qui est intéressant, c'est le Quartier lui-même : les magasins, les cafés...
GISELE Des magasins, on en trouve aux Etats-Unis.
PHILIPPE C'est possible, mais il doit connaître ceux du Quartier.
GISELE Après tout, si nous laissions votre ami choisir ?
PHILIPPE Oui, ça vaudrait mieux. Que veux-tu faire, Paul ?
PAUL J'aimerais bien aller déjeuner.

◀ **La Sorbonne : une salle de conférences.**

TAPE AIDS

o kar tje la tɛ̃↘

lə ku re fi ni↘ prɔ fɛ sœr↗ e ty djã↗ e e ty djãt↗ kit la sal↘ pɔl fi lip e ʒi zɛl↗ sɔrt tã sãb dy ba ti mã↘

il fɛ vrɛ mã bo sma tɛ̃↘
tro bo pu re ty dje sɛr tɛn mã↘ vø ty vi zi tel kar tje pɔl↗

vɔ lõ tje↘ pu ve vu rɛ ste a vɛk nu mad mwa zɛl↗
wiʒ vø bjɛ̃↗ ʒə sɥi lib ʒy ska dø zœr↘
kɛs ki li a a vwar↘
i li a kly ni ↗ sɛ tu prɛ↘ dã sɛt pə ti try↘

o→kly ni↘ sɛ tœ̃ my ze pɔl↘ ty a ã vid vwar œ̃ my ze↗
nu pu võ zi a le də mɛ̃ pø tɛtr↘

il sa rɛt↘

ski e tɛ̃ te rɛ sã sɛl kar tje lɥi mɛm↘ le ma ga zɛ̃↗ le ka fe↗
de ma ga zɛ̃ o nã truv o ze ta zy ni↘
sɛ pɔ sibl↘ mɛ zil dwa kɔ nɛ trə sø dy kar tje↘
a prɛ tu↗ si nu lɛs jõ vɔ tra mi ʃwa zir↘

wi sa vo drɛ mjø↘ kø vø ty fɛr pɔl→

ʒɛm rɛ bjɛ̃ a le de ʒœ ne↘

In the Latin Quarter

The class is over. Teacher and students are leaving the room. Paul, Philippe, and Gisèle come out of the building together.

GISELE It's really beautiful out this morning.
PHILIPPE Too beautiful for studying, that's for sure. Do you want to visit the Latin Quarter, Paul?

PAUL Gladly. Can you come with us, Miss Courtin?
GISELE Yes, I'd like to. I'm free until two.
PAUL What is there to see?
GISELE There's Cluny; it's very close, down that little street.

PHILIPPE Oh, Cluny... That's a museum, Paul. You really want to see a museum?
PAUL We can go there tomorrow, maybe.

They stop.

PHILIPPE What's interesting is the Latin Quarter itself: the stores, the cafes...
GISELE Stores? They've got those in the U.S.
PHILIPPE That may be, but he's got to know the ones in the Latin Quarter.
GISELE After all, how about letting your friend choose?

PHILIPPE Yes, that would be better. What do you want to do, Paul?

PAUL I'd like to go have lunch.

SUPPLEMENTARY VOCABULARY

Nous pouvons y aller lundi.
Nous pouvons y aller mardi.
Nous pouvons y aller mercredi.

We can go there Monday.
We can go there Tuesday.
We can go there Wednesday.

Le bâtiment est fermé le jeudi.
Le bâtiment est fermé le vendredi.
Le bâtiment est fermé le samedi.

The building is closed on Thursdays.
The building is closed on Fridays.
The building is closed on Saturdays.

Il est ouvert tous les dimanches.
Il est ouvert tous les après-midi.
Il est ouvert tous les soirs.

It's open every Sunday.
It's open every afternoon.
It's open every evening.

Je passe la journée à la maison.
Je passe la soirée au cinéma.
Je passe la matinée en ville.

I'm spending the whole day at home.
I'm spending the whole evening at the movies.
I'm spending the whole morning downtown.

Vous restez toute la nuit ? Vous restez toute l'année ? Vous restez toute la semaine ?	Are you staying all night? Are you staying all year? Are you staying all week?
Depuis quand travaille-t-il ici ? Il travaille ici depuis hier. Il travaille ici depuis avant-hier.	How long has he been working here? He's been working here since yesterday. He's been working here since the day before yesterday.
Depuis combien de temps est-il ici (3) ? Il est ici depuis trois jours. Il est ici depuis deux mois.	How long has he been here? He's been here for three days. He's been here for two months.
Dans combien de temps veut-il partir ? Dans un quart d'heure. Dans une demi-heure.	When does he want to leave? In a quarter of an hour. In a half hour.
Quand allez-vous partir en voyage ? Demain. Après-demain.	When are you going to leave on your trip? Tomorrow. The day after tomorrow.

DIALOGUE NOTES

(1) **Le Quartier latin** is the traditional name for the area around the **Sorbonne.** Its boundaries are rather vague and it does not comprise any specific municipal subdivision. The **Quartier,** which dates back eight hundred years, is generally considered to include the following:

(a) the many schools which comprise **l'Université de Paris,**

(b) **l'hôtel de Cluny,** on whose grounds are found an art museum and the remains of old Roman baths,

(c) **la Monnaie,** the French mint,

(d) **l'Institut de France,** formerly a palace, now the meeting place of the five French **Académies,** which are learned societies of artists and scientists.

(2) Noun markers are occasionally omitted when enumerating a series.

(3) The question **Depuis combien de temps...** requires an answer which includes a span of time: **trois jours, des années,** etc.; the question **Depuis quand...** requires an answer which pinpoints a time: **hier, dix heures et demie,** etc.

Pronunciation

Nasal Vowels The four nasal vowels of French can be approximated in the English of most speakers; many Americans have them in such words as *hank, hunk, honk,* and *home.* As a matter of fact, all the vowels of English can occur nasalized when they are adjacent to a nasal consonant; the effect of such a pronunciation is perceived as "twang" or "drawl." The crucial difference is that in English, nasalized vowels do not serve to distinguish words; *book* is still *book* whether air is coming out your nose or not. In French, nasal and oral vowels are not interchangeable.

To determine if a vowel is nasal, pinch your nostrils together as you say the vowel: if you detect a difference, the "pinched" vowel is nasal.

■ CONTRAST DRILLS

INSTRUCTIONS: Repeat the following words exactly as you hear them; they differ from one another only in the final vowel sound:

1.

/ɛ̃/	/œ̃/[1]	/ã/	/õ/
hein *Eh?*	un *one*	an *year*	on *people*
main *hand*	Meung (*name of a city*)	ment *lies*	mon *my*
lin *flax*	l'un *one of them*	lent *slow*	long *long*
geint *whines*	jeun *fast*	gens *people*	jonc *rush*
Alain (*man's name*)	alun *alum*	allant *going*	allons *let's go*

2.

/ɛ̃/	/ã/
On le peint. *They're painting it.*	On le pend. *They're hanging it.*
Prenez un bain. *Take a bath.*	Prenez un banc. *Take a bench.*
Il est marin. *He's a sailor.*	Il est marrant. *He's funny.*
Il fait du vin. *He makes wine.*	Il fait du vent. *It's windy.*
C'est son parrain. *It's his godfather.*	C'est son parent. *It's his relative.*
Nous sommes en province. *We're in the provinces.*	Nous sommes en Provence. *We're in Provence.*
J'ai cinq dollars sur moi. *I have five dollars on me.*	J'ai cent dollars sur moi. *I have a hundred dollars on me.*

3.

/ã/	/õ/
Quel sang ! *What blood!*	Quel son ! *What a sound!*
Il est blanc. *It's white.*	Il est blond. *He's blond.*
J'aime ce temps. *I like this weather.*	J'aime ce ton. *I like this tone.*
Allant chez vous. *Going to your house.*	Allons chez vous. *Let's go to your house.*
Comme il est lent ! *How slow he is!*	Comme il est long ! *How long it is!*

4.

/o/	/õ/
Quelle beauté ! *What beauty!*	Quelle bonté ! *What goodness!*
C'est un bobo. *It's a sore.*	C'est un bonbon. *It's a piece of candy.*
Ils ont haussé le taux. *They raised the rate.*	Ils ont haussé le ton. *They raised the tone.*
Elle nous a donné le seau. *She gave us the pail.*	Elle nous a donné le son. *She gave us the sound.*
Nous avons fait un beau voyage. *We had a beautiful trip.*	Nous avons fait un bon voyage. *We had a good trip.*
Il a versé le lait sur son manteau. *He spilled the milk on his coat.*	Il a versé le lait sur son menton. *He spilled the milk on his chin.*

5.

/ɛn/	/ɛ̃/
Ils viennent. *They're coming.*	Il vient. *He's coming.*
Quelle scène ! *What a scene!*	Quel saint ! *What a saint!*

[1] Although most speakers of French produce four contrasting nasal vowels, many Frenchmen, particularly from the Paris area, have only three:

FRONT: ɛ̃ ← (œ̃) BACK: ã õ

Nous n'avons pas de veine. *We don't have any luck.*
Elle a une robe de laine. *She has a wool dress.*
Ils me donnent beaucoup de peine. *They give me a great deal of trouble.*

Nous n'avons pas de vin. *We don't have any wine.*
Elle a une robe de lin. *She has a linen dress.*
Ils me donnent beaucoup de pain. *They give me a great deal of bread.*

Vocabulary Drills

1. Ils sortent du bâtiment.
   Ils arrivent du bâtiment.
   Ils arrivent *de la gare.*
   Ils sortent de la gare.
   Ils sortent *du musée.*
   Ils arrivent du musée.
   Ils arrivent *de la Sorbonne.*
   Ils sortent de la Sorbonne.
   Ils sortent *du bâtiment.*

2. Il fait trop beau pour travailler.
   Il fait trop beau *pour rester à la maison.*
   Il est trop jeune pour rester à la maison.
   Il est trop jeune *pour travailler.*
   Je suis trop fatigué pour travailler.
   Je suis trop fatigué *pour partir.*
   Nous sommes trop heureux pour partir.
   Nous sommes trop heureux *pour travailler.*
   Il fait trop beau pour travailler.

3. Je suis libre jusqu'à deux heures.
   Je suis libre *depuis deux heures.*
   Nous sommes ici depuis deux heures.
   Nous sommes ici *jusqu'à son arrivée.*
   Je suis là jusqu'à son arrivée.
   Je suis là *depuis lundi soir.*
   Il est fermé depuis lundi soir.
   Il est fermé *jusqu'à deux heures.*
   Je suis libre jusqu'à deux heures.

4. Qu'est-ce qu'il y a à voir ?
   Qu'est-ce qu'il y a *à faire ?*
   Qu'est-ce que nous avons à faire ?
   Qu'est-ce que nous avons *à visiter ?*
   Qu'est-ce que vous avez à visiter ?
   Qu'est-ce que vous avez *à choisir ?*
   Qu'est-ce que j'ai à choisir ?
   Qu'est-ce que j'ai *à voir ?*
   Qu'est-ce qu'il y a à voir ?

5. Tu as envie de voir un musée ?
   Tu as envie *d'aller en ville ?*
   Vous avez envie d'aller en ville ?
   Vous avez envie *de rester à la maison ?*
   Il a envie de rester à la maison ?
   Il a envie *de visiter le bâtiment ?*
   Elles ont envie de visiter le bâtiment ?
   Elles ont envie *de voir un musée ?*
   Tu as envie de voir un musée ?

6. Il y en a aux Etats-Unis.
   Il y en a *à la Sorbonne.*
   Il y en a *au Quartier latin.*
   Il y en a *à Paris.*
   Il y en a *au magasin.*
   Il y en a *à la maison.*
   Il y en a *au bout de la rue.*
   Il y en a *aux Etats-Unis.*

7. Il doit connaître ceux du quartier.
   Il doit connaître *ceux de Paris.*
   Je veux voir ceux de Paris.
   Je veux voir *ceux de la ville.*
   Elle va visiter ceux de la ville.
   Elle va visiter *ceux d'ici.*
   Nous pouvons voir ceux d'ici.
   Nous pouvons voir *ceux du quartier.*
   Il doit connaître ceux du quartier.

8. J'aimerais bien aller déjeuner.
   J'aimerais bien *aller voir Paul.*
   Nous pouvons aller voir Paul.
   Nous pouvons *aller déjeuner.*
   Je veux bien aller déjeuner.
   Je veux bien *aller voir Paul.*
   Vous devez aller voir Paul.
   Vous devez *aller déjeuner.*
   J'aimerais bien aller déjeuner.

9 Present tense of verbs like *parler*

EXAMPLES

Ils **arrivent** de la gare.
Le cours **commence** à dix heures.
Nous ne **trouvons** pas la salle huit.
Vous **restez** toute la nuit.

Presentation Drills

■ SIMPLE SUBSTITUTION DRILLS

1. *Il arrive* de Paris.
   (Nous arrivons, J'arrive, Elle arrive, Elles arrivent, Tu arrives, Vous arrivez, Ils arrivent, Il arrive)

2. *Je ne travaille pas* ce matin.
   (Nous ne travaillons pas, Il ne travaille pas, Vous ne travaillez pas, Mes frères ne travaillent pas, Gisèle ne travaille pas, Tu ne travailles pas, Je ne travaille pas)

3. A quelle heure *déjeunez-vous?*
   (déjeunes-tu, déjeunons-nous, Madame Chatel déjeune-t-elle, Paul déjeune-t-il, les étudiants déjeunent-ils, est-ce que je déjeune, déjeunez-vous)

■ PROGRESSIVE SUBSTITUTION DRILL

Vous parlez beaucoup.
Elles travaillent beaucoup.
Elles travaillent *ici.*
Gisèle déjeune ici.
Gisèle déjeune *à midi.*
Je quitte Paul à midi.
Je quitte Paul à *la porte.*
Nous restons à la porte.
Nous restons *ensemble.*
Vous parlez ensemble.
Vous parlez *beaucoup.*

Discussion

Most of the verbs in French pattern like the verb **parler.** They may be described as consisting of two parts: a stem and an ending. Verbs like **parler** have only one stem in the present.

Traditionally, verbs in French are classified according to their infinitive form; this is the form under which all verbs are listed in the dictionary. Verbs like **parler** all have / –e / (written –**er**) as their infinitive ending:

SPEECH		WRITING	
Present Stem	*Infinitive Ending*		
parl–	–e	parl–	–er
truv–	–e	trouv–	–er
rɛst–	–e	rest–	–er
rãtr–	–e	rentr–	–er
deʒøn–	–e	déjeun–	–er

The present tense endings for these thousands of verbs are:

SPEECH				WRITING	
Subject Pronoun		*Present Stem*	*Ending*		
Plural	nu	____	$\tilde{o}^{z}$	nous	–ons
	vu	____	e^{z}	vous	–ez
	il	____	$-^{t}$	ils	–ent
Singular	ʒə	____	$-^{=}$	je	–e
	ty	____	$-^{=}$	tu	–es
	il	____	$-^{=}$	il	–e

Here are the forms of **parler:**

nu	parl	$\tilde{o}^{z}$	nous parlons
vu	parl	e^{z}	vous parlez
il	parl	^{t}	ils parlent
ʒə	parl	$^{=}$	je parle
ty	parl	$^{=}$	tu parles
il	parl	$^{=}$	il parle

Below is a list of the infinitives of all the verbs like **parler** that you have said so far:

Verbs Beginning with Vowels	*Verbs Beginning with Consonants*	
aimer	commencer	renseigner
arriver	déjeuner	rentrer
avancer	dépêcher	répéter
écouter	donner	rester
entrer	fermer	serrer
étudier	montrer	travailler
	passer	traverser
	présenter	trouver
	quitter	

Verification Drills

■ SIMPLE CORRELATION DRILLS

1. *Je* passe la journée en ville.
   (Nous, Ma sœur, Tu, Les deux garçons, Vous, Paul, Je)

2. Parlez-*vous* français ?
   (nous, Paul, tu, vos parents, Gisèle, vous)

3. *Il* n'écoute pas.
   (Nous, Les étudiants, Votre ami, Je, Vous, Madame Chatel, Tu, Il)

■ TRANSFORMATION DRILLS

1. Vous travaillez en ville.
   Travaillez-vous en ville?
   Elle arrive ce soir.
   Il présente Paul à sa sœur.
   Nous accompagnons nos amis.
   Tu travailles le jeudi.
   Elle ferme la porte.
   Vous passez l'année à Paris.
   Ils arrivent ensemble.
   Nous fermons la malle.

2. Trouvez-vous la salle huit?
   Ne trouvez-vous pas la salle huit?
   Arrivent-ils ce matin?
   Quittons-nous la salle?
   Travailles-tu ici?
   Déjeunez-vous ensemble?
   Reste-t-elle jusqu'à demain?
   Demande-t-il l'heure?
   Parlons-nous trop lentement?
   Visites-tu la ville?

10 Noun marker √*ce*

EXAMPLES Il fait beau **ce** matin.
C'est tout près, dans **cette** petite rue.

Presentation Drills

■ SIMPLE SUBSTITUTION DRILL

Voulez-vous voir *ce livre?*
(cette jeune fille, ces deux garçons, ce musée, cette ville, ces bâtiments, ce groupe d'enfants, cette montre, ces magasins, ce livre)

■ PROGRESSIVE SUBSTITUTION DRILLS

1. Il fait beau ce matin.
   Il fait beau *cet après-midi.*
   Nous sommes libres cet après-midi.
   Nous sommes libres *cette semaine.*
   Il travaille cette semaine.
   Il travaille *ce soir.*
   Nous restons à Paris ce soir.
   Nous restons à Paris *cette année.*
   Vous travaillez cette année.
   Vous travaillez *ce matin.*
   Il fait beau ce matin.

2. Je vais demander à cette jeune fille.
   Je vais demander *à ces jeunes filles.*
   Je vais parler à ces jeunes filles.
   Je vais parler *à ce garçon.*
   Je vais demander à ce garçon.
   Je vais demander *à ces garçons.*
   Je vais parler à ces garçons.
   Je vais parler *à cet étudiant.*
   Je vais demander à cet étudiant.
   Je vais demander *à ces étudiantes.*
   Je vais parler à ces étudiantes.
   Je vais parler *à cette jeune fille.*
   Je vais demander à cette jeune fille.

Discussion

Here are the forms of the noun marker $\sqrt{\textbf{ce}}$:

	SPEECH				WRITING		
	Singular		*Plural*		*Singular*		*Plural*
	Before Vowel	*Before Consonant*	*Before Vowel*	*Before Consonant*	*Before Vowel*	*Before Consonant*	
Fem	sɛt				cette		
			sɛz	sɛ			ces
Masc	sɛt	sə			cet	ce	

Verification Drills

■ TRANSFORMATION DRILLS

1. Voulez-vous ce livre ?
   Voulez-vous ces livres ?
   Ouvrez cette valise.
   Je vais dans ce magasin.
   Répétez cette question.
   Il présente cet étudiant.
   J'aimerais voir cet ami.
   Nous accompagnons cette jeune fille.
2. Il veut ces livres.
   Il veut ce livre.
   J'aimerais parler à ces jeunes filles.
   Attends ces enfants.
   Ouvrez ces portes.
   Veux-tu voir ces bâtiments ?
   Vous devez connaître ces étudiants.
   Je vais visiter ces villes.
   Je ne comprends pas ces questions.
   Je vous présente ces garçons.
3. Le quartier est très beau.
   Ce quartier est très beau.
   La chambre est très jolie.
   Qui est la jeune fille en blanc ?
   Fermez la porte.
   Comment s'appelle l'enfant ?
   Où vont les étudiants ?
   A quelle heure est le cours ?
   Permettez-moi de vous présenter les jeunes filles.

11 Yes/no questions

EXAMPLES Tu as envie de voir un musée ?
Est-ce que tous vos bagages sont là ?

Presentation Drills

■ PROGRESSIVE SUBSTITUTION DRILLS

1. Elle va à Paris ?
   Elle va *fermer la porte ?*
   Vous voulez fermer la porte ?
   Vous voulez *rester ici ?*
   Il veut rester ici ?
   Il veut *parler à Paul ?*
   Tu veux parler à Paul ?
   Tu veux *partir ce soir ?*
   Il va partir ce soir ?
   Il va *à Paris ?*

2. Est-ce qu'il est ouvert ?
Est-ce qu'il reste ouvert ?
Est-ce qu'il reste *ici ?*
Est-ce qu'ils sont ici ?
Est-ce qu'ils sont *dans cette salle ?*
Est-ce que vous travaillez dans cette salle ?
Est-ce que vous travaillez *beaucoup ?*
Est-ce qu'elle parle beaucoup ?
Est-ce qu'elle parle *mieux ?*
Est-ce qu'il est mieux ?
Est-ce qu'il est *ouvert ?*

■ SIMPLE SUBSTITUTION DRILL

Il est américain, n'est-ce pas ?
(Vous restez avec nous, Nous déjeunons en ville, Il fait beau, Tu as envie de partir, Le magasin est dans cette rue, C'est intéressant, Elle est jolie, Vous vous appelez Paul, Il est américain)

Discussion

Besides the inversion process explained in Section 4, there are three other ways of formulating *yes/no* questions in French. All four techniques result in questions with *yes* or *no* as possible answers:

(1) Substituting a rising pitch movement / ↗ / on the final syllable:

/ də mɛ̃ ↗ /	**Demain ?**
/ vu de ʒø ne o rɛ stɔ rɑ̃ ↗ /	**Vous déjeunez au restaurant ?**
/ dɑ̃ sɛt pə tit ry a drwat ↗ /	**Dans cette petite rue à droite ?**

(2) Adding the tag **n'est-ce pas,** with or without / ↗ /:

Demain, n'est-ce pas ?
Vous déjeunez au restaurant, n'est-ce pas ?
Dans cette petite rue à droite, n'est-ce pas ?

(3) Prefixing **Est-ce que** to a subject-verb sentence, with or without / ↗ /:

Est-ce que vous déjeunez au restaurant ?
Est-ce qu'elle va rester deux jours ?
Est-ce qu'ils sont ici depuis hier ?

The question introducer **Est-ce que** has the following forms:

SPEECH		WRITING	
Before Vowel	*Before Consonant*	*Before Vowel*	*Before Consonant*
ɛsk	ɛskə	Est-ce qu'	Est-ce que

Est-ce que is used with verbs like **parler** and with most verbs having **je** as subject: **Est-ce que je parle français ?**

In replying affirmatively to a question or a statement which contains a negative construction, the French equivalent of *yes* is **si.** Elsewhere, it is **oui.** Thus in statements:

Vous avez rendez-vous.	**Oui, j'ai rendez-vous.**
Vous n'avez pas rendez-vous.	**Si, j'ai rendez-vous.**

And in questions:

Avez-vous rendez-vous ?	**Oui, j'ai rendez-vous.**
N'avez-vous pas rendez-vous ?	**Si, j'ai rendez-vous.**

Verification Drills

■ TRANSFORMATION DRILL

Il fait beau.
Il fait beau ?
Ils sont français.
La malle est là.
Elle sourit.
Vous allez bien.
Ils arrivent demain.
Tu veux rester.

■ CONTEXTUAL TRANSFORMATION DRILLS

1. Michel a une sœur.
Michel a une sœur, n'est-ce pas ?
Elle s'appelle Claude.
Elle est étudiante.
Elle va à la Sorbonne.
Elle a beaucoup d'amis.
Elle est très jolie.
Vous voulez faire sa connaissance.

2. Vous avez une maison.
Est-ce que vous avez une maison ?
Elle se trouve dans cette rue.
C'est une jolie maison.
Elle est trop petite pour vous.
Il y a deux ou trois chambres.
Il y a une entrée.
Nous pouvons visiter la maison.

12 Combination *au*

EXAMPLES
Sa malle est encore **à la** gare.
Elle est **au** bout du couloir.
Il y en a **aux** Etats-Unis.

Presentation Drills

■ SIMPLE SUBSTITUTION DRILL

Je demande l'heure *au professeur.*
(à la jeune fille, aux étudiantes, au frère de Gisèle, à l'enfant, aux deux amis, à l'ami de Paul, au professeur)

■ PROGRESSIVE SUBSTITUTION DRILLS

1. Elle va au cinéma.
   Ils sont au cinéma.
   Ils sont *à la porte.*
   Elle est à la porte.
   Elle est *au magasin.*
   Nous sommes au magasin.
   Nous sommes *à la gare.*
   Je vais à la gare.
   Je vais *au musée.*
   Elle va au musée.
   Elle va *au cinéma.*

2. Il parle à la jeune fille.
   Il parle *aux jeunes filles.*
   Nous demandons aux jeunes filles.
   Nous demandons *à l'enfant.*
   Elle sourit à l'enfant.
   Elle sourit *aux enfants.*
   Nous parlons aux enfants.
   Nous parlons *au cousin de Paul.*
   Elle sourit au cousin de Paul.
   Elle sourit *à la jeune fille.*
   Il parle à la jeune fille.

Discussion

The preposition **à,** which corresponds to English *at, to, in,* etc., occurs before all the $\sqrt{\textbf{le}}$ noun markers except the forms **le** and **les,** where the combinations **au** and **aux** occur.

	SPEECH				WRITING		
	Singular		*Plural*		*Singular*		*Plural*
	Before Vowel	*Before Consonant*	*Before Vowel*	*Before Consonant*	*Before Vowel*	*Before Consonant*	
Fem		ala				à la	
	al		oz	o	à l'		aux
Masc		o				au	

Verification Drills

■ SIMPLE CORRELATION DRILLS

1. Je vais au *cours.*
   (Sorbonne, bout de la rue, maison, Etats-Unis, cinéma, magasins, gare, café, Quartier latin, cours)
2. Est-ce qu'il va parler à *la jeune fille?*
   (professeur, cousin de Philippe, deux amis, trois étudiantes, oncle de Paul, enfant, jeune fille)
3. Vous ne restez pas à *la maison?*
   (Etats-Unis, Sorbonne, magasin, cinéma, porte, café, maison)

CONVERSATION EXERCISES

1.

HENRI Nous pouvons déjeuner par ici. Il y a un restaurant au bout de cette rue.
PHILIPPE Le restaurant Mercier ? Il doit être fermé.
HENRI Comment, fermé ?
PHILIPPE Il n'est pas ouvert le mercredi.
HENRI Nous ne sommes pas mercredi ; nous sommes jeudi.
PHILIPPE Vraiment ? Mais si nous sommes jeudi, nous sommes le 18 ?
HENRI Oui, je crois ; pourquoi ?
PHILIPPE Des amis de mon père arrivent ce soir.

2.

ANDRE Qui est Paul Adams ?
HENRI C'est un étudiant.
ANDRE Quel âge a-t-il ?
HENRI Dix-neuf ans, je crois.
ANDRE Est-ce qu'il travaille bien ?
HENRI Non, pas très.
ANDRE Il ne va pas aux cours ?
HENRI Si, mais depuis quinze jours il passe la journée avec Gisèle ; et ils ne travaillent pas beaucoup.

QUESTIONS ON THE DIALOGUE

Pourquoi les étudiants quittent-ils la salle ?
Les deux garçons et Gisèle restent-ils ensemble ?
Restent-ils dans le bâtiment ?
Est-ce le matin ou l'après-midi ?
Est-ce que Cluny est un restaurant ?
Y a-t-il des musées aux Etats-Unis ?
Que veut Paul, aller déjeuner ou voir le musée ?

ORAL COMPOSITION

Je suis ici *depuis trois mois.*
Je vais à la maison *dans deux semaines.*
Demain, je passe la matinée *en classe.*
Je passe la soirée *au cinéma.*
Samedi, je vais en ville.

QUESTIONNAIRE

Depuis combien de temps êtes-vous ici ?
Quand allez-vous chez vous ?
Où passez-vous la matinée demain ?
Où passez-vous la soirée ?
Quand allez-vous en ville ?

UNIT 4

DIALOGUE

Au restaurant

Les trois camarades entrent dans un restaurant d'étudiants (1). La salle du rez-de-chaussée semble pleine. Ils montent au premier étage (2).

PAUL Il y a autant de monde en haut. Vous voyez une table pour trois?
GISELE Près de la fenêtre, si possible.
PHILIPPE Oui, j'en vois une. Venez.

Ils s'installent.

PHILIPPE Voyons, qu'est-ce qu'ils ont de bon aujourd'hui?
GISELE Je vais prendre un bifteck.
PHILIPPE C'est ce que je vais prendre, moi aussi.
PAUL Moi, je voudrais un sandwich.
PHILIPPE On ne sert pas de sandwichs, Paul (3).
GISELE Vous n'aimez donc pas la cuisine française?
PAUL Si, beaucoup, mais j'aimerais mieux déjeuner légèrement.

Plus tard; Philippe appelle le garçon.

PHILIPPE Vous prenez une glace, Gisèle?
GISELE Non, merci, je ne prends pas de dessert.
PHILIPPE Encore une tasse de café (4)?
GISELE Oui, je veux bien.
PAUL Je n'ai pas encore l'habitude des pourboires. Qu'est-ce qu'on laisse généralement?
PHILIPPE Très peu, quand le service est compris (5).

◀ **Un restaurant parisien.**

o rɛs to rã ↘

lɛ trwa ka ma rad ↗ ã trə dã zœ̃ rɛs to rã de ty djã ↘ la sal dy red ʃo se sã blə plɛn ↘ il mõt o prə mjɛ re taʒ ↘

i li a o tãd mõd ã o ↘ vu vwa je yn ta blə pur trwa ↗
prɛd laf nɛ trə si pɔ sibl→
wi ʒã vwa yn ↘ və ne ↘

il sɛ̃ stal ↘

vwa jõ ↘ kɛs kil zõd bõ o ʒur dɥi ↘

ʒvɛ prã drœ̃ bif tɛk ↘
se skəʒ vɛ prã drə mwa o si ↘
mwa ↗ ʒvu drɛ œ̃ sã dwitʃ ↘
õn sɛr pad sã dwitʃ pɔl ↘
vu nɛ me dõk pa la kɥi zin frã sɛz ↗
si ↘ bo ku ↘ mɛ ʒɛm rɛ mjø de ʒœ ne le ʒɛr mã ↘

ply tar ↘ fi lip a pɛl lə gar sõ ↘

vu prə ne yn glas ʒi zɛl ↗
nõ mɛr si ʒən prã pad dɛ sɛr ↘

ã kɔr yn tas də ka fe ↗
wiʒ vø bjɛ̃ ↘
ʒə ne pa za kɔr la bi tyd dɛ pur bwar ↘ kɛs kõ lɛs ʒe ne ral mã ↗
trɛ pø ↘ kã lə sɛr vis ɛ kõ pri ↘

At the Restaurant

The three friends go into a student restaurant. The main floor dining room looks full. They go up to the second floor.

PAUL It's just as crowded up here. Do you see a table for three?
GISELE Near the window, if possible.
PHILIPPE Yes, I see one. Come on.

They take a table.

PHILIPPE Let's see. What do they have that's good today?
GISELE I'm going to have a steak.
PHILIPPE That's what I'll have, too.
PAUL I'd like a sandwich.
PHILIPPE They don't serve sandwiches, Paul.
GISELE So you don't like French cooking?
PAUL Yes, very much, but I'd rather have a light lunch.

Later; Philippe calls the waiter.

PHILIPPE Are you having ice cream, Gisèle?
GISELE No, thanks, I'm not having any dessert.
PHILIPPE Another cup of coffee?
GISELE Yes, please.
PAUL I'm not accustomed to tipping yet. What do you generally leave?
PHILIPPE Very little, when the service is included.

SUPPLEMENTARY VOCABULARY

Garçon, une fourchette, s'il vous plaît. — Waiter, a fork, please.
Garçon, une cuillère, s'il vous plaît. — Waiter, a spoon, please.
Garçon, une serviette, s'il vous plaît. — Waiter, a napkin, please.

Donnez-moi l'addition. — Give me the bill.
Donnez-moi le menu. — Give me the menu.
Donnez-moi la même chose. — Give me the same thing.

Apportez-nous une autre assiette (4). — Bring us another plate.
Apportez-nous un autre verre. — Bring us another glass.
Apportez-nous un autre couteau. — Bring us another knife.

Où est le sel ? — Where's the salt?
Où est le poivre ? — Where's the pepper?

Il veut du lait.	He wants milk.
Il veut de l'eau.	He wants water.
Il veut des pommes de terre.	He wants potatoes.
Il mange du pain.	He's eating bread.
Il mange de la salade.	He's eating salad.
Il mange des fruits.	He's eating fruit.
Voulez-vous un morceau de sucre ?	Do you want a piece of sugar?
Voulez-vous une tasse de thé ?	Do you want a cup of tea?
Voulez-vous une bouteille de vin ?	Do you want a bottle of wine?
Qu'est-ce que vous avez comme viande ?	What kind of meat do you have?
Qu'est-ce que vous avez comme poisson ?	What kind of fish do you have?
Qu'est-ce que vous avez comme légumes ?	What kind of vegetables do you have?
J'ai faim.	I'm hungry.
J'ai soif.	I'm thirsty.
J'ai chaud.	I'm warm.
J'ai froid.	I'm cold.

DIALOGUE NOTES

(1) Privately owned restaurants that cater to students' pocketbooks are found throughout the **Quartier latin.**

(2) The French do not include the ground floor **(rez-de-chaussée)** in numbering floors. Therefore, **le premier étage** or **le premier** (literally *first floor*) is one flight up, our second floor.

(3) Sandwiches are more readily obtainable in cafés than in restaurants. Some large cafés, called **brasseries,** serve not only sandwiches, but light meals.

(4) In everyday usage, both **autre** and *another* are ambiguous: **une autre assiette,** *another plate,* can refer either to a plate in place of this one or to an additional plate. The construction **encore √un,** as in **encore une tasse de café,** is unambiguously a refill.

(5) Occasionally, the charge for service is added to a restaurant bill, in which case a small supplemental tip may be left under the plate. Otherwise, 10 to 15 per cent of the bill is considered a reasonable tip.

Pronunciation

A. Semiconsonants The pronunciation of / j / is reasonably similar to that of the first consonant in English *yet, you,* and *yell.* The / w / parallels English *wet, woo,* and *well.* These two semiconsonants pose no particular problem.

The / ɥ / has the lip rounding of / w / and the tongue fronting of / j /. It parallels / y /, just as / j / parallels / i / and / w / parallels / u /. / w / and / ɥ / occur only before vowels; the / y / occurs both before and after vowels.

■ REPETITION DRILL

/y/	/ɥ/	/y/	/ɥ/
eu	huit	bru	bruit
su	suis	jus	juillet
nu	nuit	rue	ruiner
pu	puis-je	su	ensuite
plu	pluie	pu	depuis

■ CONTRAST DRILL

/ɥ/	/w/
a. huis *portal*	oui *yes*
tua *killed*	toi *you*
juin *June*	joint *joins*
suait *sweated*	souhait *wish*
lueur *gleam*	loueur *renter*
b. C'est lui. *It's he.*	C'est Louis. *It's Louis.*
Voilà les nuages. *There are the clouds.*	Voilà les nouages. *There are the knots.*
Il s'est enfui. *He fled.*	Il s'est enfoui. *He buried himself.*
J'ai vu une muette. *I saw a mute woman.*	J'ai vu une mouette. *I saw a gull.*

B. /j/ after vowels English speakers have a glide, paralleling French /j/, after vowels; if you pronounce the English word *eye* very slowly, you can observe that it consists of /a/ followed by /j/: /aj/. If the English glide pattern is carried over into French, misunderstanding may result, for the presence of /j/ after a vowel in French makes a difference in meaning.

■ CONTRAST DRILL

/V/[1]	/Vj/
a. fi *fie*	fille *girl*
qui *who*	quille *heel*
très *very*	treille *trellis*
lavait *washed*	la veille *the preceding day*
boutait *pushed*	bouteille *bottle*
b. J'y vais. *I'm going there.*	J'y veille. *I'm watching over it.*
Séparez. *Separate.*	C'est pareil. *It's similar.*
A-t-il trouvé le sommet? *Did he find the summit?*	A-t-il trouvé le sommeil? *Did he find sleep?*
Il rêvait des enfants. *He dreamed about the children.*	Il réveille des enfants. *He wakes children.*
Où est la baie? *Where's the bay?*	Où est l'abeille? *Where's the bee?*
Voilà l'évier. *There's the sink.*	Voilà les vieilles. *There are the old women.*

[1] The symbol /V/ represents any vowel.

C. / j / after consonants In English, differences between such a pair as *Who's your teacher?* and *Hoosier teacher* may be lost in everyday speech. French speakers maintain this type of contrast under all circumstances.

Most frequently the problem involves the fricatives / s ʃ z ʒ / and the sequences / sj ʃj zj ʒj /.

■ CONTRAST DRILLS

1.

	/ C /[1]	/ Cj /
a.	achète *buys*	assiette *plate*
	relâchons *let's put into port*	relations *relations*
	manchon *muff*	mention *mention*
	la chaîne *the chain*	la sienne *his*
	Dijon (*name of a city*)	disions *were saying*
	mégère *shrew*	Mézières (*name of a city*)
b.	Hachez-le. *Chop it.*	Assieds-le. *Seat him.*
	Quels beaux jeux ! *What beautiful games!*	Quels beaux yeux ! *What beautiful eyes!*

2.

/ ʃ /	/ sj /	/ ʃj /
Nous léchons les plats. *We lick the dishes.*	Nous laissions les plats. *We left the dishes.*	Nous léchions les plats. *We licked the dishes.*
Vous cachez vos jouets. *You hide your toys.*	Vous cassiez vos jouets. *You broke your toys.*	Vous cachiez vos jouets. *You hid your toys.*

D. / wa / **and** / rwa /

■ CONTRAST DRILL

/ wa /	/ rwa /
Quel poids ! *What weight!*	Quelle proie ! *What prey!*
C'est mon doigt. *It's my finger.*	C'est mon droit. *It's my right.*
J'aime le foie. *I like liver.*	J'aime le froid. *I like the cold.*
Il le boit. *He drinks it.*	Il le broie. *He pulverizes it.*
Regardez l'oie. *Look at the goose.*	Regardez le roi. *Look at the king.*
Ils sont à toi. *They're yours.*	Ils sont à Troyes. *They're in Troyes.*

Vocabulary Drills

1. Il y a autant de monde en haut.
   Il y a autant de monde *au rez-de-chaussée.*
   Il y a beaucoup de monde au rez-de-chaussée.
   Il y a beaucoup de monde *au premier étage.*
   Il y a autant de monde au premier étage.
   Il y a autant de monde *aujourd'hui.*
   Il y a beaucoup de monde aujourd'hui.
   Il y a beaucoup de monde *en haut.*
   Il y a autant de monde en haut.

2. Vous voyez une table pour trois ?
   Vous voyez une table *pour deux ?*
   Vous avez une table pour deux ?
   Vous avez une table *pour moi ?*
   Vous avez un livre pour moi ?
   Vous avez un livre *pour cette jeune fille ?*
   Ils ont une table pour cette jeune fille ?
   Ils ont une table *pour trois ?*
   Vous voyez une table pour trois ?

[1] The symbol / C / represents any consonant.

3. J'en vois une.
J'en voudrais une.
J'en voudrais *deux.*
J'en prends deux.
J'en prends *peu.*
Vous en voulez peu.
Vous en voulez *trois.*
J'en vois trois.
J'en vois *une.*

4. Qu'est-ce qu'il y a de bon ?
Qu'est-ce qu'il y a *d'intéressant ?*
Qu'est-ce que vous voyez d'intéressant ?
Qu'est-ce que vous voyez *de beau ?*
Qu'est-ce que vous avez de beau ?
Qu'est-ce que vous avez *de libre ?*
Qu'est-ce qu'ils ont de libre ?
Qu'est-ce qu'ils ont *de bon ?*
Qu'est-ce qu'il y a de bon ?

5. C'est ce que je vais prendre.
C'est ce que je vais *faire.*
C'est ce que *je veux* faire.
C'est ce que je veux *manger.*
C'est ce que *vous allez* manger.
C'est ce que vous allez *voir.*
C'est ce que *je voudrais* voir.
C'est ce que je voudrais *prendre.*
C'est ce que *je vais* prendre.

6. Je voudrais un sandwich.
Je voudrais *de la salade.*
J'aimerais mieux de la salade.
J'aimerais mieux *du thé.*
Je voudrais du thé.
Je voudrais *des pommes de terre.*
J'aimerais mieux des pommes de terre.
J'aimerais mieux *un sandwich.*
Je voudrais un sandwich.

7. Je ne prends pas de dessert.
Je ne prends pas de *café.*
Nous n'avons pas de café.
Nous n'avons pas de *glace.*
Vous ne voulez pas de glace.
Vous ne voulez pas de *vin.*
Il ne veut pas de vin.
Il ne veut pas de *dessert.*
Je ne prends pas de dessert.

8. Encore une tasse de café ?
Encore *un sandwich ?*
Encore *un peu de lait ?*
Encore *un morceau de sucre ?*
Encore *un fruit ?*
Encore *un peu de salade ?*
Encore *un morceau de pain ?*
Encore *une tasse de café ?*

9. Je n'ai pas encore l'habitude.
Je n'ai pas encore *faim.*
Nous n'avons pas encore faim.
Nous n'avons pas encore *soif.*
Je n'ai pas encore soif.
Je n'ai pas encore *l'addition.*
Nous n'avons pas encore l'addition.
Nous n'avons pas encore *l'habitude.*
Je n'ai pas encore l'habitude.

10. Donnez-moi le menu.
Donnez-moi *ce livre.*
Apportez-nous ce livre.
Apportez-nous *une bouteille de vin.*
Donnez-nous une bouteille de vin.
Donnez-nous *deux fourchettes.*
Apportez-moi deux fourchettes.
Apportez-moi *le menu.*
Donnez-moi le menu.

13 Present tense of *aller*

EXAMPLES

Il **va** passer l'année à Paris.
Je **vais** demander à Gisèle.
Comment **allez**-vous ?

Presentation Drills

■ SIMPLE SUBSTITUTION DRILLS

1. *Elle va* prendre une tasse de café.
   (Vous allez, Je vais, Mon père va, Tu vas, Les garçons vont, Nous allons, Mes parents vont, Elle va)

2. Comment *allez-vous?*
   (va-t-il, va Philippe, vas-tu, vont-elles, va sa mère, vont les enfants, allez-vous)

3. *Je ne vais pas* bien.
   (Jacqueline ne va pas, Tu ne vas pas, Mes parents ne vont pas, Vous n'allez pas, Nous n'allons pas, Mon oncle ne va pas, Je ne vais pas)

■ PROGRESSIVE SUBSTITUTION DRILL

Où allez-vous?
Où *vas-tu?*
Comment vas-tu?
Comment *vont-elles?*
Jusqu'où vont-elles?
Jusqu'où *va-t-il?*
Comment va-t-il?
Comment *allez-vous?*
Où allez-vous?

Discussion

The verb **aller** has four present tense stems:

SPEECH			WRITING
	ale		**aller** *to go*
nuz	al	õ^{z}	nous allons
vuz	al	e^{z}	vous allez
il	võ	^{t}	ils vont
ʒə	vɛ	^{z}	je vais
ty	va	^{z}	tu vas
il	va	$^{=}$	il va

Verification Drills

■ SIMPLE CORRELATION DRILLS

1. *Je* vais aux Etats-Unis.
   (Ses parents, Philippe, Nous, Tu, Cette jeune fille, Les trois amis, Vous, Ce groupe d'étudiants, Je)

2. Où vas-*tu?*
   (vous, Philippe, son père, nous, je, Jacqueline, sa mère, les enfants, tu)

3. *Tu* ne vas pas mieux.
   (Mon père, Je, Nous, Sa fille, Madame Chatel, Vous, Tu)

■ QUESTION DRILL

Allez-vous au cours?
Non, je ne vais pas au cours.
Gisèle va-t-elle en classe?
Allons-nous déjeuner?
Paul va-t-il à la gare?

Ses amis vont-ils à Paris?
Ses frères vont-ils au cinéma?
Allons-nous à Cluny?
Allez-vous à Paris?
Philippe va-t-il chez ses amis?

14 Noun marker √*mon*

EXAMPLES

Voilà **ma** sœur.
Voulez-vous voir **votre** chambre?
Est-ce que tous **vos** bagages sont là?
Ses valises sont dans l'entrée.
Sa malle est encore à la gare.

Presentation Drills

■ PROGRESSIVE SUBSTITUTION DRILLS

1. Voici mon amie.
   Voici *ma cousine.*
   Voilà ma cousine.
   Voilà *mon assiette.*
   Voici mon assiette.
   Voici *ma fourchette.*
   Voilà ma fourchette.
   Voilà *mon livre.*
   Voici mon livre.
   Voici *mon amie.*

2. Il ne trouve pas sa montre.
   Il ne trouve pas *son frère.*
   Je ne trouve pas son frère.
   Je ne trouve pas *ta montre.*
   Il ne trouve pas ta montre.
   Il ne trouve pas *son assiette.*
   Je ne trouve pas son assiette.
   Je ne trouve pas *ton ami Paul.*
   Il ne trouve pas ton ami Paul.
   Il ne trouve pas *ton amie Gisèle.*
   Je ne trouve pas ton amie Gisèle.
   Je ne trouve pas *sa montre.*
   Il ne trouve pas sa montre.

■ SIMPLE SUBSTITUTION DRILLS

1. Je veux voir *notre cousin.*
   (nos professeurs, vos amis, votre maison, votre sœur, notre cousine, nos parents, votre main, vos sœurs, notre cousin)

2. Je veux voir *leur père.*
   (leur mère, leurs parents, leur ami, leur autre sœur, leurs enfants, leurs mains, leur maison, leurs amis, leur père)

3. Donnez-moi *mes livres.*
   (ses valises, ses bagages, mes malles, mes sandwichs, ses livres, mes livres)

Discussion

	SPEECH				WRITING		
	Before Singular Noun		*Before Plural Noun*		*Before Singular Noun*		*Before Plural Noun*
	Before Vowel	*Before Consonant*	*Before Vowel*	*Before Consonant*			
our	nɔtr	nɔtrə	noz	no	notre		nos
your (corresponding to **vous**)	vɔtr	vɔtrə	voz	vo	votre		vos
their	lœr	lœr	lœrz	lœr	leur		leurs
					Before Vowel	*Before Consonant*	
my (if noun is *Fem*)	mɔn	ma	mɛz	mɛ	mon	ma	mes
(if noun is *Masc*)		mõ				mon	
your (corresponding to **tu**) (if noun is *Fem*)	tɔn	ta	tɛz	tɛ	ton	ta	tes
(if noun is *Masc*)		tõ				ton	
his, her, its (if noun is *Fem*)	sɔn	sa	sɛz	sɛ	son	sa	ses
(if noun is *Masc*)		sõ				son	

Note that before singular nouns, the "singular" noun markers show the gender not of the "possessor" but of the noun that follows:

son père	his father *or* her father *or* its father
sa maison	his house *or* her house *or* its house

Verification Drills

■ TRANSFORMATION DRILLS

1. Je vous présente mon oncle.
   Je vous présente mes oncles.
   Voici mon ami.
   Nous ne trouvons pas notre valise.
   Il va voir sa sœur.
   Ils ferment leur porte.
   Vous apportez votre livre.
   Je travaille avec ma camarade.
   Il écoute son frère.
   Je vous présente leur fils.
   Attends ton frère.

2. Je voudrais voir ses amis.
   Je voudrais voir son ami.
   Je ne comprends pas ses questions.
   Voulez-vous leurs livres ?
   Veux-tu parler à mes frères ?
   Ouvrez mes valises.
   Répétez vos questions.
   Nous restons dans nos chambres.
   Apportez leurs malles.
   Voici tes cousins.
   Je n'aime pas leurs fils.

15 Cardinal numbers 20–1,000,000

Presentation Drills

■ SIMPLE SUBSTITUTION DRILLS

1. Il a *vingt ans.*
   (trente et un ans, soixante-deux ans, quarante-trois ans, quatre-vingt-quatre ans, soixante-cinq ans, cinquante-six ans, soixante et onze ans, cent ans, vingt ans)
2. Voilà *trente francs.*
   (vingt et un francs, vingt-deux francs, soixante-dix francs, quarante-cinq francs, quatre-vingt-quinze francs, soixante-cinq francs, soixante-quinze francs, quatre-vingt-dix-neuf francs, trente-huit francs, cinquante francs, trente francs)
3. Elle me donne *trois cent soixante-deux francs.*
   (mille francs, deux mille cent francs, sept cent cinquante francs, deux cent trente-trois francs, deux mille cent quatre-vingts francs, dix mille trois cent dix francs, cinq cent mille francs, trois cent soixante-deux francs)
4. Ça vaut *deux cent mille francs.*
   (quatre-vingt-quinze mille francs, cinq cent dix-huit francs, huit cent soixante-deux francs, vingt-cinq mille francs, un million deux cent trente mille francs, trois millions de francs, deux cent mille francs)

Discussion

The cardinal number noun markers 20 to 100 have the following shapes:

	SPEECH			WRITING
	Before Vowel	*Before Consonant*	*Before #*	
20	vɛ̃t	vɛ̃	vɛ̃	vingt
30	trɑ̃t	trɑ̃t	trɑ̃t	trente
40	karɑ̃t	karɑ̃t	karɑ̃t	quarante
50	sɛ̃kɑ̃t	sɛ̃kɑ̃t	sɛ̃kɑ̃t	cinquante
60	swasɑ̃t	swasɑ̃t	swasɑ̃t	soixante
70	swasɑ̃tdiz	swasɑ̃tdi	swasɑ̃tdis	soixante-dix
80	katrəvɛ̃z	katrəvɛ̃	katrəvɛ̃	quatre-vingts
90	katrəvɛ̃diz	katrəvɛ̃di	katrəvɛ̃dis	quatre-vingt-dix
100	sɑ̃t	sɑ̃	sɑ̃	cent

Note the patterning suggested by 71 and 91 in the combinations below. Feminine gender is marked in all these forms by / yn / **une,** e.g., / vɛ̃teynfam / **vingt et une femmes.** The masculine shapes are:

21	vɛ̃teœ̃n	vɛ̃teœ̃	vɛ̃teœ̃	vingt et un
31	trãteœ̃n	trãteœ̃	trãteœ̃	trente et un
41	karãteœ̃n	karãteœ̃	karãteœ̃	quarante et un
51	sɛ̃kãteœ̃n	sɛ̃kãteœ̃	sɛ̃kãteœ̃	cinquante et un
61	swasãteœ̃n	swasãteœ̃	swasãteœ̃	soixante et un
71	swasãteõz	swasãteõz	swasãteõz	soixante et onze
81	katrəvɛ̃œ̃n	katrəvɛ̃œ̃	katrəvɛ̃œ̃	quatre-vingt-un
91	katrəvɛ̃õz	katrəvɛ̃õz	katrəvɛ̃õz	quatre-vingt-onze
101	sãœ̃n	sãœ̃	sãœ̃	cent un

The other numbers in this series are composed of 2 through 19:

22	vɛ̃tdøz	vɛ̃tdø	vɛ̃tdø	vingt-deux
23	vɛ̃ttrwaz	vɛ̃ttrwa	vɛ̃ttrwa	vingt-trois
24	vɛ̃tkatr	vɛ̃tkatrə	vɛ̃tkatr	vingt-quatre
25	vɛ̃tsɛ̃k	vɛ̃tsɛ̃	vɛ̃tsɛ̃k	vingt-cinq
26	vɛ̃tsiz	vɛ̃tsi	vɛ̃tsis	vingt-six
27	vɛ̃tsɛt	vɛ̃tsɛt	vɛ̃tsɛt	vingt-sept
28	vɛ̃tɥit	vɛ̃tɥi	vɛ̃tɥit	vingt-huit
29[1]	vɛ̃tnœf/ vɛ̃tnœv	vɛ̃tnœf	vɛ̃tnœf	vingt-neuf
32	trãtdøz	trãtdø	trãtdø	trente-deux
42	karãtdøz	karãtdø	karãtdø	quarante-deux
52	sɛ̃kãtdøz	sɛ̃kãtdø	sɛ̃kãtdø	cinquante-deux
62	swasãtdøz	swasãtdø	swasãtdø	soixante-deux
72	swasãtduz	swasãtduz	swasãtduz	soixante-douze
73	swasãttrɛz	swasãttrɛz	swasãttrɛz	soixante-treize
74	swasãtkatɔrz	swasãtkatɔrz	swasãtkatɔrz	soixante-quatorze
75	swasãtkɛ̃z	swasãtkɛ̃z	swasãtkɛ̃z	soixante-quinze
76	swasãtsɛz	swasãtsɛz	swasãtsɛz	soixante-seize
77	swasãtdissɛt	swasãtdissɛt	swasãtdissɛt	soixante-dix-sept
78	swasãtdizɥit	swasãtdizɥi	swasãtdizɥit	soixante-dix-huit
79[1]	swasãtdiznœf/ swasatdiznœv	swasãtdiznœf	swasãtdiznœf	soixante-dix-neuf
82	katrəvɛ̃døz	katrəvɛ̃dø	katrəvɛ̃dø	quatre-vingt-deux
92	katrəvɛ̃duz	katrəvɛ̃duz	katrəvɛ̃duz	quatre-vingt-douze

[1] The second pre-vowel forms are used before **heures** and **ans** (cf. Section 7).

The larger cardinal numbers include:

	SPEECH Before Vowel	SPEECH Elsewhere	WRITING
100[1]	sã/sãt	sã	cent
200	døsãz	døsã	deux cents
300	trwasãz	trwasã	trois cents
400	katrəsãz	katrəsã	quatre cents
500	sɛ̃sãz	sɛ̃sã	cinq cents
600	sisãz	sisã	six cents
700	sɛtsãz	sɛtsã	sept cents
800	ɥisãz	ɥisã	huit cents
900	nœfsãz	nœfsã	neuf cents
1.000[2]	mil		mille
1.100	milsã, õzsã		mille cent, onze cents
1.200	mildøsã, duzsã		mille deux cents, douze cents
1.300	miltrwasã, trɛzsã		mille trois cents, treize cents
2.000	dømil		deux mille
3.000	trwamil		trois mille
4.000	katrəmil		quatre mille
10.000	dimil		dix mille
20.000	vɛ̃mil		vingt mille
100.000	sãmil		cent mille
200.000	døsãmil		deux cent mille
300.000	trwasãmil		trois cent mille

The numbers **million** and **milliard** are masculine nouns and are always preceded by a noun marker:

1.000.000	Fr.[2]	**/ œ̃miljõdəfrã /**	**un million de francs**
1.000.000.000	Fr.	**/ œ̃miljardəfrã /**	**un milliard de francs**

Verification Drills

■ ORAL RAPID READING DRILLS

1. 23; 33   82; 92   54; 64
   43; 83   67; 77   76; 96

2. 4; 14; 40; 400   2; 12; 20; 200   7; 17; 70; 700
   6; 16; 60; 600   5; 15; 50; 500   9; 19; 90; 900
   3; 13; 30; 300   8; 18; 80; 800   1; 10; 100; 1000

---

[1] The second pre-vowel form is used only before **hommes** and **ans**:

/ sãtɔm / **cent hommes**
/ sãtã / **cent ans**

[2] The French writing convention uses periods in numbers where we use commas and vice versa:

FRENCH	ENGLISH
1.000	1,000
5.000,00 dollars	$5,000.00
π = 3,1416	π = 3.1416

3. Quelle heure est-il ?

4. 1.324 2.000.000 137 53.000.000 86.109 861
14.930 871.484 71.244 218.521 23.076 340.215

■ DICTATION DRILL

32 471 9.740 10.564 1.490.261 75 189.000 1.189 76 109
45.980 721 971 29.441 2.964 122 1.000.000.000 549 65 32
32,95 77,25 43,95 12,50

■ QUESTION DRILL

Combien de jours y a-t-il dans une semaine?
Il y a sept jours dans une semaine.
Combien de jours y a-t-il dans le mois de janvier ?
Dans le mois de février ?
Combien de mois y a-t-il dans l'année ?
Combien d'heures y a-t-il dans une journée ?
Dans deux jours ?
Combien de semaines y a-t-il dans une année ?
Combien de minutes y a-t-il dans une heure ?

16 Combination *du*

EXAMPLES

Philippe et Paul arrivent **de la** gare.
La salle **du** rez-de-chaussée semble pleine.
Je n'ai pas l'habitude **des** pourboires.
Il veut **de** l'eau.

Presentation Drills

■ PROGRESSIVE SUBSTITUTION DRILLS

1. Je voudrais du fromage.
   Je voudrais *de la viande.*
   J'aimerais mieux de la viande.
   J'aimerais mieux *du lait.*
   Apportez-moi du lait.
   Apportez-moi *de l'eau.*
   Donnez-moi de l'eau.
   Donnez-moi *des légumes.*
   J'aimerais mieux des légumes.
   J'aimerais mieux *de la salade.*
   Je vais prendre de la salade.
   Je vais prendre *du fromage.*
   Je voudrais du fromage.

2. C'est le livre du professeur.
   C'est le livre *de l'étudiant.*
   C'est la chambre de l'étudiant.
   C'est la chambre *de la jeune fille.*
   C'est le livre de la jeune fille.
   C'est le livre *du garçon.*
   C'est la chambre du garçon.
   C'est la chambre *du professeur.*
   C'est le livre du professeur.

■ SIMPLE SUBSTITUTION DRILL

Ils sortent *de la Sorbonne.*
(du bâtiment, de la gare, du cours, de la salle, du restaurant, de la classe, du cinéma, des magasins, de la Sorbonne)

Discussion

The preposition **de,** which corresponds to English *of, from,* etc., partially parallels **à** in that it occurs before all the $\sqrt{\textbf{le}}$ noun markers except the forms **le** and **les,** where it is replaced by **du** and **des.** **De** and **à** are the only French prepositions that behave in this way.

	SPEECH				WRITING		
	Singular		*Plural*		*Singular*		*Plural*
	Before Vowel	*Before Consonant*	*Before Vowel*	*Before Consonant*	*Before Vowel*	*Before Consonant*	
Fem		dəla				de la	
	dəl		dɛz	dɛ	de l'		des
Masc		dy				du	

Verification Drills

■ SIMPLE CORRELATION DRILLS

1. Voulez-vous du *thé?*
   (salade, eau, pommes de terre, sel, légumes, poisson, glace, café, thé)

2. Ils arrivent de la *gare.*
   (restaurant, Etats-Unis, entrée, maison, cinéma, Sorbonne, Quartier latin, autre bâtiment, gare)

3. Il est près de la *fenêtre.*
   (porte, ville, musée, maison, restaurant, table, entrée, bagages, fenêtre)

4. Nous parlons du *professeur.*
   (famille Chatel, arrivée de Paul, tante de Michel, étudiant français, autre garçon, jeune fille en blanc, professeur)

■ CONVERSATION EXERCISES

1.

HENRI Garçon, le menu, s'il vous plaît.
LE GARÇON Voilà, Monsieur.
HENRI Cette table est bien près de la porte. Vous n'en avez pas une meilleure?
LE GARÇON Il y en a une devant la fenêtre.
HENRI Oui, c'est beaucoup mieux.
Il va s'installer à l'autre table.
HENRI Voyons, qu'est-ce que je vais prendre?
LE GARÇON Le poisson est très bon, Monsieur.
HENRI Je n'aime pas le poisson.
LE GARÇON De la viande, peut-être? Nous avons aujourd'hui du...
HENRI Non, je n'aime pas ça.
LE GARÇON Comme légumes, nous avons...
HENRI Je ne veux pas de légumes. Apportez-moi un verre d'eau.

2.

HENRI Bonsoir, maman.
LA MERE Bonsoir, Henri ; tu arrives bien tard.
HENRI Père est déjà là?
LA MERE Il est là depuis vingt minutes. Il est déjà à table.
HENRI Qu'est-ce qu'il y a à manger ce soir?
LA MERE Du poisson et des pommes de terre.
HENRI Encore du poisson! Je n'ai pas faim.

■ QUESTIONS ON THE DIALOGUE

Où entrent les trois camarades?
Combien de salles y a-t-il dans ce restaurant?
Les trois amis s'installent-ils au rez-de-chaussée ou au premier?
La table est-elle près de la porte ou près de la fenêtre?
Paul veut-il un bifteck?
Sert-on des sandwichs dans les restaurants américains?
Qui Philippe appelle-t-il?

■ ORAL COMPOSITION

Le matin, je prends *du thé* et *un toast.*
A midi, je mange *de la salade* et *un bifteck.*
Le soir, je mange *beaucoup.*
Je prends *de la viande, deux légumes* et *deux desserts.*

■ QUESTIONNAIRE

Que prenez-vous le matin?
Que mangez-vous à midi?
Mangez-vous beaucoup le soir?
Que prenez-vous?

PAPETERIE DES ARCHITECTES
TRIPERIE

UNIT **5**

DIALOGUE

En descendant le boulevard

Le lendemain : Paul et Philippe se retrouvent après leurs cours et descendent le boulevard Saint-Michel (1).

PHILIPPE Il nous reste du temps avant de rentrer. Je voudrais faire quelques courses.
PAUL J'ai plusieurs choses à faire, moi aussi.
PHILIPPE Quelles choses ?
PAUL D'abord, je dois faire réparer ma montre. Connais-tu un bon horloger ?
PHILIPPE Il y en a un là-bas, à côté du magasin vert. Allons-y tout de suite.

Ils passent devant un magasin de chaussures.

PAUL Il me faut des chaussures. Combien coûte une bonne paire, ici ?
PHILIPPE Environ 70 francs (2).
PAUL Quatorze dollars ! Ce n'est pas tellement bon marché.
PHILIPPE Non, mais on en trouve de moins chères.
PAUL Où achètes-tu les tiennes ?
PHILIPPE Chez Mercier, en général.
PAUL J'aime beaucoup celles que tu portes. Elles ont l'air confortable.
PHILIPPE Oui, elles le sont, et il y a longtemps que je les ai.

◀ **Le Quartier latin.**

ã de sã dãl bul var↘

Walking Down the Boulevard

lə lãd mɛ̃↘ pɔl e fi lip sə rə truv a prɛ lœr kur e de sãd lə bul var sɛ̃ mi ʃɛl↘

The following day: Paul and Philippe meet after their classes and walk down the Boulevard Saint-Michel.

il nu rɛst dy tã a vãd rã tre↘ ʒvu drɛ fɛr kɛl kə kurs↘
ʒe plyz jœr ʃoz a fɛr mwa o si↘
kɛl ʃoz→
da bɔr↗ ʒə dwa fɛr re pa re ma mõtr↘ kɔ nɛ ty œ̃ bɔ nɔr lɔ ʒe↗
il jã na œ̃ la ba a ko te dy ma ga zɛ̃ vɛr↘ a lõ zi tut sɥit↘

il pas də vã œ̃ ma ga zɛ̃d ʃo syr↘

il mə fo de ʃo syr↘ kõ bjɛ̃ kut yn bɔn pɛr i si→

ã vi rõ swa sãt di frã↘
ka tɔrz dɔ lar↘ sne pa tɛl mã bõ mar ʃe↘
nõ↗ mɛ zo nã truv də mwɛ̃ ʃɛr↘
u a ʃɛt ty le tjɛn↘
ʃe mɛr sje ã ʒe ne ral↘
ʒɛm bo ku sɛl kə ty pɔrt↘ ɛl zõ lɛr kõ fɔr tabl↘
wi ɛl lə sõ↘ e il ja lõ tã kəʒ lɛ ze↘

PHILIPPE We've got some time left before we go home. I'd like to do some errands.
PAUL I have several things to do, too.
PHILIPPE What things?
PAUL First of all, I've got to get my watch repaired. Do you know a good watchmaker?
PHILIPPE There's one over there, next to the green store. Let's go there right now.

They pass by a shoe store.

PAUL I need shoes. How much does a good pair cost here?
PHILIPPE About 70 francs.
PAUL Fourteen dollars! That's not so cheap.
PHILIPPE No, but you can find cheaper ones.
PAUL Where do you buy yours?
PHILIPPE At Mercier's, generally.
PAUL I like the ones you're wearing very much. They look comfortable.
PHILIPPE Yes, they are, and I've had them a long time.

SUPPLEMENTARY VOCABULARY

Dans un grand magasin
Au rayon pour hommes

In a Department Store
In the Men's Department

Combien vaut ce chapeau ? — How much is this hat?
Combien vaut ce complet ? — How much is this suit?
Combien vaut ce portefeuille ? — How much is this wallet?

Montrez-moi des cravates de soie. — Show me some silk ties.
Montrez-moi des chemises de nylon. — Show me some nylon shirts.
Montrez-moi des gants de cuir. — Show me some leather gloves.

Quelle est votre pointure (3) ? — What is your size?
Quelle est votre taille ? — What is your size?

Au rayon pour dames

In the Ladies' Department

Cette robe est en laine. — This dress is wool.
Cette robe est en coton. — This dress is cotton.
Cette robe est en rayonne. — This dress is rayon.

Ces vêtements ne me vont pas.	These clothes don't fit me.
Ces gants me vont mal.	These gloves fit me poorly.
Cette couleur me va bien.	This color suits me well.
Nous allons chez le libraire (4).	We're going to the bookseller's.
Nous allons chez le pharmacien (5).	We're going to the druggist's.
Nous allons chez le boulanger (6).	We're going to the baker's.
A la librairie on vend des livres.	At the bookstore they sell books.
A la pharmacie on vend des médicaments.	At the pharmacy they sell medicines.
A la boulangerie on vend du pain.	At the bakery they sell bread.
Où peut-on acheter un paquet de cigarettes?	Where can you buy a pack of cigarettes?
Où peut-on acheter des allumettes?	Where can you buy matches?
Où peut-on acheter un briquet?	Where can you buy a lighter?

DIALOGUE NOTES

(1) **Le boulevard Saint-Michel** runs south from the Seine for approximately a mile, its northern half serving as the principal artery of the **Quartier latin.** Its many small stores and cafes which cater to students make it one of the liveliest streets in Paris.

(2) **Le franc** is the standard monetary unit of France. One **franc** is equal to 100 **centimes.** Prices are written as follows:

1,50	**1 franc, 50 centimes**
0,25	**25 centimes**
60,35	**60 francs, 35 centimes**

In 1960, the official exchange rate for the **franc** was established at $.20.

(3) Clothing sizes in France are calculated in the metric system. **Pointure** refers to shoe, stocking, and glove sizes; **taille** is a general term for other size measurements.

(4) The preposition **chez** is followed always and only by a noun or pronoun referring to a person. **Chez** refers to where a person lives; however, in the case of professions and businesses, **chez** may also indicate the office or the place of business.

(5) A French **pharmacie** sells drugs, medicines, and medical supplies. It does not serve the variety of functions that an American drug store does.

(6) A **boulangerie** is a bakery and store which specializes in bread. Pastry is made and sold in a **pâtisserie.**

Pronunciation

A. Release of final consonants If you pronounce the English words *sap, sat,* and *sack* in isolation and hold your hand in front of your mouth, you can observe two different kinds of final / p t k /. In your "careful" pronunciation, you will detect a puff of air striking your hand after / p t k /; you will have produced a released final consonant. In your everyday pronunciation, you might not detect a puff of air; you will have produced an unreleased final consonant. Both kinds are perfectly normal English pronunciation habits.

All French final consonants are fully released. An unreleased final consonant will not even be heard by monolingual Frenchmen: *sap, sat,* and *sack* will sound identical to them.

Final consonants play an important role in providing grammatical signals in French. Released final consonants may signal such features as (1) ends of phrases and sentences, (2) verb agreement, (3) adjective agreement, (4) past participle agreement, and (5) present participle agreement. Therefore, an unreleased final consonant might cause a Frenchman to correct your grammar, rather than your pronunciation.

■ REPETITION DRILL

English	*French*	*English*	*French*	*English*	*French*
coupe	coupe	beef	biffe	air	air
peep	pipe	Graf	graphe	deer	dire
set	sept	eve	Yves	sum	somme
port	porte	rev	rêve	ohm	ohm
sank	cinq	mess	messe	men	mène
shock	chaque	lease	lisse	zone	zone
rub	robe	shows	chose	seen	signe
snub	snob	rose	rose	sell	sel
showed	chaude	mesh	mêche		
said	cède	rush	roche		
league	ligue	rouge	rouge		
leg	lègue	beige	beige		

B. / r / What an English speaker perceives as an / r / is one of several sounds, none of which has characteristics resembling what a Frenchman perceives as / r /.

French / r / has the following characteristics:

(1) It is always a fricative.
(2) It is always produced in the back of the mouth, in the velar region.
(3) It always involves use of the *back* of the tongue.

Here are some tricks which might help you to produce the velar fricative which French speakers recognize as / r /:

(1) Produce a "strong" / h / as in English *hot, hear,* or *home,* and progressively raise the back of your tongue toward the velum until friction begins between the back of the tongue and the velum: / hhhhhhrrrrrr /
(2) Produce the vowel / o / and raise the back of your tongue until friction ensues: / oooοorrrrr /
(3) Pretend that you are gargling: / rrrrrr /

Under all circumstances avoid substituting an American / R / or you will find that the French vowels you produce adjacent to / R / will be misunderstood. It is also noteworthy that the most frequently occurring consonant sound of French is / r /; as a result, the use of an American / R / will guarantee your being accused of having a "poor accent."

■ REPETITION DRILL

English	French	English	French	English	French
rest	reste	tray	très	tear	terre
restaurant	restaurant	group	groupe	car	quart
rendez-vous	rendez-vous	sort	sortent	fair	faire
rue	roue	port	portes	mare	mère
rear	rire	tour	tour	pear	père
pray	près	share	cher		

C. /l/ English /l/ has several variants, only one of which approximates a French /l/, and that one for many, but not all, English speakers. It is the variant that occurs before /j/ in the English word *million.*

French /l/ always has the tip of the tongue touching the backs of the upper front teeth or the gum ridge behind them. One way to learn a French /l/ is to begin with /i/, and as the vowel is sustained, raise the tip of your tongue from its position behind the lower front teeth (where it should be for /i/) to a position behind the upper front teeth: /iiiiiiillllll/.

■ REPETITION DRILLS

1. Il.
   Lille.
   Il lit.
   Il y lit.
   Il l'y lit.
   Il y lit Lille.

2.

English	French	English	French
Sol	salle	eel	il
Paul	Paul	Saul	sole
play	plaît	sell	celles
moll	malle	lair	l'air
seal	s'il	cooler	couleur
lay	les		

Vocabulary Drills

1. Il nous reste du temps.
   Il nous reste *du pain.*
   Il me faut du pain.
   Il me faut *vingt francs.*
   Il me reste vingt francs.
   Il me reste *des cigarettes.*
   Il nous faut des cigarettes.
   Il nous faut *du temps.*
   Il nous reste du temps.

2. Je vais travailler avant de rentrer.
   Je vais travailler *avant de manger.*
   Je vais faire des courses avant de manger.
   Je vais faire des courses *avant de déjeuner.*
   Je vais voir un ami avant de déjeuner.
   Je vais voir un ami *avant d'aller en ville.*
   Je vais réparer ça avant d'aller en ville.
   Je vais réparer ça *avant de rentrer.*
   Je vais travailler avant de rentrer.

3. J'ai plusieurs choses à faire.
J'ai plusieurs choses *à voir.*
Il a deux maisons à voir.
Il a deux maisons *à vous montrer.*
Nous avons trois choses à vous montrer.
Nous avons trois choses *à réparer.*
Elle a une robe à réparer.
Elle a une robe *à faire.*
J'ai plusieurs choses à faire.

4. Je dois faire réparer ma montre.
Je dois *faire réparer mes chaussures.*
Je voudrais faire réparer mes chaussures.
Je voudrais *faire réparer ce briquet.*
Vous voulez faire réparer ce briquet.
Vous voulez *faire réparer cette valise.*
Vous pouvez faire réparer cette valise.
Vous pouvez *faire réparer ma montre.*
Je dois faire réparer ma montre.

5. Il est à côté du magasin.
Il est à côté *de la gare.*
Il est près de la gare.
Il est près *de la librairie.*
Il est à côté de la librairie.
Il est à côté *de l'entrée.*
Il est près de l'entrée.
Il est près *du magasin.*
Il est à côté du magasin.

6. Combien coûte une paire de chaussures ?
Combien coûte *cette cravate ?*
Combien vaut cette cravate ?
Combien vaut *cette chemise ?*
Combien coûte cette chemise ?
Combien coûte *une paire de gants ?*
Combien vaut une paire de gants ?
Combien vaut *une paire de chaussures ?*
Combien coûte une paire de chaussures ?

7. On en trouve de moins chères.
On en trouve *de plus jolies.*
Il y en a de plus jolies.
Il y en a *de moins jolies.*
On en trouve de moins jolies.
On en trouve *de plus petites.*
Il y en a de plus petites.
Il y en a *de moins chères.*
On en trouve de moins chères.

8. Il y a longtemps que je les ai.
Il y a trois jours que je les ai.
Il y a trois jours *que je travaille.*
Il y a plusieurs années que je travaille.
Il y a plusieurs années *que je veux partir.*
Il y a deux mois que je veux partir.
Il y a deux mois *que tu connais Paul.*
Il y a longtemps que tu connais Paul.
Il y a longtemps *que je les ai.*

9. Cette robe est en laine.
Cette robe *est en coton.*
Cette chemise est en coton.
Cette chemise *est en soie.*
Cette cravate est en soie.
Cette cravate *est en nylon.*
Ce tailleur est en nylon.
Ce tailleur *est en laine.*
Cette robe est en laine.

17 Present tense of *faire*

EXAMPLE Il **fait** beau ce matin.

Presentation Drills

■ SIMPLE SUBSTITUTION DRILL

Il fait des courses.
(Elle fait, Elles font, Je fais, Nous faisons, Tu fais, Vous faites, Ils font, Il fait)

■ PROGRESSIVE SUBSTITUTION DRILLS

1. Que faites-vous ici ?
   Que faites-vous *le dimanche ?*
   Que fait-elle le dimanche ?
   Que fait-elle *aujourd'hui ?*
   Que faisons-nous aujourd'hui ?
   Que faisons-nous *ce matin ?*
   Que font-ils ce matin ?
   Que font-ils *à Paris ?*
   Que fais-tu à Paris ?
   Que fais-tu *ici ?*
   Que faites-vous ici ?

2. Je fais quelques courses.
   Je fais *plusieurs choses.*
   Elle fait plusieurs choses.
   Elle fait *un voyage.*
   Ils font un voyage.
   Ils font *connaissance.*
   Nous faisons connaissance.
   Nous faisons *quelques courses.*
   Je fais quelques courses.

Discussion

The verb **faire** has four spoken present tense stems:

SPEECH			WRITING
	fɛ:r		**faire** *to make, to do*
nu	fəz	õ^{z}	nous faisons
vu	fɛt	^{z}	vous faites
il	fõ	^{t}	ils font
ʒə	fɛ	^{z}	je fais
ty	fɛ	^{z}	tu fais
il	fɛ	^{t}	il fait

The four verbs **être, avoir, aller,** and **faire** are the most irregular and at the same time the most frequently occurring verbs in the language. The verb **être** has five spoken present tense forms; **avoir, aller,** and **faire** have four. *All* the other verbs in French have fewer than four.

There are some similarities to be noted with regard to **être, avoir, aller,** and **faire :**

(1) There is only one verb in French which does not fit into the frame **nous __ons :**

nous avons
nous allons
nous faisons — but **nous sommes (être)**
nous parlons

(2) There are only three verbs in French which do not fit into the frame **vous __ez :**

vous avez	but **vous êtes**	**(être)**
vous allez	**vous faites**	**(faire)**
vous parlez	**vous dites**	**(dire)**

(3) There are only four verbs in French which do not fit into the frame **ils __ent:**

ils parlent	but **ils sont**	**(être)**
	ils ont	**(avoir)**
	ils vont	**(aller)**
	ils font	**(faire)**

(4) There are only three verbs in French which have more than one present tense stem in the singular:

ʒə, ty, il fɛ	but ʒə sɥi ;	ty, il ɛ	**(être)**
ʒə, ty, il parl	ʒe ;	ty, il a	**(avoir)**
	ʒə vɛ ;	ty, il va	**(aller)**

Verification Drills

■ SIMPLE CORRELATION DRILLS

1. *Je* fais sa connaissance.
   (Vous, Tu, Paul, Mes amis, Nous, Maman, On, Les deux jeunes filles, Je)

2. Que faites-*vous?*
   (je, tu, Philippe, ses amis, nous, vos parents, on, Madame Chatel, vous)

■ QUESTION DRILL

Fait-il froid?
Non, il ne fait pas froid.
Faisons-nous nos courses ce soir?
Font-ils réparer leur valise?
Fait-elle la même chose?
Faites-vous la connaissance de Madame Chatel?
Fait-il beau aujourd'hui?
Font-elles beaucoup de voyages?
Faisons-nous réparer cette montre?

18 Noun marker √*plusieurs*

EXAMPLES
Quel âge avez-vous?
Quelle heure est-il?
J'ai **plusieurs** choses à faire.
Je voudrais faire **quelques** courses.

Presentation Drills

■ SIMPLE SUBSTITUTION DRILL

Il me faut *plusieurs choses.*
(quelques livres, certains cours, plusieurs heures, quelques vêtements, plusieurs chemises, certaines couleurs, quelques assiettes, certains étudiants, plusieurs choses)

■ PROGRESSIVE SUBSTITUTION DRILLS

1. Certains jours, il va en ville.
   Chaque jour, il va en ville.
   Chaque jour, *nous déjeunons ici.*
   Certains jours, nous déjeunons ici.
   Certains jours, *ils vont à la pharmacie.*
   Chaque jour, ils vont à la pharmacie.
   Chaque jour, *nous faisons des courses.*
   Certains jours, nous faisons des courses.
   Certains jours, *il va en ville.*

2. Quelle table voulez-vous ?
   Quelle table *peut-on prendre ?*
   Quelles valises peut-on prendre ?
   Quelles valises *veut-il ?*
   Quel médicament veut-il ?
   Quel médicament *achètes-tu ?*
   Quels livres achètes-tu ?
   Quels livres *voulez-vous ?*
   Quelle table voulez-vous ?

3. Dans quel quartier allez-vous ?
   Dans quel quartier *se trouve Cluny ?*
   Dans quelle rue se trouve Cluny ?
   Dans quelle rue *vont-ils ?*
   Chez quels amis vont-ils ?
   Chez quels amis *déjeunez-vous ?*
   A quelle heure déjeunez-vous ?
   A quelle heure *est notre cours ?*
   Dans quelle salle est notre cours ?
   Dans quelle salle *allez-vous ?*
   Dans quel quartier allez-vous ?

Discussion

Grouped here are five more noun markers:

		SPEECH			WRITING	
		Singular	*Plural*		*Singular*	*Plural*
			Before Vowel	*Before Consonant*		
which	*Fem*	kɛl	kɛlz	kɛl	quelle	quelles
	Masc				quel	quels
certain	*Fem*	sɛrtɛn	sɛrtɛnz	sɛrtɛn	certaine	certaines
	Masc	sɛrtɛ̃	sɛrtɛ̃z	sɛrtɛ̃	certain	certains
several		——	plyzjœrz	plyzjœr		plusieurs
a few		——	kɛlkəz	kɛlkə		quelques
each		ʃak	——	——	chaque	

All the noun markers have now been presented. Below is a tabulation of samples from all six groups:

<table>
<tr><th colspan="5">FEMININE FORMS</th></tr>
<tr><th></th><th colspan="2">Singular</th><th colspan="2">Plural</th></tr>
<tr><th></th><th>Before Vowel</th><th>Before Consonant</th><th>Before Vowel</th><th>Before Consonant</th></tr>
<tr><td>√le</td><td>l</td><td>la</td><td>lɛz</td><td>lɛ</td></tr>
<tr><td>√un</td><td colspan="2">yn</td><td>dɛz</td><td>dɛ</td></tr>
<tr><td>√ce</td><td colspan="2">sɛt</td><td>sɛz</td><td>sɛ</td></tr>
<tr><td>√mon</td><td>mɔn</td><td>ma</td><td>mɛz</td><td>mɛ</td></tr>
<tr><td></td><td>tɔn</td><td>ta</td><td>tɛz</td><td>tɛ</td></tr>
<tr><td></td><td>sɔn</td><td>sa</td><td>sɛz</td><td>sɛ</td></tr>
<tr><td></td><td>nɔtr</td><td>nɔtrə</td><td>noz</td><td>no</td></tr>
<tr><td></td><td>vɔtr</td><td>vɔtrə</td><td>voz</td><td>vo</td></tr>
<tr><td></td><td colspan="2">lœr</td><td>lœrz</td><td>lœr</td></tr>
<tr><td>√plusieurs</td><td colspan="2">kɛl</td><td>kɛlz</td><td>kɛl</td></tr>
<tr><td></td><td colspan="2">ʃak</td><td>—</td><td>—</td></tr>
<tr><td></td><td colspan="2">sɛrtɛn</td><td>sɛrtɛnz</td><td>sɛrtɛn</td></tr>
<tr><td></td><td>—</td><td>—</td><td>plyzjœrz</td><td>plyzjœr</td></tr>
<tr><td></td><td>—</td><td>—</td><td>kɛlkəz</td><td>kɛlkə</td></tr>
<tr><td>√3</td><td>—</td><td>—</td><td>siz</td><td>si</td></tr>
</table>

<table>
<tr><th colspan="5">MASCULINE FORMS</th></tr>
<tr><th></th><th colspan="2">Singular</th><th colspan="2">Plural</th></tr>
<tr><th></th><th>Before Vowel</th><th>Before Consonant</th><th>Before Vowel</th><th>Before Consonant</th></tr>
<tr><td>√le</td><td>l</td><td>lə</td><td>lɛz</td><td>lɛ</td></tr>
<tr><td>√un</td><td>œ̃n</td><td>œ̃</td><td>dɛz</td><td>dɛ</td></tr>
<tr><td>√ce</td><td>sɛt</td><td>sə</td><td>sɛz</td><td>sɛ</td></tr>
<tr><td>√mon</td><td>mɔn</td><td>mõ</td><td>mɛz</td><td>mɛ</td></tr>
<tr><td></td><td>tɔn</td><td>tõ</td><td>tɛz</td><td>tɛ</td></tr>
<tr><td></td><td>sɔn</td><td>sõ</td><td>sɛz</td><td>sɛ</td></tr>
<tr><td></td><td>nɔtr</td><td>nɔtrə</td><td>noz</td><td>no</td></tr>
<tr><td></td><td>vɔtr</td><td>vɔtrə</td><td>voz</td><td>vo</td></tr>
<tr><td></td><td colspan="2">lœr</td><td>lœrz</td><td>lœr</td></tr>
<tr><td>√plusieurs</td><td colspan="2">kɛl</td><td>kɛlz</td><td>kɛl</td></tr>
<tr><td></td><td colspan="2">ʃak</td><td>—</td><td>—</td></tr>
<tr><td></td><td>sɛrtɛn</td><td>sɛrtɛ̃</td><td>sɛrtɛ̃z</td><td>sɛrtɛ̃</td></tr>
<tr><td></td><td>—</td><td>—</td><td>plyzjœrz</td><td>plyzjœr</td></tr>
<tr><td></td><td>—</td><td>—</td><td>kɛlkəz</td><td>kɛlkə</td></tr>
<tr><td>√3</td><td>—</td><td>—</td><td>siz</td><td>si</td></tr>
</table>

Similarities to be noted in the *singular:*

(1) The feminine and masculine pre-vocalic forms are identical except for the one marker $\sqrt{\textbf{un}}$**.**
(2) The feminine and masculine pre-consonantal forms are different for $\sqrt{\textbf{le}}$**,** $\sqrt{\textbf{un}}$**,** $\sqrt{\textbf{ce}}$**, mon, ton, son, and certain,** but identical everywhere else.

Similarities to be noted in the *plural:*

(1) Feminine and masculine gender are not indicated, except for the one marker $\sqrt{\textbf{certain}}$**.**
(2) The pre-vocalic forms all have / z /; the pre-consonantal forms do not.

Verification Drills

■ SIMPLE CORRELATION DRILLS

1. Je connais *des* Américains à Paris.
   (quelques, plusieurs, certains, quelques, des)
2. Je veux aller dans *des* magasins.
   (quelques, plusieurs, chaque, certains, quelques, des)
3. Visite-t-il *des* musées?
   (quelques, plusieurs, chaque, certains, quelques, des)

■ CONTEXTUAL TRANSFORMATION DRILL

Le matin, je vais au Quartier latin. (chaque)
Chaque matin, je vais au Quartier latin.
J'ai *des* cours à la Sorbonne. (plusieurs)
Mais je suis libre *l'*après-midi. (chaque)
J'aime beaucoup *les* librairies du boulevard Saint-Michel. (certain)
Quelques après-midi, quand j'ai le temps, (certain)
j'y vais avec *des* amis. (quelque)
La librairie Gibert a *deux* étages. (plusieurs)
Nous y passons *des* heures, en général. (plusieurs)
J'ai envie de *trois* livres américains, (quelque)
et de *deux* livres français que tu connais. (plusieurs)
Je les regarde *tous les* jours, mais ils sont trop chers pour moi. (chaque)

19 Question words

EXAMPLES

Où est maman?
Qui est Gisèle?
Que veux-tu faire?
Comment allez-vous?
Combien laisse-t-on?
Quand allez-vous partir en voyage?

Presentation Drills

■ PROGRESSIVE SUBSTITUTION DRILLS

1. Qui voulez-vous ?
   Que voulez-vous ?
   Que *veut-il ?*
   Combien veut-il ?
   Combien *est-ce ?*
   Comment est-ce ?
   Comment *va-t-il ?*
   Où va-t-il ?
   Où *travaillez-vous ?*
   Quand travaillez-vous ?
   Quand *est-il là ?*
   Pourquoi est-il là ?
   Pourquoi *écoutez-vous ?*
   Qui écoutez-vous ?
   Qui *voulez-vous ?*

2. Quand voulez-vous partir ?
   Pourquoi voulez-vous partir ?
   Pourquoi *veut-elle y aller ?*
   Comment veut-elle y aller ?
   Comment *travaillent-ils ?*
   Quand travaillent-ils ?
   Quand *mangez-vous ?*
   Que mangez-vous ?
   Que *demande-t-il ?*
   Qui demande-t-il ?
   Qui *faut-il écouter ?*
   Quand faut-il écouter ?
   Quand *voulez-vous partir ?*

Discussion

Question words[1] are forms which can occur at the beginning of a sentence, either as the first word or immediately after a preposition. Question words ask for information (*who, what, where,* etc.) and not for confirmation (*yes / no*).

		SPEECH			WRITING		
		Before Vowel		*Before Consonant*	*Before Vowel*		*Before Consonant*
who?			ki			qui	
what?		k		kə	qu'		que
where?			u			où	
when?		kãt		kã		quand	
why?			purkwa			pourquoi	
how?			kɔmã[2]			comment	
how much? how many?			kõbjɛ̃			combien	
					Masculine		*Feminine*
which? what?	*Singular*		kɛl		quel		quelle
	Plural	kɛlz		kɛl	quels		quelles

[1] Question words are abbreviated Q in the following tables; Vb designates any verb; N any noun; Prep any preposition; and SP any subject pronoun.

[2] The phrase **Comment allez-vous ?**, however, is always / kɔmãtalevu /.

These forms distribute as follows:

	# Q #	# Prep Q...	Remainder (if any)
qui	Qui ?	Avec qui ?	
que	—	—	
où	Où ?	Par où	allez-vous ?
quand	Quand ?	Pour quand ?	
pourquoi	Pourquoi ?	—	
comment	Comment ?	—	
combien	Combien ?	Avec combien ?	
√quel	—	De quel côté	est le restaurant ?

	# Q Vb SP... #	# Q Vb N #
qui	Qui est-il ?	Qui est Jean ?
que	Que fait-il ?	Que fait Jean ?
où	Où allez-vous ?	Où va Jean ?
quand	Quand travaillez-vous ?	—
pourquoi	Pourquoi rentre-t-il ?	—
comment	Comment parle-t-il ?	—
combien	Combien voulez-vous ?	—
√quel	—	Quel est votre nom ?

	# Q N Vb SP #	# Q N...
qui	—	—
que	—	—
où	—	—
quand	Quand Jean travaille-t-il ?	—
pourquoi	Pourquoi Jean rentre-t-il ?	—
comment	Comment Jean parle-t-il ?	—
combien	Combien Jean veut-il ?	Combien de malles avez-vous ?
√quel	—	Quel âge avez-vous ?

The question word **quel** occurs before third person forms of the one verb **être :**

Quelle est votre pointure ?
Quelles sont vos raisons ?

When **quel** occurs before a noun, it is a noun marker (Section 18) and may be a question word as well:

Quelle heure est-il ?
Quelle pointure voulez-vous ?

A difference in intonation, of course, can make a difference in meaning:

'kɛlpwɛ̃tyr[1]	*What size?*
kɛlpwɛ̃'tyr	*What a size!*
'kɛlzami	*What friends?*
kɛlza'mi	*What friends!*

Before a noun, the form **combien de** occurs; elsewhere the form is **combien :**

Combien de temps avez-vous ?
Combien de salles y a-t-il ?

Combien coûtent ses gants ?
Combien veut-il ?

Verification Drills

■ CONTEXTUAL TRANSFORMATION DRILLS

1. Paul est *un étudiant américain.*
   Qui est Paul ?
   Il va *à la Sorbonne.*
   Le lundi il a un cours de français.
   Il est *au cours* aujourd'hui.
   Il veut voir *Gisèle.*
   Il veut faire *des courses* avec Gisèle.
   Il veut aussi aller *au Louvre.*
   Il veut y aller *après le cours.*

2. Paul a une chambre *chez les Chatel.*
   Où Paul a-t-il une chambre ?
   Sa chambre est *très confortable.*
   Les Chatel sont *des amis de M. Adams.*
   Madame Chatel est *jolie.*
   Elle a *deux* enfants.
   Ses enfants sont *Philippe et Jacqueline.*
   Philippe aime beaucoup *Paul.*

3. Je vais *chez Pierre Morin.*
   Chez qui allez-vous ?
   J'y vais *avec mes frères.*
   Chez les Morin, *ils trouvent Suzanne.*
   Elle est *avec sa mère.*
   Mes frères parlent *à Suzanne.*
   Demain, elle va partir en voyage.
   Elle va *aux Etats-Unis.*
   Elle y va *avec ses parents.*

4. J'ai *trois* frères.
   Combien de frères avez-vous ?
   Ils vont *bien,* merci.
   Ils sont *à Paris.*
   Ils sont chez *notre tante.*
   Elle s'appelle *Alice Salet.*
   Elle a *quatre* enfants.
   Mes frères trouvent sa maison *très confortable.*
   Ils vont y rester *deux mois.*
   Ils vont rentrer *en octobre.*

20 *Ne... pas de* before nouns

EXAMPLES On **ne** sert **pas de** sandwichs.
Je **ne** prends **pas de** dessert.

---

[1] The symbol ' designates the syllable that follows it as the highest pitched and loudest in the sentence.

Presentation Drills

■ PROGRESSIVE SUBSTITUTION DRILLS

1. Il n'y a pas de cours.
   Il n'y a pas *de thé.*
   Nous n'avons pas de thé.
   Nous n'avons pas *d'eau.*
   Il n'y a pas d'eau.
   Il n'y a pas *de pain.*
   Nous n'avons pas de pain.
   Nous n'avons pas *de dessert.*
   Il n'y a pas de dessert.
   Il n'y a pas *de café.*
   Nous n'avons pas de café.
   Nous n'avons pas *de cours.*
   Il n'y a pas de cours.

2. Il n'achète pas de chaussures.
   Il n'achète pas *de cigarettes.*
   Nous n'avons pas de cigarettes.
   Nous n'avons pas *de gants.*
   Ils n'ont pas de gants.
   Ils n'ont pas *de bagages.*
   Vous n'avez pas de bagages.
   Vous n'avez pas *d'allumettes.*
   Ils n'ont pas d'allumettes.
   Ils n'ont pas *d'enfants.*
   Elle n'a pas d'enfants.
   Elle n'a pas *de chaussures.*
   Il n'achète pas de chaussures.

Discussion

All the noun markers can occur after the negative construction **ne... pas** :

Je ne veux pas le dessert.	I don't want the dessert.
Je ne veux pas deux desserts.	I don't want two desserts.
Je ne veux pas ce dessert.	I don't want that dessert.
Je ne veux pas son dessert.	I don't want his dessert.
Je ne veux pas plusieurs desserts.	I don't want several desserts.

Contrasting in meaning with the other noun markers after **ne... pas** is the form **de** :

Je ne veux pas de dessert.	I don't want any dessert. OR I don't want dessert.

Singular-plural differentiation is lost in speech (although preserved in writing) after invariable **de** :

Je ne veux pas de desserts.	I don't want desserts.
Je ne veux pas de dessert.	I don't want dessert.
Il n'a pas de sœurs.	He has no sisters.
Il n'a pas de sœur.	He has no sister.

One clue for writing purposes is a preceding question:

Avez-vous des frères ?
Non, je n'ai pas de frères.

Avez-vous un frère ?
Non, je n'ai pas de frère.

Verification Drills

■ TRANSFORMATION DRILL

J'ai une sœur.
Je n'ai pas de sœur.
Il a des bagages.
Nous apportons des livres.
Tu connais un horloger.
Nous donnons un pourboire.
Il y a du monde aujourd'hui.
Je veux de l'eau.
Il me faut des médicaments.
Je porte des gants.
Ils font des vêtements pour hommes.
Je prends du café.
Nous voulons des cigarettes.

■ QUESTION DRILL

Est-ce que vous avez une tante ?
Non, je n'ai pas de tante.
Est-ce que vous avez des cours le dimanche ?
Est-ce qu'elle a des amis ?
Est-ce qu'il y a un cinéma près d'ici ?
Est-ce qu'il porte un chapeau ?
Est-ce que vous avez des courses à faire ?
Est-ce que vous voulez du sucre ?
Est-ce qu'on vend des cigarettes ici ?

■ CONVERSATION EXERCISES

1.

PAUL Je voudrais voir des gants de cuir, Mademoiselle.
LA JEUNE FILLE Quelle est votre pointure ?
PAUL Comment ?
LA JEUNE FILLE Votre pointure, s'il vous plaît ?
PAUL Huit.
LA JEUNE FILLE Voici une paire à trente-sept francs.
PAUL Ils sont trop petits.
LA JEUNE FILLE Voici les mêmes, en huit et demi. Est-ce qu'ils vous vont mieux ?
PAUL Oui, mais je voudrais voir ces autres gants, là-bas, sur la table.
LA JEUNE FILLE Voici, Monsieur. Cette paire coûte cinquante-huit francs.
PAUL Ils sont bien chers ; mais je vais les prendre, si vous avez ma pointure.

2.

SUZANNE Où achètes-tu tes vêtements ?
GISELE Dans le quartier, généralement.
SUZANNE Je n'ai pas beaucoup de vêtements chauds. Il me faut un tailleur de laine.
GISELE Il y a un petit magasin tout près ; on y trouve de très jolies choses.
SUZANNE Est-ce qu'il est cher ?
GISELE Non, pas très. Veux-tu y aller ?
SUZANNE Certainement, si tu as le temps.

■ QUESTIONS ON THE DIALOGUE

Paul et Philippe se retrouvent-ils avant leurs cours ?
Est-ce qu'ils montent le boulevard Saint-Michel ?
Qu'est que Philippe veut faire avant de rentrer ?
Paul veut-il faire réparer ses chaussures ?
Où est l'horloger ?
Devant quel magasin passent les deux amis ?
Combien coûte une paire de chaussures aux Etats-Unis ?
Les chaussures sont-elles très bon marché à Paris ?
Depuis combien de temps Philippe a-t-il ses chaussures ?

■ ORAL COMPOSITION

Demain, je vais faire *deux courses.*
Je dois aller *chez le pharmacien.*
Je veux acheter aussi *deux chemises de nylon.*
Je vais les acheter *dans un magasin pour hommes.*

■ QUESTIONNAIRE

Qu'allez-vous faire demain ?
Où devez-vous aller ?
Que voulez-vous acheter ?
Où allez-vous l'acheter ?

TAXIS
TÊTE DE STATION
AMY
LUMIÈRE
LE PARIS

UNIT 6

DIALOGUE

Il pleut

A la bibliothèque de la Sorbonne : Gisèle sort de la salle de lecture. A la porte, elle trouve Paul, qui semble chercher quelqu'un.

GISELE Tiens, bonjour. Qui cherchez-vous donc ?
PAUL C'est vous que je cherche, Mademoiselle.
GISELE Vous pouvez m'appeler Gisèle, vous savez (1).
PAUL J'espère que je ne vous dérange pas... Gisèle.
GISELE Pas du tout, au contraire.
PAUL Nous pouvons faire un tour, si vous avez le temps.
GISELE Ce n'est pas le moment, on dirait.
PAUL Pas le moment ? Pourquoi ?
GISELE Parce qu'il va pleuvoir bientôt. Regardez dehors.
PAUL C'est vrai. Allons nous asseoir quelque part.

A l'intérieur d'un café.

PAUL Dites-moi, est-ce que vous aimez le cinéma ?
GISELE J'aime les bons films.
PAUL On passe un film anglais au Studio-Cujas (2). Il paraît qu'il n'est pas mauvais.
GISELE Oui, j'en ai entendu parler. C'est un vieux film.
PAUL En effet. Voulez-vous aller le voir ? Ce soir, par exemple ?
GISELE Avec plaisir.
PAUL Je peux passer vous chercher vers huit heures.
GISELE Entendu. Maman sera contente de vous connaître.

◀ **Paris sous la pluie.**

il plø ↘

a la bi bli ɔ tɛk də la sɔr bɔn ↘ ʒi zɛl sɔr də la sal də lɛk tyr ↘ a la pɔrt ↗ ɛl truv pɔl ↗ ki sã blə ʃɛr ʃe kɛl kœ̃ ↘

tjɛ ↘ bõ ʒur ↘ ki ʃɛr ʃe vu dõk→
sɛ vu kə ʒə ʃɛrʃ mad mwa zɛl ↘

vu pu ve map le ʒi zɛl vu sa ve ↗
ʒɛs pɛr kə ʒən vu de rãʒ pa ↘ ʒi zɛl ↘
pa dy tu o kõ trɛr ↘
nu pu võ fɛr œ̃ tur si vu za vel tã ↗

sne pal mɔ mã õ di rɛ ↘
pal mɔ mã ↗ pur kwa ↘
par skil va plø vwar bjɛ̃ to ↘ rə gar de də ɔr→
sɛ vrɛ ↘ a lõ nu za swar kɛl kə par ↘

a lɛ̃ ter jœr dœ̃ ka fe ↘

dit mwa ↘ ɛs kə vu zɛ mel si ne ma ↗
ʒɛm lɛ bõ film ↗
õ pas œ̃ film ã gle o sty djo ky zas ↘ il pa rɛ kil nɛ pa mɔ vɛ ↘
wi ↗ ʒã ne ã tã dy par le ↘ sɛ tœ̃ vjø film ↘

ã nɛ fɛ ↘ vu le vu a lel vwar ↗ sə swar par ɛg zãpl ↘
a vɛk ple zir ↘
ʒə pø pa se vu ʃɛr ʃe vɛr ɥit œr ↘

ã tã dy ↘ ma mãs ra kõ tãt də vu kɔ nɛtr ↘

It's Raining

At the library of the Sorbonne: Gisèle comes out of the reading room. At the door she finds Paul, who seems to be looking for someone.

GISELE Well, hello. Who are you looking for?
PAUL You're the one I'm looking for, Miss Courtin.
GISELE You may call me Gisèle, you know.
PAUL I hope I'm not bothering you, Gisèle.
GISELE Not at all, on the contrary.
PAUL We can go for a walk, if you have the time.
GISELE This isn't the best time, apparently.
PAUL Not the best time? Why?
GISELE Because it's going to rain soon. Look outside.
PAUL So it is. Let's go sit down somewhere.

Inside a cafe.

PAUL Tell me, do you like movies?
GISELE I like good films.
PAUL They're showing an English picture at the Studio-Cujas. They say it's not bad.
GISELE Yes, I've heard about it. It's an old film.
PAUL As a matter of fact, it is. Would you like to go see it? Tonight, for instance?
GISELE With pleasure.
PAUL I can come by and pick you up around eight.
GISELE All right. Mother will be happy to meet you.

SUPPLEMENTARY VOCABULARY

Les Saisons

Quel temps fait-il au printemps ?
Il fait beau.
Quel temps fait-il en été ?
Il fait chaud.
Quel temps fait-il en automne ?
Il fait du vent et il pleut.
Quel temps fait-il en hiver ?
Il fait froid et il neige.

The Seasons

What's the weather like in spring?
It's beautiful.
What's the weather like in summer?
It's hot.
What's the weather like in autumn?
It's windy and it rains.
What's the weather like in winter?
It's cold and it snows.

Aimez-vous la pluie ? Aimez-vous le soleil ? Aimez-vous ce climat ?	Do you like rain? Do you like sunshine? Do you like this climate?
Quelle date sommes-nous ? Nous sommes le 21 janvier. Nous sommes le 27 février. Nous sommes le premier mars.	What's the date? It's January 21st. It's February 27th. It's March 1st.
En quel mois sommes-nous ? Nous sommes en avril. Nous sommes en mai. Nous sommes en juin.	What month is it? It's April. It's May. It's June.
En quel mois est-il né ? Il est né en juillet. Il est né en août. Il est né en septembre.	What month was he born in? He was born in July. He was born in August. He was born in September.
Quand est-il mort ? Il est mort le 15 octobre. Il est mort le 2 novembre. Il est mort le 30 décembre.	When did he die? He died October 15th. He died November 2nd. He died December 30th.
Les Nationalités	*Nationalities*
De quelle nationalité sont-ils ? Il est allemand ; sa femme est italienne. Il est italien ; sa femme est russe. Il est russe ; sa femme est allemande.	What nationality are they? He's German; his wife is Italian. He's Italian; his wife is Russian. He's Russian; his wife is German.
Sont-elles étrangères ? Oui, ce sont des Anglaises. Oui, ce sont des Suédoises. Oui, ce sont des Américaines.	Are they foreigners? Yes, they're English. Yes, they're Swedish. Yes, they're Americans.
Sont-ils étrangers ? Oui, ce sont des Anglais. Oui, ce sont des Suédois. Oui, ce sont des Américains.	Are they foreigners? Yes, they're English. Yes, they're Swedish. Yes, they're Americans.

DIALOGUE NOTES

(1) Americans are prompt to address new acquaintances by their first names. Frenchmen will indicate to you when you may begin addressing them by their first names.

(2) **Studio-Cujas** is one of several small movie houses in the **Quartier latin** which show art films.

Spelling

A. Names of the Letters

a /a/
b /be/
c /se/
d /de/
e /ø/
f /ɛf/
g /ʒe/
h /aʃ/
i /i/
j /ʒi/
k /ka/
l /ɛl/
m /ɛm/
n /ɛn/
o /o/
p /pe/
q /ky/
r /ɛr/
s /ɛs/
t /te/
u /y/
v /ve/
w /dublə ve/
x /iks/
y /i grɛk/
z /zɛd/

B. Names of the Accents

		a	e	i	o	u	c
accent aigu (m)	´		é				
accent grave (m)	`	à	è			ù	
accent circonflexe (m)	^	â	ê	î	ô	û	
tréma (m)	¨		ë	ï		ü	
cédille (f)	¸						ç

OCCURRENCE OF THE ACCENTS

Accents may be omitted on capital letters:

les états
les Etats-Unis

■ DICTATION DRILL

INSTRUCTIONS: Write the symbols and words from oral dictation.

1. dublə ve
2. aksã grav
3. se sedij
4. ɛn o ø trema ɛl
5. ɛm ø aksã sirkõfleks ɛm ø
6. i grɛk
7. aksãt egy
8. ʒe i ɛs ø aksã grav ɛl ø
9. pe o y r ky y o i
10. ɛf ɛr a ɛn se ø

■ SPELLING DRILL

INSTRUCTIONS: Spell orally in French.

1. *Your name.*
2. *Your street address.*
3. *Your home town.*
4. *Your home state.*
5. *The names of the months.*
6. *The names of the days of the week.*

Vocabulary Drills

1. C'est vous que je cherche.
   C'est vous *qu'il veut voir.*
   C'est nous qu'il veut voir.
   C'est nous *qu'il regarde.*
   C'est moi qu'il regarde.
   C'est moi *qu'il dérange.*
   C'est elle qu'il dérange.
   C'est elle *que je cherche.*
   C'est vous que je cherche.

2. J'espère que je ne vous dérange pas.
   J'espère *qu'il ne va pas pleuvoir.*
   Je crois qu'il ne va pas pleuvoir.
   Je crois *qu'il n'est pas là.*
   J'espère qu'il n'est pas là.
   J'espère *que vous n'écoutez pas.*
   Je sais que vous n'écoutez pas.
   Je sais *que je ne vous dérange pas.*
   J'espère que je ne vous dérange pas.

3. Nous pouvons faire un tour, si vous avez le temps.
   Nous pouvons faire un tour, *s'il ne pleut pas.*
   Allons nous asseoir dehors, s'il ne pleut pas.
   Allons nous asseoir dehors, *si vous voulez.*
   Je vais vous accompagner, si vous voulez.
   Je vais vous accompagner, *si vous allez en ville.*
   Vous pouvez faire des courses, si vous allez en ville.
   Vous pouvez faire des courses, *si vous avez le temps.*
   Nous pouvons faire un tour, si vous avez le temps.

4. Il va pleuvoir, on dirait.
   Il va pleuvoir, *il paraît.*
   Il est étranger, il paraît.
   Il est étranger, *on dirait.*
   Je vous dérange, on dirait.
   Je vous dérange, *il paraît.*
   C'est ouvert, il paraît.
   C'est ouvert, *on dirait.*
   Il va pleuvoir, on dirait.

5. Regardez dehors.
   Regardez *à l'intérieur.*
   Allons à l'intérieur.
   Allons *en haut.*
   Attends en haut.
   Attends *là-bas.*
   Venez là-bas.
   Venez *dehors.*
   Regardez dehors.

6. Il paraît qu'il n'est pas mauvais.
   Il paraît *qu'il va neiger.*
   Je crois qu'il va neiger.
   Je crois *qu'elle sera contente.*
   Je pense qu'elle sera contente.
   Je pense *qu'il fait du vent.*
   On dirait qu'il fait du vent.
   On dirait *qu'il n'est pas mauvais.*
   Il paraît qu'il n'est pas mauvais.

7. Je peux passer vers huit heures.
   Je peux passer *à huit heures.*
   Elle sort à huit heures.
   Elle sort *à midi.*
   Ils arrivent à midi.
   Ils arrivent *vers midi.*
   Ils sortent vers midi.
   Ils sortent *vers huit heures.*
   Je peux passer vers huit heures.

8. Il est né en avril.
   Je suis né en avril.
   Je suis né *en 1940.*
   Il est mort en 1940.
   Il est mort *en été.*
   Je suis né en été.
   Je suis né *en France.*
   Il est mort en France.
   Il est mort *en 1870.*
   Il est né en 1870.
   Il est né *en avril.*

9. Quel temps fait-il à Paris?
   Quel temps fait-il *chez vous?*
   Est-ce qu'il pleut chez vous?
   Est-ce qu'il pleut *en automne?*
   Quel temps fait-il en automne?
   Quel temps fait-il *en octobre?*
   Neige-t-il en octobre?
   Neige-t-il *au printemps?*
   Est-ce qu'il pleut au printemps?
   Est-ce qu'il pleut *à Paris?*
   Quel temps fait-il à Paris?

21 Present tense of *pouvoir* and *vouloir*

EXAMPLES

Nous **pouvons** y aller demain, peut-être.
Pouvez-vous rester avec nous ?
Je **peux** passer vous chercher vers huit heures.
Voulez-vous voir votre chambre ?
Oui, je **veux** bien.
Il **veut** du lait.

Presentation Drills

■ SIMPLE SUBSTITUTION DRILLS

1. *Nous pouvons* y aller demain.
(Je peux, Vous pouvez, Elle peut, Tu peux, Elles peuvent, Il peut, Nous pouvons)
2. *Pouvez-vous* venir vers onze heures ?
(Pouvons-nous, Peux-tu, Peut-il, Peuvent-elles, Peut-elle, Puis-je, Peuvent-ils, Pouvez-vous)
3. *Je veux* voir ce film.
(Nous voulons, Elle veut, Elles veulent, Ils veulent, Tu veux, Il veut, Vous voulez, Je veux)
4. Où *veux-tu* aller ?
(voulez-vous, veulent-ils, veut-elle, voulons-nous, veut-on, veulent-elles, veut-il, est-ce que je veux, Michel veut-il, veux-tu)

■ PROGRESSIVE SUBSTITUTION DRILLS

1. Je peux passer vers huit heures.
Nous pouvons passer vers huit heures.
Nous pouvons *travailler un peu.*
Vous pouvez travailler un peu.
Vous pouvez *faire un tour en ville.*
Tu peux faire un tour en ville.
Tu peux *monter au premier.*
Ils peuvent monter au premier.
Ils peuvent *rester jusqu'à ce soir.*
Elle peut rester jusqu'à ce soir.
Elle peut *aller à la gare.*
Je peux aller à la gare.
Je peux *passer vers huit heures.*
2. Je ne peux pas vous accompagner.
Je ne peux pas *fermer la porte.*
Nous ne pouvons pas fermer la porte.
Nous ne pouvons pas *rester tard.*
Elle ne peut pas rester tard.
Elle ne peut pas *trouver ses gants.*
Vous ne pouvez pas trouver ses gants.
Vous ne pouvez pas *aller là-bas.*
Ils ne peuvent pas aller là-bas.
Ils ne peuvent pas *rester à Paris.*
Je ne peux pas rester à Paris.
Je ne peux pas *vous accompagner.*
3. Je ne veux pas la voir.
Je ne veux pas *l'appeler.*
Nous ne voulons pas l'appeler.
Nous ne voulons pas *l'écouter.*
Ils ne veulent pas l'écouter.
Ils ne veulent pas *la déranger.*
Vous ne voulez pas la déranger.
Vous ne voulez pas *la regarder.*
Il ne veut pas la regarder.
Il ne veut pas *la voir.*
Je ne veux pas la voir.

Discussion

The verbs **pouvoir** and **vouloir** have three present tense spoken stems:

	puvwar		**pouvoir** *to be able to*
nu	puv	õ^z	nous pouvons
vu	puv	e^z	vous pouvez
il	pœv	t	ils peuvent
ʒə[1]	pø	z	je peux
ty	pø	z	tu peux
il	pø	t	il peut

	vulwar		**vouloir** *to want*
nu	vul	õ^z	nous voulons
vu	vul	e^z	vous voulez
il	vœl	t	ils veulent
ʒə	vø	z	je veux
ty	vø	z	tu veux
il	vø	t	il veut

Both these verbs have the vowel / ø / as the final vowel of the singular stem and the vowel / œ / before a final consonant: / il pø il pœv il vø il vœl /. The distribution of / ø / and / œ / in final position is predictable throughout French: both may occur initially or medially, but only / ø / occurs finally.

Verification Drills

■ SIMPLE CORRELATION DRILLS

1. *Nous* pouvons voir ce film.
   (Je, Vous, Gisèle, Monsieur et Madame Chatel, Tu, Son fils, Nous)
2. Pouvez-*vous* venir aujourd'hui ?
   (tu, nous, je, Paul, Jacqueline et Suzanne, vous)
3. *Vous* ne pouvez pas travailler.
   (Nous, Je, Vos parents, Tu, Philippe, Les jeunes filles, Ma sœur, Vous)
4. *Je* veux acheter un briquet.
   (Nous, Ces jeunes gens, Ma camarade, Vous, Tu, Les deux garçons, Mon frère, Je)

■ TRANSFORMATION DRILLS

1. Il veut cette montre.
   Il ne veut pas cette montre.
   Je veux la réparer.
   Nous voulons parler.
   Elle veut sortir.
   Ils veulent déjeuner ici.
   Nous voulons aller dans ce magasin.
   Philippe veut accompagner son ami.
   Vous voulez écouter.
   Mes parents veulent cette maison.

---

[1] The form / ʒə pɥi / **je puis** also exists but is not frequent. The inversion form with / ʒə /, however, is always / pɥiʒ / **puis-je.**

2. Je peux venir ce soir.
   Je veux venir ce soir.
   Ils peuvent acheter des chemises.
   Nous pouvons aller chez vous.
   Pouvez-vous rentrer tard ?
   Elles ne peuvent pas rester à Paris.
   Je peux aller en ville.

22 Quantity constructions

EXAMPLES

Encore une tasse **de** café ?
Voulez-vous une bouteille **de** vin ?
Combien coûte une paire **de** chaussures ?
Il y a déjà beaucoup **de** monde.
Il y a autant **de** monde en haut.

Presentation Drills

■ SIMPLE SUBSTITUTION DRILL

Il a *beaucoup d'*amis.
(tant de, moins de, plus de, assez de, trop de, peu de, pas mal de, beaucoup de)

■ PROGRESSIVE SUBSTITUTION DRILL

Il y a beaucoup de monde.
Vous connaissez beaucoup de monde.
Vous connaissez *pas mal de monde.*
Il y a pas mal de monde.
Il y a *trop de monde.*
Vous connaissez trop de monde.
Vous connaissez *peu de monde.*
Il y a peu de monde.
Il y a *assez de monde.*
Vous connaissez assez de monde.
Vous connaissez *beaucoup de monde.*
Il y a beaucoup de monde.

Discussion

When a word referring to a quantity or measure precedes a noun, that noun has no √**le** marker, but only **de**:

(1) *Quantity Noun* **de** *Noun*

un peu de café	a little coffee
une paire de gants	a pair of gloves
une bouteille de vin	a bottle of wine

(2) *Quantity Question Word* **de** *Noun*

combien d'argent	how much money

(3) *Quantity Adverb* **de** *Noun*

beaucoup d'amis	many friends
pas mal de temps	lots of time
peu de chaises	few chairs
tant de travail	so much work
assez de tickets	enough tickets
trop d'ennuis	too many worries
plus d'idées (que)	more ideas (than)
moins de piétons	fewer pedestrians
autant de places	as many seats

The last three quantity adverb expressions fit into a comparison pattern:

plus / **moins** / **autant** } **de** *Noun* **que** **de** *Noun*

Il a autant de frères que de sœurs.	He has as many brothers as sisters.
L'université a plus de classes que de professeurs.	The university has more classes than teachers.
Il y a moins d'étudiants que de chaises.	There are fewer students than chairs.

Verification Drills

EXPANSION DRILLS

1. Nous avons du pain.
   (beaucoup, trop, pas mal, peu, un peu, assez, beaucoup)
2. Ils ont de la pluie.
   (trop, un peu, beaucoup, pas mal, tant, assez, trop)
3. Il y a de la neige.
   (un peu, trop, autant, assez, pas mal, tant, beaucoup, peu, un peu)

CONTEXTUAL TRANSFORMATION DRILL

La Sorbonne a des étudiants français et des étudiants étrangers. (plus)
La Sorbonne a plus d'étudiants français que d'étudiants étrangers.
Mais dans la classe de Paul il y a des étudiants étrangers et des étudiants français. (autant)
Il y a des étudiants et des étudiantes. (moins)
Dans le Quartier latin on trouve des cinémas et des cafés. (moins)
On y trouve des librairies et des restaurants. (autant)
Paul connaît des librairies et des restaurants. (plus)
Il achète des livres américains et des livres français. (moins)
Il va voir des films français et des films américains. (plus)
Mais Philippe va voir des films américains et des films français. (plus)

23 Subject pronoun *ce*

EXAMPLES C'est la meilleure amie de ma sœur.
C'est ce que je vais prendre.
C'est vous que je cherche.
C'est vrai.

Presentation Drills

■ SIMPLE SUBSTITUTION DRILL

Est-ce *le professeur?*
(un Français, le garçon du restaurant, un libraire, mon chapeau, vous, votre tante, Philippe, le professeur)

■ PROGRESSIVE SUBSTITUTION DRILL

Il est anglais.
Il est *pharmacien.*
C'est un pharmacien.
C'est un *étranger.*
Il est étranger.
Il est *horloger.*
C'est un horloger.
C'est un *Russe.*
Il est russe.
Il est *étudiant.*
C'est un étudiant.
C'est un *professeur.*
Il est professeur.
Il est *anglais.*

Discussion

All the subject pronouns discussed so far may occur as subjects of any verb in the language. The subject pronoun **ce** occurs only as the third person subject of the one verb **être.** Its shapes are:

	ce *Verb*	*Verb*-**ce**		
Singular	sɛ^{t}	ɛs	c'est	est-ce
Plural	səsõ^{t}	—	ce sont	—
	ce ne *Verb* **pas**	**ne** *Verb*-**ce pas**		
Singular	sənɛpa^{z}	nɛspa^{z}	ce n'est pas	n'est-ce pas
Plural	sənsõpa^{z}	—	ce ne sont pas	—

These sequences occur:

(1) When followed by a marked noun:

C'est une vieille paire.
Est-ce que ce sont vos parents?

(2) When followed by a name:

Est-ce Jacques?
C'est Madame Chatel.

(3) When followed by a pronoun:

C'est vous.
Est-ce elle ?

(4) When followed by a clause:

C'est là que je vais d'habitude.
C'est ce que je vais prendre.

In other cases **il** or **elle, ils** or **elles,** may be the subject pronoun, depending on the gender and number of the noun to which they refer. **Ce** has no noun referent, that is, there is no noun which can substitute for **ce.** Meaning differentiations occur:

(1) Before an adjective:

Elle n'est pas mauvaise.	She's not bad OR It's not bad.
Il n'est pas mauvais.	He's not bad OR It's not bad.
Ce n'est pas mauvais.	It's not bad.

(2) Before an adverb:

Elle est là.	She's there OR It's there.
Il est là.	He's there OR It's there.
C'est là.	It's there.

(3) Before a prepositional phrase:

Elle est au bout du couloir.	She's at the end of the hall OR It's at the end of the hall.
Il est au bout du couloir.	He's at the end of the hall OR It's at the end of the hall.
C'est au bout du couloir.	It's at the end of the hall.

In cases of nationalities, professions, and religions, there are two possibilities:

Il est + *Adjective*	**C'est** + *Marked Noun*
Il est français.	**C'est un Français.**
Il est pharmacien.	**C'est un pharmacien.**
Ils sont catholiques.	**Ce sont des Catholiques.**

Verification Drills

■ TRANSFORMATION DRILL

Il est professeur.
C'est un professeur.
Il est suédois.
Elle est française.
Elle est étudiante.
Ils sont allemands.
Est-il horloger ?
Il n'est pas horloger.
Il est garçon de café.
Est-il étranger ?

■ CONTEXTUAL QUESTION DRILL

Est-ce un Américain ?
Oui, c'est un Américain.
Est-ce votre ami ?
Est-il étudiant ?
Est-ce un bon étudiant ?
Est-il bon en français ?

■ CONTEXTUAL TRANSFORMATION DRILL

C'est un professeur.
Ce sont des professeurs.
Il est français.
C'est un professeur de français.
C'est son étudiant.
C'est son meilleur étudiant.
Il est américain.

24 Subject pronoun *il*

EXAMPLES

Il est dix heures moins le quart.
Il y a déjà beaucoup de monde.
Il fait beau ce matin.
Il nous reste du temps.
Il me faut des chaussures.
Il paraît qu'il n'est pas mauvais.

Presentation Drills

■ SIMPLE SUBSTITUTION DRILLS

1. Il faut *laisser un pourboire.*
(aller à la gare, rentrer avant minuit, prendre un manteau, apporter une valise, rester dans l'entrée, demander l'addition, laisser un pourboire)

2. Il fait *beau.*
(chaud, bon, mauvais, du soleil, froid, du vent, beau)

■ PROGRESSIVE SUBSTITUTION DRILL

Il reste du café.
Il faut du café.
Il faut *30 francs.*
Il reste 30 francs.
Il reste *quelques heures.*
Il faut quelques heures.
Il faut *beaucoup de pain.*
Il y a beaucoup de pain.
Il y a *du café.*
Il reste du café.

Discussion

Some highly frequent clauses involve the subject pronoun **il** which has no referent, i.e., it is not a noun substitute. Some verbs can tie only with **il** and have no forms for the other persons; they are called impersonal verbs:

falloir	**il faut**	**Il me faut plusieurs choses.**
y avoir	**il y a**	**Il y a déjà beaucoup de monde.**
pleuvoir	**il pleut**	**Il pleut ce matin.**
neiger	**il neige**	**Il neige en hiver.**

Several other verbs, although they have forms for the other persons, are found in similar "impersonal" constructions, that is, where **il** has no noun substitute:

être	**il est**	**Il est huit heures.**
faire	**il fait**	**Il fait beau.**
rester	**il reste**	**Il nous reste du temps.**
paraître	**il paraît**	**Il paraît que vous venez cet après-midi.**

Verification Drills

■ QUESTION DRILLS

1. Reste-t-il de la glace ?
   Oui, il reste de la glace.
   Faut-il rentrer tout de suite ?
   Fait-il du vent ?
   Y a-t-il du monde ?
   Fait-il du soleil ?
   Pleut-il aujourd'hui ?
   Neige-t-il en hiver ?
   Faut-il plusieurs tasses ?
   Reste-t-il du café ?

2. Fait-il chaud en hiver ?
   Non, il ne fait pas chaud en hiver.
   Neige-t-il aujourd'hui ?
   Fait-il du vent ?
   Y a-t-il une autre salle ?
   Pleut-il ?
   Reste-t-il du vin ?
   Faut-il entrer ?
   Y a-t-il un café par ici ?

■ CONVERSATION EXERCISES

1.

HENRI Qui est ce garçon, Philippe ? Il est étranger, on dirait.
PHILIPPE C'est un Anglais.
HENRI Qu'est-ce qu'il fait ici ?
PHILIPPE Il est étudiant ; il a une chambre chez les Morin.
HENRI Il va passer l'année à Paris ?
PHILIPPE Je ne crois pas ; il veut déjà rentrer chez ses parents.
HENRI Pourquoi ?
PHILIPPE Il n'aime pas notre climat.
HENRI Il fait trop chaud ? ou trop froid ?
PHILIPPE Il dit qu'il ne pleut pas assez.

2.

SUZANNE Où allez-vous cet été ?
HENRI A Rome, avec mon cousin Jean.
SUZANNE Rome en été ! Vous allez avoir chaud.
HENRI J'aime la chaleur.
SUZANNE En quel mois y allez-vous ?
HENRI En juillet.
SUZANNE On n'y trouve pas de chambres, il paraît.
HENRI Je vais chez des amis de mes parents.
SUZANNE Ils ont des amis italiens ?
HENRI Non, ce sont des Français, mais ils sont à Rome depuis deux ans.

QUESTIONS ON THE DIALOGUE

Gisèle est-elle au cours ou à la bibliothèque ?
De quelle salle sort-elle ?
Qui trouve-t-elle à la porte ?
Que cherche Paul : un ami, un livre ?
Pourquoi n'est-ce pas le moment de faire un tour ?
Est-ce qu'on passe un film américain au Studio-Cujas ?
Gisèle aime-t-elle tous les films ?
Gisèle passe-t-elle chercher Paul ?

ORAL COMPOSITIONS

1.

Je suis *français.*
Je suis né *le 16 novembre 1945, à Paris.*
Ma mère est *anglaise.*
Elle est née *en 1920, à Southampton.*

2.

Nous sommes *le 10 mai 1963.*
Nous sommes *au printemps.*
J'aime *le printemps* parce qu'*il fait beau.*
Je n'aime pas l'*été* parce qu'*il fait trop chaud.*

QUESTIONNAIRES

1.

De quelle nationalité êtes-vous ?
Où et quand êtes-vous né ?
De quelle nationalité est votre mère ?
Où et quand est-elle née ?

2.

Quelle date sommes-nous ?
En quelle saison sommes-nous ?
Quelle saison aimez-vous ? Pourquoi ?
Quelle saison n'aimez-vous pas ? Pourquoi ?

READING

Paul chez les Chatel

Paul est à Paris depuis deux mois ; il a maintenant ses habitudes chez les Chatel, et il est heureux. Monsieur Chatel est avocat ;° il a environ cinquante ans. Paul n'est pas très à l'aise° avec le père de son ami, mais il aime beaucoup Madame Chatel, qui est une grande femme blonde, calme et élégante. Elle est très occupée,° mais elle ne semble jamais pressée ;° ses deux grands enfants ont toujours beaucoup de choses à lui raconter,° et Paul a pris l'habitude de faire la même chose.

attorney
à... at ease
busy
in a hurry
lui... to tell her

L'appartement des Chatel se trouve dans un quartier élégant de Paris, près du Bois de Boulogne ; Maître° Chatel a son bureau° en ville. Il rentre assez souvent déjeuner avec sa femme ; mais en général, ils sont seuls, car° Jacqueline mange au lycée, et les deux garçons, qui ont toujours beaucoup de choses à faire, préfèrent manger un sandwich au café.

title of address for a lawyer; office
for

C'est le soir que toute la famille se retrouve. Jacqueline travaille souvent jusqu'à l'heure du dîner ; les autres bavardent au salon.° Maître Chatel parle de la situation internationale et du cours de la Bourse ;° Madame Chatel parle de livres, de mode, de leurs amis ; les jeunes gens parlent de leurs cours et de leurs nombreuses° activités ; et tout le monde parle politique. Paul aime beaucoup l'heure du dîner. Il aime aussi la cuisine de Madame Chatel. Il mange un peu trop ; il commence à aimer le vin ; il se trouve très parisien.

drawing room

cours... stock market prices

numerous

84
89
SUZY DELAIR
JEAN CHEVRIER
...ADIEU
PRUDENCE!
VERONIQUE VENDELL
JEAN VALMENCE
THÉATRE DE LUTÈCE
LE GÉNIE DES FORÊTS
TCHEKOV
PAPIERS S.V.P.
qui boit... VABÉ

DIALOGUE

Une Rencontre

Jacqueline, passant boulevard Saint-Michel, aperçoit Paul.

JACQUELINE	Bonjour, Paul. Qu'est-ce qui se passe ? Gisèle vous laisse sortir tout seul ?
PAUL	Je cherche l'arrêt du 27 ; je dois aller place de l'Opéra (1).
JACQUELINE	Il est là-bas, devant l'immeuble neuf.
PAUL	Je ne le vois pas.
JACQUELINE	Venez, j'y vais avec vous ; traversons vite.
	Ils traversent entre les clous (2).
PAUL	Et vous, Jacqueline, où alliez-vous ?
JACQUELINE	Chez Suzanne. Marchez donc un peu avec moi.
PAUL	Vous y allez à pied ? Où habite-t-elle ?
JACQUELINE	De l'autre côté du pont, sur la ligne du 27 (3).
PAUL	Ça me semble loin : pourquoi ne prenez-vous pas l'autobus ?
JACQUELINE	Il n'y a jamais de place à cette heure-ci.
PAUL	Tenez, le voilà ; il est à moitié vide. Dépêchez-vous, montons.
JACQUELINE	Je ne sais pas pourquoi je vous obéis.
PAUL	Combien de tickets faut-il donner ?
JACQUELINE	Ça dépend du trajet (4).

◀ **Arrêt d'autobus.**

yn rã kõtr↘	*A Chance Meeting*
ʒak lin↗ pa sã bul var sɛ̃ mi ʃɛl↗ a pɛr swa pɔl↘	Jacqueline, coming along the Boulevard Saint-Michel, notices Paul.
bõ ʒur pɔl↘ kɛs kis pas→ ʒi zɛl vu lɛs sɔr tir tu sœl↗	JACQUELINE Hello, Paul. What's going on? Is Gisèle letting you go out all by yourself?
ʒə ʃɛrʃ la re dy vɛ̃t sɛt↘ ʒə dwa za le plas də lɔ pe ra↘	PAUL I'm looking for the number twenty-seven bus stop; I've got to go to the Place de l'Opéra.
i le la ba↘ dœ vã li mœ blə nœ̃f↘	JACQUELINE It's over there, in front of the new apartment building.
ʒən lə vwa pa↗	PAUL I don't see it.
vœ ne↘ ʒi vɛ a vɛk vu↘ tra vɛr sõ vit↘	JACQUELINE Come on, I'll go with you. Let's hurry across.
il tra vɛrs ã trə le klu↘	*They cross in the crosswalk.*
e vu ʒak lin↘ u a lje vu↗	PAUL And where were *you* going, Jacqueline?
ʃe sy zan↗ mar ʃe dõk œ̃ pø a vɛk mwa→	JACQUELINE To Suzanne's. How about walking along with me?
vu zi a le a pje↗ u a bit tɛl↘	PAUL You're walking? Where does she live?
də lotr ko te dy põ↘ syr la liɲ dy vɛ̃t sɛt↘	JACQUELINE On the other side of the bridge, on the 27 route.
sam sã blə lwɛ̃↘ pur kwan prə ne vu pas lo to bys↗	PAUL That seems far to me; why don't you take the bus?
il ni a ʒa med plas a sɛt œr si↘	JACQUELINE There's never any room at this time of day.
tə ne lə vwa la↘ i le ta mwa tje vid↘ de pɛ ʃe vu mõ tõ↘	PAUL Look, there it comes. It's half empty. Hurry, let's get on.
ʒən se pa pur kwaʒ vu zɔ be i↘	JACQUELINE I don't know why I do what you say.
kõ bjɛ̃d ti kɛ fo til dɔ ne↗	PAUL How many tickets do you have to give?
sa de pã dy tra ʒɛ↘	JACQUELINE That depends on the trip.

SUPPLEMENTARY VOCABULARY

Où se trouve la place Vendôme (5)?	Where's the Place Vendôme?
Elle est loin d'ici.	It's far from here.
Où se trouve la station de métro?	Where's the subway station?
Elle est par ici.	It's this way.
Où se trouve le prochain arrêt?	Where's the next stop?
Il est près d'ici.	It's near here.
Je voudrais aller place Vendôme.	I'd like to go to the Place Vendôme.
Tournez à gauche.	Turn left.
Continuez tout droit.	Keep going straight ahead.
Prenez la deuxième rue à droite.	Take the second street on the right.

Est-ce que l'autobus est à l'heure ?	Is the bus on time?
Non, il est en avance.	No, it's early.
Non, il est en retard.	No, it's late.
Quel est le prix du billet (6) ?	What's the price of the ticket?
Quel est le prix du ticket ?	What's the price of the ticket?
Quel est le prix du carnet de première (7) ?	What's the price of the book of first class tickets ?
Attention, voilà le receveur.	Look out, there's the conductor.
Attention, voilà un agent (8).	Look out, there's a policeman.
Attention, voilà un camion.	Look out, there's a truck.
Avez-vous rendez-vous sur les quais (9) ?	Are you meeting on the embankment?
Non, nous avons rendez-vous sous l'horloge.	No, we're meeting under the big clock.
Nous avons rendez-vous devant le kiosque.	We're meeting in front of the newsstand.
Nous avons rendez-vous derrière l'église.	We're meeting behind the church.
Comment peut-on y aller ?	How can you get there?
On peut y aller à pied.	You can get there on foot.
On peut y aller en auto.	You can get there by car.
On peut y aller en taxi.	You can get there by cab.

DIALOGUE NOTES

(1) **L'Opéra,** the home of **l'Académie Nationale de Musique et de Danse,** is an imposing building in the center of a large and busy de luxe commercial area.

(2) Crosswalks in Paris are marked, not by white painted lines, but by metal discs **(clous)** sunk into the pavement.

(3) Paris bus lines are usually referred to by numbers, subway lines by terminus, although both buses and subways carry both numbers and destination signs.

(4) Bus routes in Paris are divided into **sections.** The fare is one **ticket** per **section.**

(5) **La place Vendôme** is a large square in central Paris, in the middle of which is a famous column made of the bronze from cannons captured by Napoléon Bonaparte. Around the square are the Ministry of Justice, the Hotel Ritz, and several world-famous shops specializing in fashion apparel, jewelry, and perfumes. The **Rue de la Paix** runs from the **place Vendôme** to the **place de l'Opéra.**

(6) The terms **billet** and **ticket** are not usually interchangeable. Kinds of **billets** include:

un billet de chemin de fer	a train ticket
un billet d'avion	an airplane ticket
un billet de cinéma	a movie ticket
un billet de concert	a concert ticket
un billet de musée	a museum ticket
un billet d'entrée	an admission ticket

Among the kinds of **tickets** are:

un ticket d'autobus	a bus ticket
un ticket de métro	a subway ticket
un ticket d'appel	a numbered call slip issued by machine at a bus stop, permitting passengers to board a bus on a first-come, first-serve basis
un ticket de quai	a ticket purchased by a non-passenger to allow him access to a train platform
un ticket de vestiaire	a cloak-room check

(7) There are two classes in Paris subways. First class cars are red and are located in the middle of the train. Second class cars are green. Books of tickets may be bought for either class.

(8) An **agent de police,** or **agent,** is a police officer, who might not appreciate being called a **gendarme,** as popular notion in America has it. A **gendarme** is a member of a military force assigned to public safety.

(9) The **quais** which run along the **Seine,** especially those near the **Quartier latin,** are favorite streets for leisurely walks. Box-like stalls along the **quais** are rented by the municipality to book sellers and art vendors.

Spelling

A. Sequences of vowel plus / j / Spoken sequences consisting of a vowel sound followed by / j / are written in most words as vowel letter followed by a letter combination including **l:**

SPEECH		WRITING	
Sequence	*Example*	*Sequence*	*Example*
ij	fij	ille	fille[1]
ɛj	vjɛj	eil	vieil ami
	mɛjœr	eill	meilleur
	butɛj	eille	bouteille
œj	œj	œil	un œil *eye*
	fotœj	euil	un fauteuil *armchair*
	pɔrtəfœj	euille	portefeuille
	akœj	ueil	un accueil *reception*
aj	travaj	ail	le travail *work*
	travaj	aille	je travaille
uj	fuj	ouille	je fouille *I search*

[1] There are a few everyday words where written **ille** represents spoken / il /:

/ vil /	**ville**	
/ mil /	**mille**	
/ trãkil /	**tranquille**	*peaceful*

B. Sequences / wa waj wɛ̃ / The spoken sequence / wa / is written **oi** :

SPEECH	WRITING
avwar mwa vwala	avoir moi voilà

/ waj / is written **oy** :

swaje rwajal vwajaʒ	soyez royal voyage

/ wɛ̃ / is written **oin** :

lwɛ̃ mwɛ̃ pwɛ̃tyr	loin moins pointure

■ DICTATION DRILL

1. sɔlɛj
2. trwa
3. vwasi
4. butɛj
5. vwajaʒ
6. fij
7. mil
8. mwɛ̃
9. swasɑ̃t
10. tajœr
11. famij
12. purkwa
13. ʒɥijɛ
14. mwa
15. bijɛ
16. rwajal
17. pɔrtəfœj
18. frwa
19. mɛjœr
20. sɥedwa

Vocabulary Drills

1. Qu'est-ce qui se passe ?
   Qu'est-ce qui *fait ça ?*
   Qu'est-ce qui *est là-bas ?*
   Qu'est-ce qui *est intéressant ?*
   Qu'est-ce qui *coûte dix francs ?*
   Qu'est-ce qui *est possible ?*
   Qu'est-ce qui *se passe ?*

2. Elle vous laisse sortir.
   Elle vous laisse *parler.*
   Il vous fait parler.
   Il vous fait *monter.*
   Elle vous laisse monter.
   Elle vous laisse *travailler.*
   Il vous fait travailler.
   Il vous fait *traverser.*
   Elle vous laisse traverser.
   Elle vous laisse *sortir.*

3. Nous allons place de l'Opéra.
   Nous allons *boulevard Saint-Michel.*
   Ils habitent boulevard Saint-Michel.
   Ils habitent *place Vendôme.*
   Je vais place Vendôme.
   Je vais *rue Washington.*
   Ils sont rue Washington.
   Ils sont *place de l'Opéra.*
   Nous allons place de l'Opéra.

4. Je cherche l'arrêt du 27.
   Je cherche *mon autobus.*
   Je vois mon autobus.
   Je vois *la place Vendôme.*
   Je cherche la place Vendôme.
   Je cherche *la station de métro.*
   Je vois la station de métro.
   Je vois *un agent.*
   Je cherche un agent.
   Je cherche *l'arrêt du 27.*

5. Marchez donc avec moi.
Venez donc avec moi.
Venez donc *jusqu'au pont.*
Marchez donc jusqu'au pont.
Marchez donc *plus vite.*
Traversez donc plus vite.
Traversez donc *entre les clous.*
Marchez donc entre les clous.
Marchez donc *avec moi.*

6. Il n'y a jamais de place.
Il n'y a pas de place.
Il n'y a pas *de dessert.*
Il n'y a jamais de dessert.
Il n'y a jamais *d'agent.*
Il n'y a pas d'agent.
Il n'y a pas *de vent.*
Il n'y a jamais de vent.
Il n'y a jamais *de place.*

7. Il est à moitié vide.
Il est à moitié *fini.*
Il est presque fini.
Il est presque *ouvert.*
Il est à moitié ouvert.
Il est à moitié *mort.*
Il est presque mort.
Il est presque *vide.*
Il est à moitié vide.

8. Je ne sais pas pourquoi j'obéis.
Je ne sais pas *où nous allons.*
Vous ne savez pas où nous allons.
Vous ne savez pas *comment il s'appelle.*
Je ne sais pas comment il s'appelle.
Je ne sais pas *quand elle sera là.*
Vous ne savez pas quand elle sera là.
Vous ne savez pas *pourquoi j'obéis.*
Je ne sais pas pourquoi j'obéis.

9. Combien de tickets faut-il donner ?
Combien de tickets faut-il *prendre ?*
Combien de *paires* faut-il prendre ?
Combien de paires faut-il *demander ?*
Combien de *tasses* faut-il demander ?
Combien de tasses faut-il *apporter ?*
Combien de *bouteilles* faut-il apporter ?
Combien de bouteilles faut-il *donner ?*
Combien de *tickets* faut-il donner ?

10. Ça dépend du trajet.
Ça dépend *de l'heure.*
Ça dépend *du prix.*
Ça dépend *des jours.*
Ça dépend *de vous.*
Ça dépend *du temps.*
Ça dépend *de la saison.*
Ça dépend *de mes amis.*
Ça dépend *du trajet.*

25 Present tense of verbs like *prendre*

EXAMPLES

Pourquoi ne **prenez**-vous pas l'autobus ?
Vous **prenez** une glace, Gisèle ?
Non, merci, je ne **prends** pas de dessert.
Je ne **comprends** pas la question.

Presentation Drills

■ SIMPLE SUBSTITUTION DRILLS

1. *Vous prenez* l'autobus.
(Je prends, Elle prend, Nous prenons, Ils prennent, Il prend, Elles prennent, Tu prends, Vous prenez)

2. Pourquoi *prenez-vous* l'autobus ?
(prends-tu, prend-il, prenons-nous, prennent-elles, Paul prend-il, prend-elle, prennent-ils, prenez-vous)

■ PROGRESSIVE SUBSTITUTION DRILL

Je ne comprends pas le professeur.
Je ne comprends pas *le français.*
Vous ne comprenez pas le français.
Vous ne comprenez pas *cet étudiant.*
Ils ne comprennent pas cet étudiant.
Ils ne comprennent pas *l'anglais.*
Nous ne comprenons pas l'anglais.
Nous ne comprenons pas *l'agent.*
Il ne comprend pas l'agent.
Il ne comprend pas *le professeur.*
Je ne comprends pas le professeur.

Discussion

The verb **prendre** has three present tense spoken forms:

	prɑ̃dr		**prendre** *to take*
nu	prən	õ^{z}	nous prenons
vu	prən	e^{z}	vous prenez
il	prɛn	^{t}	ils prennent
ʒə	prɑ̃	^{z}	je prends
ty	prɑ̃	^{z}	tu prends
il	prɑ̃	^{t}	il prend

Other verbs that pattern like **prendre** include:

comprendre to understand
apprendre to learn

Verification Drills

■ SIMPLE CORRELATION DRILLS

1. *Tu* prends rendez-vous pour six heures.
   (Nous, Je, Philippe, Les étudiants, Ma sœur, Le professeur et l'étudiant, Vous, Tu)
2. *On* apprend le français.
   (Nous, Paul, Je, Mes amis italiens, Vous, Suzanne, Tu, On)
3. Comprenez-*vous* le professeur?
   (tu, nous, Georges, ces étudiants, mon camarade, vous)

■ TRANSFORMATION DRILL

Il prend le 28.
Il ne prend pas le 28.
Nous apprenons l'allemand.
Je prends un carnet.
Elle comprend le français.
Mon ami prend la même chose.
Le garçon prend le pourboire.
Vous prenez l'autre ligne.
Mes amis comprennent très bien.
Ils apprennent l'anglais.
Vous apprenez vite.

■ QUESTION DRILL

Comprenez-vous l'italien ?
Oui, je comprends l'italien.
Prenez-vous du sucre ?
Prend-il le 38 ?
Prennent-elles le métro ?
Prenez-vous l'autobus ?
Apprenez-vous le français ?
Comprend-il bien ?

26 Pre-nominal adjectives

EXAMPLES

Paul Adams est un **jeune** étudiant américain.
Philippe accompagne Paul à son **premier** cours.
Apportez-nous une **autre** assiette.
Connais-tu un **bon** horloger ?
C'est un **vieux** film.
Prenez la **deuxième** rue à droite.

Presentation Drills

■ SIMPLE SUBSTITUTION DRILLS

1. C'est *un grand ami.*
(un grand homme, un grand enfant, un grand immeuble, un grand étudiant, un grand horloger, un grand autobus, un grand ami)
2. Voilà *un bel immeuble.*
(un bel enfant, un bel été, un bel hiver, un bel autobus, un bel homme, un bel immeuble)
3. Ce sont *de grands amis.*
(de nouveaux amis, de jeunes amis, de vrais amis, de vieux amis, de bons amis, d'autres amis, de grands amis)
4. Ils font *un beau voyage.*
(un grand voyage, un joli voyage, un petit voyage, un autre voyage, un seul voyage, un vrai voyage, un bon voyage, un beau voyage)
5. J'habite *une belle maison.*
(une grande maison, une jolie maison, une petite maison, une nouvelle maison, une vieille maison, une vraie maison, une belle maison)

■ PROGRESSIVE SUBSTITUTION DRILL

Dans quel quartier sont les beaux magasins ?
Dans quel quartier sont *les grands magasins ?*
Dans quelle rue sont les grands magasins ?
Dans quelle rue sont *les autres magasins ?*
Dans quel quartier sont les autres magasins ?
Dans quel quartier sont *les vieux immeubles ?*
Dans quelle rue sont les vieux immeubles ?
Dans quelle rue sont *les autres immeubles ?*
Dans quel quartier sont les autres immeubles ?
Dans quel quartier sont *les beaux magasins ?*

Discussion

Adjectives are forms which can fit into the following construction patterns:

Pre-nominal	*Marker*	____		*Noun*
	un	jeune		étudiant
	cette	petite		rue
	la	même		chose
Post-nominal	*Marker*	*Noun*		____
	un	étudiant		américain
	ce	magasin		vert
	l'	immeuble		neuf
Post √**être**	*Marker*	*Noun*	**être**	____
	L'	étudiant	est	jeune.
	Cette	rue	est	petite.
	Ces	immeubles	sont	neufs.

Adjectives in pre-nominal position have from two to five different shapes, showing (1) gender, (2) number, and (3) pre-vocalic and pre-consonantal variants. Adjectives in the other positions have one or two shapes, showing only gender; these will be discussed in Section 30.

Besides the ordinal numbers, only about twenty adjectives occur frequently in pre-nominal position:

Five spoken shapes: **grand, second**

<table>
<tr><th rowspan="2"></th><th colspan="2">Singular</th><th colspan="2">Plural</th><th rowspan="2">Singular</th><th rowspan="2">Plural</th></tr>
<tr><th>Before V</th><th>Before C</th><th>Before V</th><th>Before C</th></tr>
<tr><td>Fem</td><td colspan="2">grãd</td><td>grãdz</td><td>grãd</td><td>grande</td><td>grandes</td></tr>
<tr><td>Masc</td><td>grãt</td><td>grã</td><td>grãz</td><td>grã</td><td>grand</td><td>grands</td></tr>
<tr><td>Fem</td><td colspan="2">səgõd</td><td>səgõdz</td><td>səgõd</td><td>seconde</td><td>secondes</td></tr>
<tr><td>Masc</td><td>səgõt</td><td>səgõ</td><td>səgõz</td><td>səgõ</td><td>second</td><td>seconds</td></tr>
</table>

Four spoken shapes: **petit, gros, beau, bon, premier, vieux**

<table>
<tr><th rowspan="2"></th><th colspan="2">Singular</th><th colspan="2">Plural</th><th rowspan="2">Singular</th><th rowspan="2">Plural</th></tr>
<tr><th>Before V</th><th>Before C</th><th>Before V</th><th>Before C</th></tr>
<tr><td>Fem</td><td colspan="2">pətit</td><td>pətitz</td><td>pətit</td><td>petite</td><td>petites</td></tr>
<tr><td>Masc</td><td>pətit</td><td>pəti</td><td>pətiz</td><td>pəti</td><td>petit</td><td>petits</td></tr>
<tr><td>Fem</td><td colspan="2">gros</td><td>grosz</td><td>gros</td><td>grosse</td><td>grosses</td></tr>
<tr><td>Masc</td><td>groz</td><td>gro</td><td>groz</td><td>gro</td><td>gros</td><td>gros</td></tr>
<tr><td>Fem</td><td colspan="2">bɛl</td><td>bɛlz</td><td>bɛl</td><td>belle</td><td>belles</td></tr>
<tr><td>Masc</td><td>bɛl</td><td>bo</td><td>boz</td><td>bo</td><td>bel, beau</td><td>beaux</td></tr>
<tr><td>Fem</td><td colspan="2">bɔn</td><td>bɔnz</td><td>bɔn</td><td>bonne</td><td>bonnes</td></tr>
<tr><td>Masc</td><td>bɔn</td><td>bõ</td><td>bõz</td><td>bõ</td><td>bon</td><td>bons</td></tr>
<tr><td>Fem</td><td colspan="2">prəmjɛr</td><td>prəmjɛrz</td><td>prəmjɛr</td><td>première</td><td>premières</td></tr>
<tr><td>Masc</td><td>prəmjɛr</td><td>prəmje</td><td>prəmjez</td><td>prəmje</td><td>premier</td><td>premiers</td></tr>
<tr><td>Fem</td><td colspan="2">vjɛj</td><td>vjɛjz</td><td>vjɛj</td><td>vieille</td><td>vieilles</td></tr>
<tr><td>Masc</td><td>vjɛj</td><td>vjø</td><td>vjøz</td><td>vjø</td><td>vieil, vieux</td><td>vieux</td></tr>
</table>

Three spoken shapes: **mauvais, autre**

	Singular		*Plural*		*Singular*	*Plural*
	Before V	*Before C*	*Before V*	*Before C*		
Fem	mɔvɛz		mɔvɛz	mɔvɛz	mauvaise	mauvaises
Masc	mɔvɛz	mɔvɛ	mɔvɛz	mɔvɛ	mauvais	mauvais
Fem *Masc*	otr	otrə	otrəz	otrə	autre	autres

Two spoken shapes: **joli, vrai, jeune**

Fem	ʒɔli	ʒɔliz	ʒɔli	jolie	jolies
Masc				joli	jolis
Fem	vrɛ	vrɛz	vrɛ	vraie	vraies
Masc				vrai	vrais
Fem *Masc*	ʒœn	ʒœnz	ʒœn	jeune	jeunes

The ordinal numbers, other than **premier, second,** and **dernier,** have two shapes, although the pre-vocalic plural shape in / -z / is infrequent. These ordinals are formed by adding / -jɛm / to the pre-vocalic shape of the cardinal number (Section 7):

døzjɛm	deuxième	*second*
trwazjɛm	troisième	*third*
vɛ̃tjɛm	vingtième	*twentieth*
sɑ̃tjɛm	centième	*hundredth*
miljɛm	millième	*thousandth*

Verification Drills

■ SIMPLE CORRELATION DRILLS

1. Nous allons dans un *joli* magasin.
   (autre, grand, vieux, petit, nouveau, bon, beau, joli)
2. Il habite dans un *grand* immeuble.
   (beau, vieux, autre, mauvais, nouveau, petit, grand)
3. Il faut prendre la *prochaine* rue.
   (deuxième, même, autre, cinquième, grand, vieux, beau, petit, bon, premier, second, prochain)
4. Ils montent au *troisième* étage.
   (premier, sixième, dernier, second, quatrième, troisième)
5. Je vais vous présenter deux *vieux* camarades.
   (autre, petit, nouveau, grand, bon, jeune, vrai, vieux)
6. Je vais vous donner une *autre* assiette.
   (beau, vieux, nouveau, petit, grand, autre)

27 Imperative forms

EXAMPLES

Soyez le bienvenu.
Ecoutez.
Ouvrez vos livres, s'il vous plaît.
Attends, je vais demander à Gisèle.
Allons nous asseoir quelque part.
Traversons vite.

Presentation Drills

■ PROGRESSIVE SUBSTITUTION DRILLS

1. Ecoutez la pluie.
   Regardez la pluie.
   Regardez *ce bâtiment.*
   Regarde ce bâtiment.
   Regarde *le menu.*
   Demandons le menu.
   Demandons *une cuillère.*
   Apportez une cuillère.
   Apportez *plusieurs paquets.*
   Demande plusieurs paquets.
   Demande *l'addition.*
   Regardons l'addition.
   Regardons *le professeur.*
   Ecoutez le professeur.
   Ecoutez *la pluie.*

2. Venez vite.
   Traversez vite.
   Traversez *avec moi.*
   Attendez avec moi.
   Attendez *l'autobus.*
   Prenez l'autobus.
   Prenez *cette avenue.*
   Traversez cette avenue.
   Traversez *lentement.*
   Allez lentement.
   Allez *à gauche.*
   Venez à gauche.
   Venez *vite.*

3. Ne regardez pas par là.
   Ne passons pas par là.
   Ne passons pas *sur le pont.*
   N'allez pas sur le pont.
   N'allez pas *dans ce bâtiment.*
   N'entre pas dans ce bâtiment.
   N'entre pas *dans la classe.*
   Ne restons pas dans la classe.
   Ne restons pas *ensemble.*
   Ne travaillons pas ensemble.
   Ne travaillons pas *toute la journée.*
   Ne regardez pas toute la journée.
   Ne regardez pas *par là.*

Discussion

Present tense verb forms occurring without the subject pronoun **vous** have the meaning of request or command:

Vous parlez français.	You speak French.
Parlez français.	Speak French.
Vous attendez.	You're waiting.
Attendez.	Wait.
Vous faites la même chose.	You're doing the same thing.
Faites la même chose.	Do the same thing.

Similarly, –**ons** forms without the subject pronoun **nous** have a meaning *Let's* __:

Nous parlons français.	We speak French.
Parlons français.	Let's speak French.
Nous attendons.	We're waiting.
Attendons.	Let's wait.
Nous faisons la même chose.	We're doing the same thing.
Faisons la même chose.	Let's do the same thing.

Spoken forms with no ending, in the same pattern, are constructed as **tu** imperatives, with the meaning of request or command addressed to someone with whom the speaker is on intimate terms:

Parle français.	Speak French.
Attends.	Wait.
Fais la même chose.	Do the same thing.

The imperative endings are identical in speech with the **vous, nous,** and **tu** endings.[1] There are only four verbs that have special imperative stems:

être	/ swaj- /	Soyez à l'heure.
		Soyons à l'heure.
	/ swa^z /	Sois à l'heure.
avoir	/ ɛj- /	Ayez les billets avant ce soir.
		Ayons les billets avant ce soir.
	/ ɛ /	Aie les billets avant ce soir.
vouloir	/ vœj- /	Veuillez marcher vite.
		Veuillons marcher vite.
		Veuille marcher vite.
savoir	/ saʃ- /	Sachez que ça dépend du trajet.
		Sachons que ça dépend du trajet.
		Sache que ça dépend du trajet.

Verification Drills

■ TRANSFORMATION DRILLS

1. Restez ici.
   Restons ici.
   Allez à la gare.
   Faites les courses.
   Déjeunez quelque part.
   Prenez le métro.
   Rentrez à pied.
   Traversez le pont.
   Soyez à l'heure.

2. Tournez à droite.
   Ne tournez pas à droite.
   Mangeons ça.
   Entre avec nous.
   Appelons les enfants.
   Marchez lentement.
   Prends l'autobus.
   Montez là.

[1] The writing convention for the **tu** imperative form is –**e** where the written present tense form ending is –**es:**

Tu parles, but **Parle.**
Tu ouvres, but **Ouvre.**

Where the written present tense form ending is other than –**es,** the written **tu** imperative form and the present tense form are identical.

■ RESPONSE DRILL

Dites-moi de fermer la fenêtre.
Fermez la fenêtre.
Dites-moi d'apporter mon livre.
Dites-moi de laisser un pourboire.
Dites-moi de demander le prix.
Dites-moi de rester ici.

28 Object pronoun √*le*

EXAMPLES

Je **te** présente Paul Adams.
Je ne sais pas pourquoi je **vous** obéis.
Il **nous** reste du temps.
Ces gants ne **me** vont pas.
Jacqueline l'aperçoit.
Je ne **le** vois pas.

Presentation Drills

■ SIMPLE SUBSTITUTION DRILLS

1. Il *me* laisse seul.
(te, les, nous, la, vous, le, me)
2. *Me* cherchez-vous?
(Le, Nous, Les, La, Me)
3. Il ne *me* regarde pas.
(nous, vous, le, te, la, les, me)

■ PROGRESSIVE SUBSTITUTION DRILLS

1. Elle vous parle.
Elle vous *serre la main.*
Elle me serre la main.
Elle me *dit bonjour.*
Elle nous dit bonjour.
Elle nous *voit.*
Elle te voit.
Elle te *trouve.*
Elle les trouve.
Elle les *ferme.*
Elle la ferme.
Elle la *voit.*
Elle vous voit.
Elle vous *parle.*
2. Il m'écoute.
Il m'*accompagne.*
Il nous accompagne.
Il nous *aperçoit.*
*Il t'*aperçoit.
Il t'*appelle.*
Il vous appelle.
Il vous *obéit.*
Il nous obéit.
Il nous *écoute.*
*Il m'*écoute.

Discussion

The personal subject pronouns have corresponding object pronoun forms:

Subject Pronoun	*Object Pronoun*
je	me
tu	te
nous	nous
vous	vous

Before V	*Before C*	*Before V*	*Before C*
m	mə	m'	me
t	tə	t'	te
nuz	nu	nous	
vuz	vu	vous	

With regard to the third person, a noun phrase or a name following a verb is replaceable by an object pronoun form $\sqrt{\textbf{le}}$, which marks number and gender:

Subject Pronoun	*Verb*	*Noun*		*Subject Pronoun*	*Object Pronoun*	*Verb*
Je	vois	l'autobus.	←→	Je	le	vois.
Je	vois	Jacqueline.	←→	Je	la	vois.
Je	vois	ces belles maisons.	←→	Je	les	vois.

Object pronouns must precede or follow a verb form directly. They follow *affirmative* imperative verb forms; they precede all other verb forms:

After affirmative imperatives:

Regardez ma montre. **Regardez-la.**

Before other verb constructions:

Ne regardez pas ma montre. **Ne la regardez pas.**
Vous ne regardez pas ma montre. **Vous ne la regardez pas.**
Ne regardez-vous pas ma montre ? **Ne la regardez-vous pas ?**

Verification Drills

■ TRANSFORMATION DRILLS

1. Tu achètes les chaussures.
   Tu les achètes.
   Il cherche sa sœur.
   Nous fermons les fenêtres.
   Vous apportez le dessert.
   Je regarde l'immeuble.
   Vous appelez le garçon.
   Il présente ses frères.
   Nous trouvons le magasin.

2. Je ne veux pas ce manteau.
   Je ne le veux pas.
   Il ne prend pas le 27.
   Elle ne trouve pas la porte.
   Nous n'aimons pas les pommes de terre.
   Vous ne mangez pas votre glace.
   L'horloger ne répare pas ma montre.
   Il n'apporte pas sa malle.
   Je ne demande pas son âge.

3. Achetez les chaussures.
   Achetez-les.
   Apportez le menu.
   Cherchons mon livre.
   Ecoutez votre professeur.
   Accompagne la jeune fille.
   Fermons la porte.
   Ouvre ton livre.

4. Elle me sourit.
   Me sourit-elle ?
   Nous vous présentons.
   Tu l'aimes.
   Vous nous parlez.
   Elle nous accompagne.
   On les écoute.
   Elles la regardent.
   Nous le réparons.

■ QUESTION DRILL

Regardez-vous Jacqueline ?
Oui, je la regarde.
Aimez-vous la pluie ?
Accompagnes-tu Gisèle et Françoise ?
Présentons-nous notre ami ?
Vous dérange-t-elle ?
Nous sourit-il ?
Apporte-t-il l'addition ?
Me cherchez-vous ?

■ CONVERSATION EXERCISES

1.

CHARLES Où se trouve la station de métro, s'il vous plaît ?
HENRI Sur la place, là-bas.
CHARLES Je ne la vois pas.
HENRI Je vais vous accompagner.
CHARLES Je veux aller à la Sorbonne ; quelle ligne faut-il prendre ?
HENRI A la Sorbonne ? Mais c'est tout près ! Pourquoi prenez-vous le métro ?
CHARLES Je ne connais pas Paris.
HENRI Regardez, ce grand bâtiment à gauche, c'est la Sorbonne.
CHARLES Merci beaucoup ; je vais traverser ici.
HENRI Non, attention, traversez entre les clous.

2.

CHARLES Je voudrais aller à la gare. Est-ce que c'est loin ?
HENRI Non, pas très. Vous prenez l'autobus ?
CHARLES Si ce n'est pas loin, non.
HENRI Allez tout droit jusqu'à la rue Ballu ; tournez à droite, et vous allez voir la gare.
CHARLES Combien de temps faut-il, d'ici à la gare ?
HENRI Environ un quart d'heure.

3.

CHARLES Quel est le prix du trajet ?
LE RECEVEUR Ça dépend. Où allez-vous ?
CHARLES Place Vendôme.
LE RECEVEUR Cet autobus ne passe pas place Vendôme.
CHARLES Est-ce qu'il ne s'arrête pas tout près ?
LE RECEVEUR Il s'arrête rue de Rivoli.
CHARLES Combien de tickets faut-il pour cet arrêt ?
LE RECEVEUR Six.
CHARLES Six ! C'est bien cher.
LE RECEVEUR Prenez donc le métro.

■ QUESTIONS ON THE DIALOGUE

Où passe Jacqueline ?
Qui aperçoit-elle ?
Est-il avec Gisèle ?
Que cherche-t-il ? Pourquoi ?
Où va Jacqueline ?
Pourquoi ne veut-elle pas prendre l'autobus ?
Va-t-elle à pied, ou prend-elle le 27 avec Paul ?
Où traverse-t-on les rues à Paris ?

■ ORAL COMPOSITION

Aujourd'hui, je veux aller *chez le libraire.*
La librairie se trouve *rue Franklin.*
Je prends l'autobus *devant la bibliothèque.*
Je quitte l'autobus *place Washington.*
Je tourne à gauche en descendant.
La rue Franklin est *la troisième à droite.*

■ QUESTIONNAIRE

Où allez-vous aujourd'hui ?
Où se trouve ce magasin ?
Où prenez-vous l'autobus ?
Où le quittez-vous ?
En descendant, tournez-vous à droite ou à gauche ?
Où est la rue de votre magasin ?

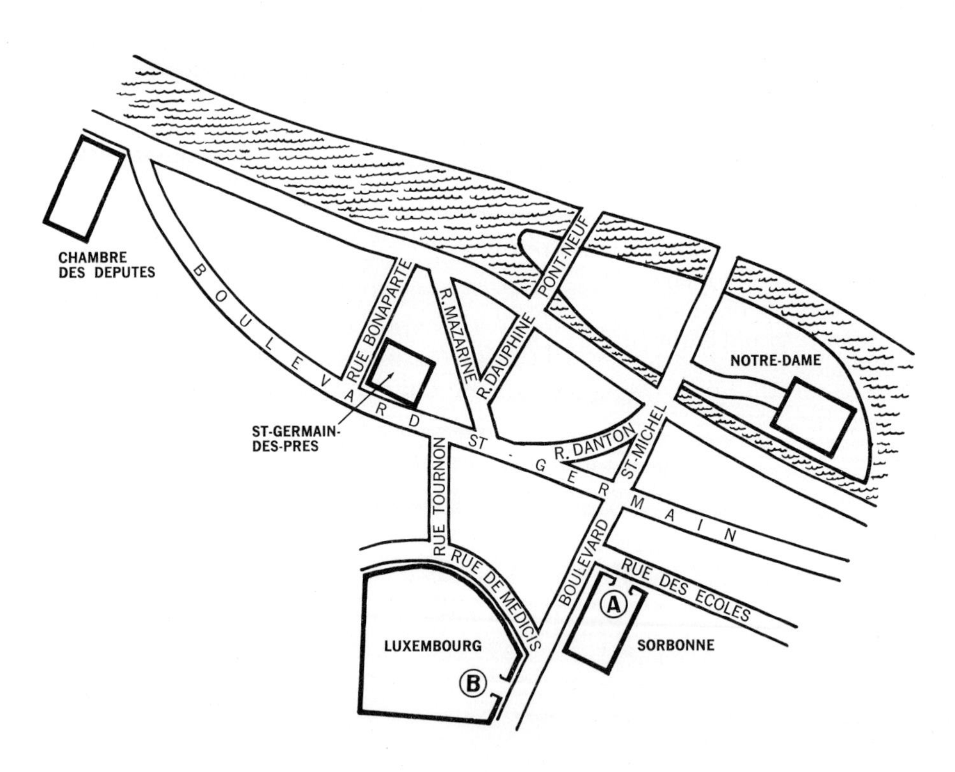

Comment peut-on aller de la porte de la Sorbonne (A) à la Chambre des Députés ?

On tourne à gauche ; on prend la rue des Ecoles jusqu'au boulevard Saint-Michel ; on tourne à droite ; on continue tout droit jusqu'au boulevard Saint-Germain ; on tourne à gauche ; on va tout droit jusqu'à la Chambre des Députés.

INSTRUCTIONS: Using the preceding example as a model, answer the following questions:

Comment peut-on aller de la porte du Luxembourg (B) à Saint-Germain-des-Prés ?
Comment peut-on aller de Saint-Germain-des-Prés au Pont-Neuf ?
Comment peut-on aller de la porte de la Sorbonne (A) à Notre-Dame ?

READING

L'Etudiant en droit

Philippe Chatel a vingt-deux ans. Il est étudiant en droit.° Malheureusement,° le droit ne l'intéresse pas beaucoup, et il ne l'étudie que pour satisfaire° son père. Ce qui l'intéresse c'est le journalisme et la politique.

law; Unfortunately; please

Pour le moment, il travaille assez bien, et il lit° beaucoup. Il suit° avec grand intérêt les évenements° politiques et sociaux, qu'il discute passionnément avec ses amis. Paul assiste° souvent à ces discussions ; un peu surpris d'abord par la diversité et la violence des opinions, il commence à exprimer° la sienne,° à la grande satisfaction de Philippe. Les opinions de Philippe lui-même sont moins conservatrices que celles de Maître Chatel, et il y a souvent des discussions à la table familiale. Philippe prend part, de temps en temps, à des manifestations° d'étudiants, et son père en est très mécontent.°

reads; follows; events; attends; express; his own; demonstrations; displeased

Philippe aime le jazz, la danse et la lecture ; surtout, il aime parler avec ses amis. Dans quelques années, ses études finies, il fera° deux ans de service militaire, comme tous les jeunes Français. La plupart des jeunes gens font leur service à vingt ans, mais les étudiants ont un sursis° jusqu'à la fin de leurs études. Philippe, d'ailleurs,° n'est pas pressé.

will do; reprieve; besides

UNIT **8**

DIALOGUE

Entre deux cours

Paul et Gisèle viennent de s'asseoir à la terrasse d'un grand café en face du Luxembourg (1).

PAUL C'est la première fois que je viens ici.
GISELE Vraiment ? Moi, j'y viens quelquefois. On y sert de très bons sandwichs.
PAUL Vous en voulez un ?
GISELE Oh non, pas maintenant, merci.
PAUL Il me semble que tout le monde se connaît !
GISELE C'est vrai, je connais la plupart de nos voisins.

Paul continue à regarder autour de lui.

PAUL Ils font beaucoup de bruit derrière vous.
GISELE Oh, ceux-là. Ils discutent politique.
PAUL Ils ne doivent pas être d'accord.
GISELE Non, pas tout à fait. Ils sont tous contre le grand blond.
PAUL Je l'ai rencontré quelque part, ce garçon-là.
GISELE Oui, il suit les mêmes cours que nous.
PAUL Tiens, vous le connaissez ?
GISELE Je lui parle souvent ; il a de très bonnes idées.
PAUL De très bonnes idées ou de très beaux yeux ?

◀ **Café d'étudiants.**

ã trə dø kur↘

pɔl e ʒi zɛl vjɛn də sa swar a la te ras dœ̃ grã ka fe ã fas dy lyk sã bur↘

sɛ la prə mjɛr fwa kəʒ vjɛ̃ i si↘
vrɛ mã↗ mwa ʒi vjɛ̃ kɛl kə fwa ↗ o ni sɛr də trɛ bõ sãd witʃ↘
vu zã vu le œ̃↗
o nõ pa mɛ̃t nã mɛr si↘
il mə sã blə kə tul mõd sə kɔ nɛ↘
sɛ vrɛʒ kɔ nɛ la ply par də no vwa zɛ̃↘

pɔl kõ ti ny ar gar de o tur də lɥi↘

il fõ bo kud brɥi dɛr jɛr vu↘

o→ sø la↗ il di skyt pɔ li tik↘
il nə dwav pa zɛt rə da kɔr↘
nõ↗ pa tu ta fɛ↘ il sõ tus kõ trəl grã blõ↘

ʒə le rã kõ tre kɛl kə par sə gar sõ la→
wi→ il sɥi lɛ mɛm kur kə nu↘

tjɛ̃↗ vul kɔ nɛ se↗
ʒə lɥi parl su vã↘ i la də trɛ bɔn zi de↘

də trɛ bɔn zi de u də trɛ boz jø↘

Between Classes

Paul and Gisèle have just sat down on the terrace of a large café across from the Luxembourg.

PAUL This is the first time I've been here.
GISELE Really? I come here sometimes. They serve very good sandwiches.
PAUL Would you like one?
GISELE Oh no, not now, thank you.
PAUL Everybody seems to know one another!
GISELE That's right; I know most of the people around us.

Paul continues to look around him.

PAUL They're making a lot of noise behind you.
GISELE Oh, them. They're discussing politics.
PAUL They must not be in agreement.
GISELE No, not completely. They're all against the tall blond boy.
PAUL I've met that fellow somewhere.
GISELE Yes, he's taking the same courses we are.
PAUL Oh, do you know him?
GISELE I talk to him often; he has very good ideas.
PAUL Very good ideas or very beautiful eyes?

SUPPLEMENTARY VOCABULARY

Le Corps humain	*The Human Body*
J'ai mal au pied.	I have a sore foot.
J'ai mal à la tête.	I have a headache.
J'ai mal aux dents.	I have a toothache.
Qu'est-ce que vous avez à la main?	What have you got in your hand?
Qu'est-ce que vous avez à la bouche?	What have you got in your mouth?
Qu'est-ce que vous avez sous le bras?	What have you got under your arm?
Il a de longs doigts.	He has long fingers.
Il a de longues jambes.	He has long legs.
Décrivez-moi son visage.	Describe his face to me.
A-t-elle un grand nez?	Has she got a big nose?
A-t-elle un grand front?	Has she got a big forehead?

De quelle couleur sont ses yeux ?
Ils sont noirs.
Ils sont gris.
Ils sont bleus.

What color are his eyes?
They're black.
They're gray.
They're blue.

A-t-elle les cheveux blonds ?
Non, elle a les cheveux bruns (2).
Non, elle a les cheveux roux (3).
Non, elle a les cheveux blancs.

Does she have blond hair?
No, she has brown hair.
No, she has red hair.
No, she has white hair.

De quelle couleur est son manteau ?
Il est jaune.
De quelle couleur est son tailleur (4) ?
Il est beige clair.
De quelle couleur est ce stylo ?
Il est rouge foncé.
De quelle couleur est son pantalon ?
Il est marron.

What color is her coat?
It's yellow.
What color is her suit?
It's light beige.
What color is that fountain pen?
It's dark red.
What color are his trousers?
They're brown.

DIALOGUE NOTES

(1) A spacious garden-park facing on the **boulevard Saint-Michel,** the **Luxembourg** includes a former royal residence, now the seat of the **Conseil de la République,** the upper house of the French government.

(2) **Brun** refers to skin, hair, fur, and sometimes cloth color. Other items of similar color are called **marron.**

(3) **Roux** refers to hair color; **rouge** refers to other kinds of red.

(4) **Un tailleur** is a woman's suit; a man's suit is **un complet.**

Spelling

A. The letter h There is no spoken /h/ in standard French; the letter **h** in French writing thus corresponds to no speech sound at all. At the beginning of a word, the letter **h** sometimes indicates that the forms occurring before it have their pre-consonantal spoken (and written) shapes: this letter **h** is traditionally called *aspirate h* **(h aspiré).** In most cases, however, initial letter **h** indicates that the words which precede it have their pre-vocalic shapes: it is then called *mute h* **(h muet).** In other words, initial letter **h** by itself provides no information at all; in order to predict the forms which precede it, one must know the words: **le héros** but **l'héroïne.** Compare:

SPEECH		WRITING	
lao	lo	là-haut *up there*	l'eau
lɛero	lɛzero	les héros *the heroes*	les zéros *the zeros*
lɛotœr	lɛzotœr	les hauteurs *the heights*	les auteurs *the authors*
lɛɥit	lɛzɥitr	les huit	les huitres *the oysters*
lɛœ̃	lɛzœ̃	les Huns *the Huns*	les uns

The same patternings appear, even when **h** is not involved:

ləwi	lwi	le oui	Louis
ləõz	lõs	le onze	l'once *the ounce*

B. Sequences / in im ɛ̃ / The spoken sequence / in / and the vowel / ɛ̃ / are both written **in :** / in / occurs before **n, h,** and vowel letters:

SPEECH	WRITING
inɔvasjõ	innovation
inɔsã	innocent
inymɛ̃	inhumain
inaksɛsibl	inaccessible
inimitabl	inimitable
inɔkyle	inoculer
inytil	inutile

/ ɛ̃ / occurs elsewhere:

ɛ̃kalkylabl	incalculable
ɛ̃fɛkte	infecter
ɛ̃sɛkt	insecte
ɛ̃terɛsã	intéressant
ɛ̃vazjõ	invasion

Similarly, / im / and / ɛ̃ / are predictable:

/ im / occurs before **m** and vowel letters:

imœbl	immeuble
imaʒ	image
imite	imiter

/ ɛ̃ / occurs before **b** and **p :**

ɛ̃besil	imbécile
ɛ̃pɔrtã	important

■ DICTATION DRILL

1. lɛ ero
2. imite
3. lə õz
4. lɛ zero
5. ɛ̃teliʒã
6. ɔm
7. ɥit œr
8. ɛ̃stale
9. lɛz otœr
10. ymɛ̃
11. ã o
12. inisjal
13. ørø
14. lɛ otœr
15. dəɔr
16. lɛ œ̃
17. ɔrlɔʒe
18. ɛ̃pɔsibl
19. lɛz œ̃
20. abityd

Vocabulary Drills

1. C'est la première fois que je viens ici.
   C'est la première fois *que je prends le métro.*
   C'est la dernière fois que je prends le métro.
   C'est la dernière fois *que nous discutons.*
   C'est la deuxième fois que nous discutons.
   C'est la deuxième fois *que je le rencontre.*
   C'est la dixième fois que je le rencontre.
   C'est la dixième fois *que je viens ici.*
   C'est la première fois que je viens ici.

2. Ils viennent de s'asseoir.
   Ils viennent de *faire un tour.*
   Je viens de faire un tour.
   Je viens de *lui parler.*
   Ils viennent de lui parler.
   Ils viennent de *le rencontrer.*
   Je viens de le rencontrer.
   Je viens de *regarder.*
   Ils viennent de regarder.
   Ils viennent de *s'asseoir.*

3. Il me semble que tout le monde se connaît.
   Il me semble *que tout le monde me regarde.*
   On dirait que tout le monde me regarde.
   On dirait *que tout le monde est d'accord.*
   Il me semble que tout le monde est d'accord.
   Il me semble *que tout le monde fait du bruit.*
   On dirait que tout le monde fait du bruit.
   On dirait *que tout le monde se connaît.*
   Il me semble que tout le monde se connaît.

4. Je connais la plupart de nos voisins.
   Je connais *la plupart de ses livres.*
   Nous aimons la plupart de ses livres.
   Nous aimons *la plupart de leurs idées.*
   Je connais la plupart de leurs idées.
   Je connais *la plupart des magasins.*
   Nous aimons la plupart des magasins.
   Nous aimons *la plupart de nos voisins.*
   Je connais la plupart de nos voisins.

5. Il continue à regarder.
   Il continue à *parler.*
   Nous continuons à parler.
   Nous continuons à *discuter.*
   Ils continuent à discuter.
   Ils continuent à *marcher.*
   Vous continuez à marcher.
   Vous continuez à *regarder.*
   Il continue à regarder.

6. Ils discutent politique.
   Ils discutent *cinéma.*
   Ils parlent cinéma.
   Ils parlent *voyages.*
   Nous parlons voyages.
   Nous parlons *livres.*
   Vous parlez livres.
   Vous parlez *politique.*
   Ils discutent politique.

7. Ils sont tous contre vous.
   Ils sont tous *là.*
   Vous êtes tous là.
   Vous êtes tous *d'accord.*
   Nous sommes tous d'accord.
   Nous sommes tous *contre vous.*
   Ils sont tous contre vous.

8. Il suit les mêmes cours que nous.
   Il suit *la même rue* que nous.
   Vous prenez la même rue que nous.
   Vous prenez *le même autobus* que nous.
   Tu cherches le même autobus que nous.
   Tu cherches *la même chose* que nous.
   Ils veulent la même chose que nous.
   Ils veulent *le même menu* que nous.
   Elle aime le même menu que nous.
   Elle aime *les mêmes cours* que nous.
   Il suit les mêmes cours que nous.

29 Present tense of verbs like *devoir*

EXAMPLES

Vous **devez** être fatigué.
Ils ne **doivent** pas être d'accord.
Mais il **doit** connaître ceux du quartier.
Jacqueline l'**aperçoit.**

Presentation Drills

■ SIMPLE SUBSTITUTION DRILLS

1. Que *dois-je* faire?
   (devez-vous, doivent-ils, devons-nous, doit-on, doit-il, dois-tu, doivent-elles, dois-je)
2. *Il me doit* vingt francs.
   (Vous me devez, Ils me doivent, Tu me dois, Elles me doivent, Elle me doit, Il me doit)

■ PROGRESSIVE SUBSTITUTION DRILL

Vous devez être fatigué.
Vous devez être *étranger.*
Il doit être étranger.
Il doit être *en retard.*
Tu dois être en retard.
Tu dois être *à l'heure.*
Nous devons être à l'heure.
Nous devons être *en avance.*
Je dois être en avance.
Je dois être *à l'intérieur.*
Ils doivent être à l'intérieur.
Ils doivent être *fatigués.*
Vous devez être fatigué.

Discussion

The verb **devoir** has three present tense spoken stems:

	dəvwar		**devoir** (plus noun) *to owe;* (plus infinitive) *to have to, must, should*
nu	dəv	õ[z]	nous devons
vu	dəv	e[z]	vous devez
il	dwav	t	ils doivent
ʒə	dwa	z	je dois
ty	dwa	z	tu dois
il	dwa	t	il doit

Other verbs which pattern like **devoir** include:

recevoir to receive, to entertain
apercevoir to notice

Verification Drills

■ SIMPLE CORRELATION DRILLS

1. *Tu* dois cent francs à Jacques.
   (Vous, Gisèle, Nos cousins, Je, Nous, Mon frère, Tu)
2. Reçois-*tu* beaucoup de paquets?
   (vous, on, Jacqueline, nous, Georges, mon oncle, je, les professeurs, tu)
3. D'ici, *tu* aperçois le pont.
   (on, vous, je, nous, Philippe et Paul, les jeunes gens, Gisèle, tu)

■ TRANSFORMATION DRILLS

1. Il doit être ouvert.
   Il ne doit pas être ouvert.
   Ils doivent arriver aujourd'hui.
   Ce garçon-là doit être français.
   Tu dois traverser ici.
   Ces gants doivent vous aller.
   Nous devons les accompagner.
   Cela doit coûter cher.
   Vous devez passer par cette rue.
   Les Chatel reçoivent beaucoup.
2. Dois-je faire ça?
   Ne dois-je pas faire ça?
   Apercevez-vous l'agent?
   Dois-tu rester?
   Reçoit-il ses bagages?
   Aperçoivent-ils le bâtiment?
   Aperçois-tu ton camarade?
   Aperçoit-on la maison d'ici?
   Recevons-nous leurs parents?

30 Post-nominal adjectives

EXAMPLES
Paul Adams est un jeune étudiant **américain.**
Oui, il y en a un là-bas, à côté du magasin **vert.**
Il est devant l'immeuble **neuf.**
C'est un film **anglais.**

Presentation Drills

■ PROGRESSIVE SUBSTITUTION DRILLS

1. Elle habite une maison neuve.
   Elle habite *une maison verte.*
   J'habite une maison verte.
   J'habite *une maison confortable.*
   Ils habitent une maison confortable.
   Ils habitent *une maison blanche.*
   Nous habitons une maison blanche.
   Nous habitons *une maison grise.*
   Elle habite une maison grise.
   Elle habite *une maison neuve.*

2. J'ai un manteau neuf.
J'ai *un manteau vert.*
Il a un manteau vert.
Il a *un manteau confortable.*
Elle a un manteau confortable.
Elle a *un manteau blanc.*
Vous avez un manteau blanc.
Vous avez *un manteau gris.*
J'ai un manteau gris.
J'ai *un manteau neuf.*

Discussion

Post-nominal adjectives are forms that occur after a noun, which is usually marked (see Section 26):

Marker	*Noun*	*Post-Nominal Adjective*
un	immeuble	neuf

Most adjectives occur post-nominally. In speech, post-nominal adjectives show only gender; in writing both gender and number are signaled.

Adjectives in post-nominal positions have one or two forms. There are four patterns for the post-nominal adjectives, the masculine forms of which are derived from the feminine:

(1) Loss of final consonant in the masculine; most of the post-nominal adjectives fall into this group:

SPEECH			WRITING	
			Singular	*Plural*
/t/	*Fem*	vɛrt	verte	vertes
	Masc	vɛr	vert	verts
	Similarly:	kurt, parfɛt	courte, parfaite	
/z/	*Fem*	frãsɛz	française	françaises
	Masc	frãsɛ	français	français
	Similarly:	aglɛz, ørøz, griz	anglaise, heureuse,[1] grise	
/d/	*Fem*	ʃod	chaude	chaudes
	Masc	ʃo	chaud	chauds
	Similarly:	almãd, blõd, frwad	allemande, blonde, froide	
/s/	*Fem*	rus	rousse	rousses
	Masc	ru	roux	roux
/g/	*Fem*	lõg	longue	longues
	Masc	lõ	long	longs
/ʃ/	*Fem*	blãʃ	blanche	blanches
	Masc	blã	blanc	blancs

[1] The masculine forms are spelled **heureux.**

(2) Loss of final consonant and change of vowel in the masculine:

/ εn>ε̃ /	*Fem*	amerikεn	américaine	américaines
	Masc	amerikε̃	américain	américains
	Similarly:	italjεn, plεn	italienne,[1] pleine	
/ in>ε̃ /	*Fem*	latin	latine	latines
	Masc	latε̃	latin	latins
	Similarly:	vwazin	voisine	
/ yn>œ̃ /	*Fem*	bryn	brune	brunes
	Masc	brœ̃	brun	bruns
/ εr>e /	*Fem*	leʒεr	légère	légères
	Masc	leʒe	léger	légers

(3) Change of final consonant in the masculine; very few adjectives fall into this group:

Fem	nœv	neuve	neuves
Masc	nœf	neuf	neufs
Fem	sεʃ	sèche	sèches
Masc	sεk	sec	secs

(4) No change in the masculine; this group is quite large:

Fem *Masc*	rys	russe	russes
Similarly:	kõfɔrtabl, vid, ʒon, bεʒ, ruʒ, libr, klεr, marõ	confortable, vide, jaune, beige, rouge, libre, claire, marron	
Fem *Masc*	sœl	seule seul	seules seuls
Similarly:	nwar, blø	noire, bleue	
Fem *Masc*	ʃεr	chère cher	chères chers
Fem *Masc*	dəbu	debout	

Both post-nominal and pre-nominal adjectives occur also after the verb **être:**

Le magasin est *vert.*
Les salles sont presque *pleines.*
Elle est bien *jolie.*

In this position, all spoken adjectives show only gender; in other words, all adjectives coming after **être** behave like post-nominal adjectives. In speech there is no plural signal and no linking form.

---

[1] The masculine forms are spelled **italien, italiens.**

Verification Drills

■ SIMPLE CORRELATION DRILLS

1. Ils vont acheter *une voiture* blanche.
   (un complet, des bagages, des chaussures, une maison, des gants, une voiture)
2. Je voudrais *une voiture* neuve.
   (trois robes, un complet, des chaussures, des bagages, une maison, un tailleur, une valise, une voiture)
3. Philippe connaît *une jeune fille* américaine.
   (un étudiant, une famille, un professeur, plusieurs livres, les habitudes, un restaurant, une étudiante, un cinéma, le service, un magasin, une jeune fille)

■ MULTIPLE CORRELATION DRILL

Il est français ; sa femme est française aussi.
(anglais, allemand, blond, russe, américain, roux, italien, brun, français)

■ EXPANSION DRILL

Paul est un étudiant. (jeune, américain)
Paul est un jeune étudiant américain.
Il a une chambre. (petit, bleu)
Philippe est dans la chambre. (grand, voisin)
Il porte ses chaussures. (vieux, marron)
Regardez cette jeune fille. (joli, brun)
Je vais vous montrer une maison. (beau, blanc)
Il y a un immeuble par ici. (grand, neuf)
Est-ce qu'il y a une table ? (autre, libre)
J'ai vu un film hier. (nouveau, américain)
C'est un garçon. (grand, italien)

31 Object pronoun $\sqrt{}$*lui*

EXAMPLE Je **lui** parle souvent.

Presentation Drills

■ SIMPLE SUBSTITUTION DRILL

Il *lui* parle souvent.
(leur, vous, te, me, nous, lui)

■ PROGRESSIVE SUBSTITUTION DRILL

Qu'est-ce que vous lui donnez ?
Qu'est-ce que vous lui *demandez ?*
Qu'est-ce que vous *leur* demandez ?
Qu'est-ce que vous leur *montrez ?*
Qu'est-ce que vous *lui* montrez ?
Qu'est-ce que vous lui *apportez ?*
Qu'est-ce que vous *leur* apportez ?
Qu'est-ce que vous leur *devez ?*
Qu'est-ce que vous *lui* devez ?
Qu'est-ce que vous lui *donnez ?*

Discussion

These third-person pronouns refer back to prepositional phrases consisting of the one preposition **à** followed by a reference to one or more persons:

lui	Preposition **à** plus *Noun (or Pronoun) referring to one person*
leur	Preposition **à** plus *Noun (or Pronoun) referring to more than one person*

Je parle à son frère. ⟷ Je lui parle.
Je parle à sa sœur. ⟷ Je lui parle.
Je parle à ses frères. ⟷ Je leur parle.
Je parle à ses sœurs. ⟷ Je leur parle.

As do **me, te, nous,** and **vous,** these pronouns refer only to persons. They follow verb forms in affirmative imperative constructions, but precede verb forms elsewhere:

After affirmative imperative:

Demandez au professeur.	**Demandez-lui.**

Before other verb constructions:

Ne demandez pas au professeur.	**Ne lui demandez pas.**
Vous ne demandez pas au professeur.	**Vous ne lui demandez pas.**
Ne demandez-vous pas au professeur?	**Ne lui demandez-vous pas?**

Verification Drills

■ SIMPLE CORRELATION DRILL

Le receveur donne un carnet *à Paul.*
Le receveur lui donne un carnet.
(aux deux garçons, à la jeune fille, au vieil homme, à la dame, aux enfants, à mon oncle, aux Américains, aux étudiantes, à Paul)

■ TRANSFORMATION DRILL

Vous parlez à mon ami Paul.
Vous lui parlez.
Nous demandons le prix au receveur.
Elle montre la station de métro à Gisèle.
Nous parlons aux étudiants.
Philippe montre le quartier à Paul.
Philippe présente Paul à sa mère.
Le garçon donne le menu à Georges.
Je présente mon ami à mes parents.
Il doit cent francs à sa sœur.
Nous apportons des vêtements aux enfants.

32 *De* before pre-nominal adjectives

EXAMPLES **De** très bonnes idées ou **de** très beaux yeux?
Il a **de** longs doigts.
On y sert **de** très bons sandwichs.

Presentation Drills

■ SIMPLE SUBSTITUTION DRILLS

1. Ce jeune homme a de *bonnes* idées.
   (nouvelles, autres, grandes, belles, mauvaises, petites, vieilles, bonnes)
2. Est-ce que ce sont de *vrais* étudiants?
   (nouveaux, mauvais, bons, vieux, jeunes, autres, vrais)

■ PROGRESSIVE SUBSTITUTION DRILL

Elle a de vieux vêtements.
Elle a de *jolis* vêtements.
Elle a de jolis *yeux.*
Elle a de *bons* yeux.
Elle a de bons *amis.*
Elle a d'*autres* amis.
Elle a d'autres *cousins.*
Elle a de *jeunes* cousins.
Elle a de jeunes *amis.*
Elle a de *vieux* amis.
Elle a de vieux *vêtements.*

Discussion

All the plural noun marker forms can occur before a pre-nominal adjective plus noun:

Je connais les autres étudiants.	I know the other students.
Je connais ces autres étudiants.	I know those other students.
Je connais trois autres étudiants.	I know three other students.
Je connais ses autres étudiants.	I know his other students.
Je connais plusieurs autres étudiants.	I know several other students.

Contrasting in meaning with the other plural noun marker forms before a pre-nominal adjective is the form **de**:

Je connais d'autres étudiants. — I know other students. OR I know some other students.

Compare this construction pattern with that which occurs after **ne... pas** (Section 20).

After a noun phrase, both **de** and **des** may occur before a pre-nominal adjective, with a difference in meaning:

les idées d'autres étudiants	the ideas of other students
les idées des autres étudiants	the ideas of the other students

Verification Drills

■ EXPANSION DRILLS

1. Ce cinéma présente *des films* le samedi. (vieux, nouveaux, mauvais, autres, beaux, grands, bons, vieux)

2. Trouve-t-on *des maisons* là-bas ? (nouvelles, belles, autres, bonnes, vieilles, grandes, vraies, nouvelles)

■ TRANSFORMATION DRILL

Connaissez-vous quelques bons restaurants ?
Connaissez-vous de bons restaurants ?
Ils ont fait quelques beaux voyages.
On trouve quelques jolis complets dans ce magasin.
Avez-vous mangé quelques bons croissants?
Jacques a quelques bonnes idées.
Il traverse quelques grandes avenues.
J'achète quelques beaux livres.

■ CONVERSATION EXERCISES

1.

PHILIPPE Il paraît que M. Dumoncel vend sa maison ?
M. MARTIN Oui, c'est une belle maison ; je l'ai vue hier. Je vais l'acheter, je crois.
PHILIPPE Je ne la connais pas. Comment est-elle ?
M. MARTIN C'est une vieille maison avec de grandes fenêtres et de très belles chambres.
PHILIPPE Où se trouve-t-elle ? Dans le quartier ?
M. MARTIN Non, près du Luxembourg.
PHILIPPE Elle doit être chère.
M. MARTIN Non, le prix me semble intéressant.
PHILIPPE Est-ce que vous pouvez le discuter ?
M. MARTIN Oui, je crois. J'ai rendez-vous cet après-midi avec M. Dumoncel.
PHILIPPE Vous allez acheter la maison aujourd'hui ?
M. MARTIN C'est possible. Voilà mon autobus. Au revoir, Philippe.
PHILIPPE Au revoir, à bientôt.

2.

SUZANNE Je cherche mon amie Nicole ; est-elle ici ?
HENRI Je ne sais pas.
SUZANNE Est-ce que vous la connaissez ?
HENRI Il me semble que oui.
SUZANNE C'est une jolie brune, grande, avec de beaux yeux verts.
HENRI Elle suit les mêmes cours que vous, n'est-ce-pas ?
SUZANNE Oui, c'est ça.
HENRI Elle est peut-être quelque part, dans l'autre salle.
SUZANNE J'espère que je vais la trouver. Nous rentrons ensemble, et je dois être à la maison avant six heures.

■ QUESTIONS ON THE DIALOGUE

Paul et Gisèle sont-ils à l'intérieur du café ou à la terrasse ?
Où se trouve le café ?
Paul va-t-il souvent dans ce café ?
Qu'est-ce qu'on y sert ?
Est-ce que les voisins de Paul font du bruit ?
Discutent-ils cinéma ou politique ?
Sont-ils d'accord avec le garçon blond ?
Est-ce que Gisèle le connaît ?

■ ORAL COMPOSITION

J'ai les yeux *noirs* et les cheveux *roux.*
Je ne suis pas *très grand.*
Je porte *une chemise blanche* et *un pantalon gris.*
Mes chaussures sont *noires.*

■ QUESTIONNAIRE

De quelle couleur sont vos yeux et vos cheveux ?
Etes-vous grand ou petit ?
Décrivez vos vêtements.
De quelle couleur sont vos chaussures ?

READING

Les Bons Usages

Paul est quelquefois surpris par les habitudes françaises ; de temps en temps, il demande une explication à Philippe ou à Gisèle, et celle-ci,° l'autre jour, lui a donné un livre intitulé° : *Guide des bons usages dans la vie moderne.*[1] Paul le lit avec intérêt, et il s'amuse souvent beaucoup. Voici une page qu'il a copiée pour l'envoyer° à ses parents :

the latter; entitled

to send

LES VOYAGES : SI VOUS ALLEZ AUX ETATS-UNIS

Appelez « Mr., Mrs., Miss » (prononcez misteur, missis, miss), suivi toujours du nom de famille ; on appelle par le prénom° bien plus rapidement qu'on le fait en France.

first name

Sur une enveloppe, n'écrivez° jamais : « Mister » et « Mistress » en entier. Ce dernier mot° prend alors un sens° tout différent et très péjoratif. Seul, « Miss » s'écrit en toutes lettres.

write

word; meaning

[1] Françoise de Quercize, Paris: Larousse, 1952, p. 201.

Quand vous téléphonez, ne dites pas « Ici Madame Gautier », mais « Ici Suzanne Gautier ».

Ne serrez pas la main à chaque rencontre.

A table, ne videz pas totalement votre assiette, n'essuyez° pas votre sauce, laissez quelques reliefs.°

Ne vous choquez pas de voir fumer aux repas.° C'est parfaitement admis, et n'omettez pas, si vous invitez des amis à dîner, de placer à côté des assiettes le petit cendrier,° le briquet et les cigarettes.

Ne donnez jamais de pourboire aux ouvreuses° dans les salles de spectacle.

mop up
scraps
meals
ashtray
usherettes

UNIT **9**

DIALOGUE

La Moto de Philippe

Paul et Gisèle sont en train de boire leur café. Philippe arrive, poussant une petite moto (1). Il aperçoit ses amis et laisse sa machine au bord du trottoir.

PHILIPPE Bonjour. Puis-je m'asseoir avec vous ?
GISELE Mais oui. Asseyez-vous, je vous prie. On vous a prêté une moto ?
PHILIPPE Non, non, elle est à moi depuis vingt minutes. Je viens d'aller la chercher.
GISELE Elle n'est pas neuve, votre machine (2).
PHILIPPE Ça ne fait rien ; elle est en excellent état.
PAUL C'est le vendeur qui te l'a dit ?
PHILIPPE Non, c'est le garagiste auquel je l'ai montrée.

Les trois jeunes gens regardent la moto.

PHILIPPE Voulez-vous l'essayer, Gisèle (3) ?
PAUL Elle n'en a pas envie. D'ailleurs, nous allions partir.
PHILIPPE Tu sais bien que je plaisante. De toute façon, mon pneu est à plat.
PAUL En vingt minutes, tu es déjà en panne ? Tu ferais mieux de rester piéton.

◀ **Une moto dans la circulation parisienne.**

la mo tod fi lip ↘

pɔl e ʒi zɛl sõ tã trɛ̃d bwar lœr ka fe ↘ fi lip a riv pu sã tyn pə tit mɔ to ↘ il a pɛr swa sɛ za mi e lɛs sa ma ʃin o bɔr dy trɔ twar ↘

bõ ʒur ↘ pɥiʒ ma swar a vɛk vu ↗
mɛ wi ↘ a sɛ ye vuʒ vu pri ↘ õ vu za prɛ te yn mo to ↗
nõ nõ ɛ lɛ ta mwa də pɥi vɛ̃ mi nyt ↘ ʒə vjɛ̃ da le la ʃer ʃe ↘
ɛl ne pa nœv vot ma ʃin ↘
san fɛ rjɛ̃ ↘ ɛ le tã nɛk se lã te ta ↘

sɛl vã dœr kit la di ↗
nõ sel ga ra ʒist o kɛl ʒə le mõ tre ↘

lɛ trwa ʒœn ʒã rə gard la mɔ to ↘

vu le vu lɛ sɛ je ʒi zɛl ↗
ɛl nã na pa zã vi ↘ da yœr nu zal jõ par tir ↘

ty sɛ bjɛ̃ kəʒ ple zãt ↘ də tut fa sõ mõ pnø ɛ ta pla ↘
ã vɛ̃ mi nyt ty e de ʒa ã pan ↗ ty frɛ mjø də rɛs te pje tõ ↘

Philippe's Motor Scooter

Paul and Gisèle are drinking their coffee. Philippe arrives, pushing a small motor scooter. He notices his friends and leaves his machine at the curb.

PHILIPPE Hello. May I sit down with you?
GISELE Of course. Please sit down. Has someone lent you a scooter?
PHILIPPE No, no, it's been mine for twenty minutes. I've just come from picking it up.
GISELE Your machine isn't brand-new.
PHILIPPE That doesn't matter; it's in excellent condition.
PAUL Did the seller tell you that?
PHILIPPE No, the garage man I showed it to.

The three young people look at the scooter.

PHILIPPE Would you like to try it, Gisèle?
PAUL She doesn't want to. Besides, we were going to leave.
PHILIPPE You know very well I'm kidding. Anyway, I've got a flat tire.
PAUL Within twenty minutes you've already had a breakdown? You'd do better to stay a pedestrian.

SUPPLEMENTARY VOCABULARY

Est-ce que la route est dangereuse ?	Is the road dangerous?
Non, mais le dernier virage est dangereux.	No, but the last turn is dangerous.
Est-ce qu'il se trompe de chemin ?	Is he going the wrong way?
Non, mais il se trompe d'adresse.	No, but he has the wrong address.
Est-ce que vous avez eu des ennuis ?	Did you have trouble?
Oui, nous avons eu un accident.	Yes, we had an accident.
Où peut-on s'arrêter ?	Where can you stop?
Où peut-on se garer ?	Where can you park?
Où peut-on se renseigner ?	Where can you find out?
Qu'est-ce qu'il vous faut ?	What do you need?
Il nous faut une carte de la région.	We need a road map.
Il nous faut un renseignement.	We need some information.
Il nous faut de l'essence.	We need gasoline.
Où passez-vous vos vacances ?	Where are you spending your vacation?
Dans le Nord.	In the North.
Dans le Midi (4).	In the South.
Dans l'Ouest.	In the West.

Où habitent-ils ?	Where do they live?
Au sud de Paris.	South of Paris.
A l'est de Nice (5).	East of Nice.
Au centre de la ville.	In the center of town.
De quel côté est-ce ?	Which side is it on?
Du côté de Cannes (6).	In the direction of Cannes.
A côté de Cannes.	Next to Cannes.
De l'autre côté de Cannes.	On the other side of Cannes.
A quelle distance est-ce ?	How far is it?
C'est à trente kilomètres (7).	It's thirty kilometers away.
C'est à deux pas.	It's a few steps away.
C'est tout près.	It's close by.

DIALOGUE NOTES

(1) Motor scooters of all types are a more frequent means of transportation among students in France than are automobiles.

(2) **Neuf** means brand-new; **nouveau** means new to you. Thus: **Philippe a une *nouvelle* moto ; elle n'est pas *neuve*.**

(3) In France, motor scooter rides and excursions are a popular boy-girl pastime.

(4) **Le Midi** is the South of France, particularly the Southeast. Southern Frenchmen **(Méridionaux)** are assumed by other Frenchmen to have an amusing "accent," lively imaginations, the gift of gab, and a predilection for gross exaggeration.

(5) **Nice** is a port city on the Mediterranean. Near the Italian border, it is best known as the heart of the resort area.

(6) **Cannes** is a resort city near **Nice.** Mishearing, Americans occasionally confuse **Cannes** / kan / with **Cagnes** / kaɲ /, which is nearby, and with **Caen** / kɑ̃ / in Normandy.

(7) The metric system, which was devised by Frenchmen, has been the legal standard in France since 1801 and has spread to the whole world, except the United States and the British Commonwealth. Distance is measured in **mètres** (1 **mètre** = 39.37 inches; 1 **kilomètre** = 3,280.8 feet), weight in **grammes** (1000 **grammes** = 2.2 pounds), and liquid volume in **litres** (1 **litre** = 1.05 U.S. quarts).

Spelling

A. / g / and / ʒ / The speech sound / g / is represented in writing by the letter **g** before the vowel letters **a, o,** and **u :**

gar	gare
gɔrij	gorille
legym	légume

and by **gu** before the vowel letters **i** and **e**:

gid	guide
gɛr	guerre

The speech sound / ʒ / is represented by **ge** before the vowel letters **a, o,** and **u**:

ãkuraʒã	encourageant
ʒɔrʒ	Georges
kuraʒø	courageux

by **g** before the vowel letters **i** and **e**:

vwajaʒe	voyager
ʒizɛl	Gisèle

and by **j,** of course, in most words.

These written conventions also permit prediction of written verb forms involving stem-final / g /and / ʒ /:

il prɔmylg	il promulgue
nu prɔmylgõ	nous promulgons
il mãʒ	il mange
nu mãʒõ	nous mangeons

B. / k / and / s / The speech sound / k / is symbolized in writing by **c** before the vowel letters **a, o,** and **u**:

kafe	café
kuzin	cousine
kɥijɛr	cuillère

and by **qu** in **quand, quoi, quai, quart,** and a few other words.

The sound / k / is written **qu** before the vowel letters **i** and **e**:

ki	qui
kə	que

In a few words, / k / is represented by **k**:

kjɔsk kilo klaksõ	kiosque kilo klaxon

The speech sound / s / is represented by **ç** before the letters **a, o,** and **u**:

frãsɛ garsõ rəsy	français garçon reçu

by **c** before **i** and **e**:

sɛt sinema	cette cinéma

and by **s,** of course, in most words.

In verb forms, the writing of stem-final / k / and / s / is predictable as described above:

il kõvɛ̃ nu kõvɛ̃kõ	il convainc nous convainquons
il kɔmãs nu kɔmãsõ	il commence nous commençons

■ DICTATION DRILL

1. kɔmãsõ
2. lɛ bagaʒ
3. leʒɛrmã
4. kartje
5. ɔrlɔʒe
6. frãs
7. vu mãʒe
8. frãsɛ
9. kɛstjõ
10. avãsõ
11. kjɔsk
12. gã
13. sa depã
14. mãʒõ
15. kɛ
16. garsõ
17. kã
18. ʒə kɔmãs
19. ã ʒeneral
20. aʒã

Vocabulary Drills

1. Ils sont en train de boire du café.
   Ils sont en train de *pousser l'auto.*
   Il est en train de pousser l'auto.
   Il est en train d'*acheter de l'essence.*
   *Nous sommes en train d'*acheter de l'essence.
   Nous sommes en train de *réparer un pneu.*
   Il est en train de réparer un pneu.
   Il est en train de *boire du café.*
   Ils sont en train de boire du café.

2. Puis-je m'asseoir avec vous ?
   Puis-je *faire un tour* avec vous ?
   Pouvons-nous faire un tour avec vous ?
   Pouvons-nous *rester* avec vous ?
   Puis-je rester avec vous ?
   Puis-je *passer la matinée* avec vous ?
   Pouvons-nous passer la matinée avec vous ?
   Pouvons-nous *manger* avec vous ?
   Puis-je manger avec vous ?
   Puis-je *m'asseoir* avec vous ?

3. On vous a prêté une moto ?
On vous a *donné* une moto ?
On vous a donné *une auto ?*
On vous a *montré* une auto ?
On vous a montré *le chemin ?*
On vous a *demandé* le chemin ?
On vous a demandé *mon adresse ?*
On vous a *donné* mon adresse ?
On vous a donné *un pneu ?*
On vous a *prêté* un pneu ?
On vous a prêté *une moto ?*

4. Elle est à moi depuis vingt minutes.
Elle est à moi *depuis ce matin.*
Elle est *à nous* depuis ce matin.
Elle est à nous *depuis lundi.*
Elle est *à Paul* depuis lundi.
Elle est à Paul *depuis trois mois.*
Elle est *à vous* depuis trois mois.
Elle est à vous *depuis vingt minutes.*
Elle est *à moi* depuis vingt minutes.

5. Je viens d'aller la chercher.
Je viens d'aller *l'acheter.*
Je viens d'aller *les prendre.*
Je viens d'aller *la voir.*
Je viens d'aller *les essayer.*
Je viens d'aller *la chercher.*

6. Elle est en excellent état.
Les bâtiments sont en excellent état.
Les bâtiments sont *en mauvais état.*
La machine est en mauvais état.
La machine est *en assez bon état.*
La route est en assez bon état.
La route est *en très mauvais état.*
Les pneus sont en très mauvais état.
Les pneus sont *en bon état.*
Elle est en bon état.
Elle est *en excellent état.*

7. Nous allions partir.
Nous allions *leur parler.*
Vous alliez leur parler.
Vous alliez *sortir.*
Nous allions sortir.
Nous allions *boire du café.*
Vous alliez boire du café.
Vous alliez *partir.*
Nous allions partir.

8. Tu sais bien que je plaisante.
Tu sais bien *que ce n'est pas vrai.*
Je crois bien que ce n'est pas vrai.
Je crois bien *que c'est fini.*
Je comprends bien que c'est fini.
Je comprends bien *que ce n'est pas possible.*
Je vois bien que ce n'est pas possible.
Je vois bien *qu'ils sont perdus.*
Tu sais bien qu'ils sont perdus.
Tu sais bien *que je plaisante.*

9. De toute façon, mon pneu est à plat.
D'ailleurs, mon pneu est à plat.
D'ailleurs, *nous avons eu des ennuis.*
De toute façon, nous avons eu des ennuis.
De toute façon, *il fait trop de vent.*
D'ailleurs, il fait trop de vent.
D'ailleurs, *il n'y a pas de garagiste.*
De toute façon, il n'y a pas de garagiste.
De toute façon, *mon pneu est à plat.*

10. A quelle distance se trouve Paris ?
Dans quelle direction se trouve Paris ?
Dans quelle direction *se trouve la Sorbonne ?*
De quel côté se trouve la Sorbonne ?
De quel côté *se trouve votre maison ?*
Dans quelle direction se trouve votre maison ?
Dans quelle direction *se trouve la ville ?*
De quel côté se trouve la ville ?
De quel côté *se trouve Paris ?*
A quelle distance se trouve Paris ?

33 Present tense of verbs like *voir*

EXAMPLES Vous **voyez** une table pour trois?
Je ne le **vois** pas.
Je **crois.**

Presentation Drills

■ PROGRESSIVE SUBSTITUTION DRILL

Je vois qu'il est tard.
Je vois *que vous ne voulez pas.*
Nous voyons que vous ne voulez pas.
Nous voyons *que c'est vrai.*
Il voit que c'est vrai.
Il voit *que j'ai raison.*
Vous voyez que j'ai raison.
Vous voyez *que c'est possible.*
Elles voient que c'est possible.
Elles voient *qu'ils sont seuls.*
Tu vois qu'ils sont seuls.
Tu vois *qu'il est tard.*
Je vois qu'il est tard.

■ SIMPLE SUBSTITUTION DRILLS

1. *Je ne les vois pas* souvent.
(Nous ne les voyons pas, Il ne les voit pas, Mes parents ne les voient pas, On ne les voit pas, Vous ne les voyez pas, Tu ne les vois pas, Je ne les vois pas)

2. Quand *vois-tu* les Chatel?
(voyons-nous, voit-on, voit-elle, vos sœurs voient-elles, Gisèle voit-elle, voyez-vous, vois-tu)

Discussion

The verb **voir** has two present tense spoken stems:

	vwar		**voir** *to see*
nu	vwaj	õ^z	nous voyons
vu	vwaj	e^z	vous voyez
il	vwa	^{t}	ils voient
ʒə	vwa	^{z}	je vois
ty	vwa	^{z}	tu vois
il	vwa	^{t}	il voit

Other verbs that are similar to **voir** in their present tense forms include:

croire	to believe
envoyer	to send
prévoir	to foresee

Verification Drills

■ SIMPLE CORRELATION DRILLS

1. *Je* vois que c'est dangereux.
   (Nous, On, Les étudiants, Paul, Tu, Vous, Ma sœur, Je)
2. *Je* crois que c'est fini.
   (Nous, On, Les étudiants, Paul, Tu, Vous, Ma sœur, Je)
3. *Je* ne les crois pas.
   (Nous, On, Les étudiants, Paul, Tu, Vous, Ma sœur, Je)

■ TRANSFORMATION DRILL

Le croyez-vous ?
  Le voyez-vous ?
Croient-ils leurs enfants ?
Croit-elle sa sœur ?
Croyons-nous la même chose ?
Crois-tu le vendeur ?
Me croyez-vous ?
Les croit-il ?
Vous croit-on ?

34 Present perfect with *avoir*

EXAMPLES

J'en **ai entendu** parler.
Je l'**ai rencontré** quelque part.
On vous **a prêté** une moto ?
C'est le vendeur qui te l'**a dit ?**

Presentation Drills

■ SIMPLE SUBSTITUTION DRILLS

1. Ils ont *parlé.*
   (commencé, avancé, déjeuné, discuté, travaillé, plaisanté, regardé, traversé, mangé, écouté, marché, parlé)
2. Qu'avez-vous *dit ?*
   (pris, fini, compris, choisi, permis, dit)
3. Je n'ai pas *pu.*
   (voulu, attendu, vu, perdu, cru, entendu, pu)

■ PROGRESSIVE SUBSTITUTION DRILL

Avez-vous fait bon voyage ?
Avez-vous fait *des courses ?*
Ont-ils eu des courses ?
Ont-ils eu *un accident ?*
A-t-elle vu un accident ?
A-t-elle vu *leur malle ?*
A-t-on ouvert leur malle ?
A-t-on ouvert *ce livre ?*
As-tu compris ce livre ?
As-tu compris *leur adresse ?*
Ont-ils dit leur adresse ?
Ont-ils dit *« bon voyage » ?*
Avez-vous fait bon voyage ?

Discussion

Several examples have occurred which contain two verb forms in sequence in the same sentence. Such constructions are verb phrases.

The most frequently occurring verb phrase in French, the present perfect, **le passé composé,** consists of a present tense form of the verb **avoir** followed by a verb form called the past participle.

Every verb has a past participle form. Here is a list of some past participle forms of frequent occurrence:

Infinitive	*Past Participle*	*Infinitive*	*Past Participle*
accompagner	accompagné	apercevoir	aperçu
acheter	acheté	attendre	attendu
aimer	aimé	avoir	eu
apporter	apporté	connaître	connu
chercher	cherché	croire	cru
commencer	commencé	devoir	dû
déjeuner	déjeuné	entendre	entendu
demander	demandé	falloir	fallu
discuter	discuté	paraître	paru
donner	donné	perdre	perdu
écouter	écouté	plaire	plu
fermer	fermé	pleuvoir	plu
habiter	habité	pouvoir	pu
marcher	marché	savoir	su
montrer	montré	voir	vu
parler	parlé	vouloir	voulu
passer	passé		
quitter	quitté	faire	fait
répéter	répété		
travailler	travaillé	ouvrir	ouvert
visiter	visité		
être	été		
comprendre	compris		
dire	dit		
finir	fini		
permettre	permis		
prendre	pris		

All the past participle forms above may occur after a form of the present tense of the one verb **avoir** with reference in all cases to a single event in the past:

J'ai attendu le travail.	I waited for the work.
J'ai commencé le travail.	I started the work.
J'ai fait le travail.	I did the work.
J'ai fini le travail.	I finished the work.

Verification Drills

■ CONTEXTUAL TRANSFORMATION DRILLS

1. Je fais un voyage avec mon cousin.
   J'ai fait un voyage avec mon cousin.
   Il veut partir en mai.
   Nous achetons une auto.
   Nous prenons beaucoup de cartes.
   Nous visitons une très jolie région,
   et nous voyons de belles villes ;
   mais il fait froid et il pleut.
   L'auto a plusieurs pannes.
   Mais le voyage est intéressant.

2. Pourquoi prenez-vous l'auto ?
   Pourquoi avez-vous pris l'auto ?
   Que faites-vous ?
   Avec qui passez-vous la journée ?
   Que dit-il ?
   Parle-t-il de moi ?
   Faites-vous un tour ensemble ?
   Déjeunez-vous ensemble ?
   Pourquoi ne vous accompagne-t-il pas jusqu'ici ?

■ QUESTION DRILL

Avez-vous demandé son adresse ?
Non, je n'ai pas demandé son adresse.
A-t-il fait bon voyage ?
Ont-ils eu une panne ?
Avons-nous pris une carte ?
Ai-je eu raison ?
Ont-ils quitté le bâtiment ?
A-t-il réparé votre montre ?
Avez-vous compris la question ?
Avons-nous marché trop vite ?
A-t-elle eu le temps ?
Ont-elles fini ?

35 Object pronouns *y* and *en*

EXAMPLES On **y** mange de très bons sandwichs.
Moi, j'**y** viens souvent.
Vous **en** voulez un ?
Elle n'**en** a pas envie.

Presentation Drills

■ SIMPLE SUBSTITUTION DRILLS

1. On en *vend.*
   (a, veut, fait, voit, trouve, prend, parle, fait, vend)

2. Nous n'en *laissons* pas.
   (faisons, voulons, prenons, trouvons, devons, donnons, laissons)

3. En *voulez*-vous ?
   (avez, prenez, faites, trouvez, cherchez, voulez)

4. *Laissez*-en.
   (Prenez, Donnez, Faites, Ouvrez, Parlez, Demandez, Laissez)

5. Elles y *vont.*
   (habitent, travaillent, déjeunent, arrivent, montent, vont)

6. Je n'y *passe* pas.
   (mange, monte, reste, entre, vais, viens, passe)

7. Y *allez*-vous ?
   (passez, restez, pensez, habitez, allez)

8. *Allons*-y.
   (Pensons, Restons, Entrons, Déjeunons, Montons, Allons)

Discussion

Parallel to **lui** (Section 31), the object pronouns **y** and **en** refer back to prepositional phrases as follows:

y	**à** plus *Noun* (*or Pronoun*) not referring to persons (usually a place reference)	**J'y travaille.**	**Je travaille à la maison.**
	chez plus *Noun* (*or Pronoun*)[1]		**Je travaille chez Michel.**
	en plus place reference[2]		**Je travaille en France.**
	dans plus *Noun* (*or Pronoun*)		**Je travaille dans un magasin.**
	Noun indicating a place		**Je travaille place de l'Opéra.**
en	**de** plus *Noun* (*or Pronoun*)	**J'en achete.**	**J'achete des chemises.**

Like the other object pronouns, **y** and **en** follow verb forms in affirmative imperative constructions, but precede verb forms in all other constructions:

Demandez-en.	**Demandez des livres.**
N'en demandez pas.	**Ne demandez pas de livres.**
Vous n'en demandez pas.	**Vous ne demandez pas de livres.**
N'en demandez-vous pas ?	**Ne demandez-vous pas de livres ?**

Verification Drills

■ CONTEXTUAL TRANSFORMATION DRILLS

1. On m'a parlé de cette ville.
   On m'en a parlé.
   Je veux aller dans cette ville.
   Je ne sais pas comment aller dans cette ville.
   Je n'ai pas de carte.
   Je demande des renseignements.
   Mais on ne me donne pas de renseignements.
   J'entre dans un café.
   Je trouve un vieil homme dans le café.
   Il habite dans cette ville.
   Il peut me donner des renseignements.

2. Nous voulons aller à l'Opéra.
   Nous voulons y aller.
   Nous ne pouvons pas aller à l'Opéra à pied.
   Nous montons dans l'autobus.
   Nous demandons des billets.
   Le receveur nous donne des billets.
   Nous trouvons de la place.
   En dix minutes, nous sommes à l'Opéra.
   Mais nous ne trouvons pas nos amis à l'Opéra.

■ QUESTION DRILLS

1. Est-ce qu'ils viennent des Etats-Unis ?
   Oui, ils en viennent.
   Est-ce qu'ils rentrent bientôt aux Etats-Unis ?
   Est-ce qu'ils habitent aux Etats-Unis ?
   Est-ce qu'ils vous parlent des Etats-Unis ?
   Est-ce que vous avez entendu parler des Etats-Unis ?
   Est-ce qu'ils viennent à Paris ?

---

[1] The nouns or pronouns which follow **chez** refer only to persons.

[2] Do not confuse the object pronoun **en** (which occurs before and after verbs) with the preposition **en**, which occurs before nouns.

2. Avez-vous pris du sucre ?
Oui, j'en ai pris.
Ont-ils fait des voyages ?
Ont-ils habité ici ?
Ont-ils eu des ennuis ?
Avez-vous rencontré des amis ?
Ont-ils parlé de leur accident ?
A-t-il fallu de l'essence ?
Avez-vous acheté de l'essence ?
Ont-ils pensé à la carte ?

3. Allez-vous à Paris ?
Non, je n'y vais pas.
Prenez-vous des cartes ?
Passez-vous à l'Opéra ?
Avez-vous des cigarettes ?
Voyez-vous des bâtiments ?
Avez-vous vu des bâtiments ?
Avez-vous déjeuné dans le quartier ?
Avez-vous pensé à son idée ?
Avez-vous parlé de son idée ?
Avez-vous entendu parler de son idée ?

36 Reflexive constructions

EXAMPLES **Je m'**appelle Jacques.
Ils se serrent la main.
Vous vous trompez de chemin.
Où peut-**on** s'arrêter ?

Presentation Drills

■ PROGRESSIVE SUBSTITUTION DRILLS

Il se trompe de chemin.
Il se trompe *d'adresse.*
Vous vous trompez d'adresse.
Vous vous trompez *de porte.*
Elles se trompent de porte.
Elles se trompent *de rue.*
Nous nous trompons de rue.
Nous nous trompons *de couloir.*
Tu te trompes de couloir.
Tu te trompes *de route.*
Je me trompe de route.
Je me trompe *de chemin.*
Il se trompe de chemin.

■ SIMPLE SUBSTITUTION DRILLS

1. *Elle ne se dépêche* jamais.
(Elle ne se trompe, Je ne me dépêche, Vous ne vous taisez, Elle ne s'arrête, Nous ne nous dépêchons, Vous ne vous trompez, Je ne me trompe, Elle ne se dépêche)

2. Comment *vous appelez-vous ?*
(s'appelle-t-il, t'appelles-tu, s'appellent-elles, vous appelez-vous)

Discussion

In all the cases discussed so far, the subject pronouns and object pronouns have referred to different people:

Je vous regarde.	I'm looking at you.
Il me regarde.	He's looking at me.
Nous les regardons.	We're looking at them.

When the first and second person subject pronouns are used with their corresponding object pronoun forms, the verb is said to be in reflexive construction:

Je me vois.	I see myself.
Nous nous voyons.	We see ourselves.
Vous vous voyez.	You see yourself.
Tu te vois.	You see yourself.

For all third person object pronoun referents in reflexive constructions, the object pronoun form is **se**:

Il se parle.	He talks to himself.
Elle se parle.	She talks to herself.
Ils se parlent.	They talk to themselves.
Elles se parlent.	They talk to themselves.
On se parle.	One talks to oneself.

In affirmative imperative reflexive constructions, the object pronouns follow the verb; in all other cases they precede.

After an affirmative imperative:

Asseyez-vous.	Sit down.

Before other verb constructions:

Ne vous asseyez pas.	Don't sit down.
Vous asseyez-vous?	Are you sitting down?
Ne vous asseyez-vous pas?	Aren't you sitting down?

Most verbs can occur in reflexive constructions. When the subject is plural, ambiguity may result:

Nous nous comprenons.	We understand ourselves. OR We understand one another.
Vous vous présentez.	You're introducing yourselves. OR You're introducing one another.
Ils s'aiment bien.	They like themselves. OR They like one another.

Verification Drills

■ SIMPLE CORRELATION DRILLS

1. *Tu* t'arrêtes en face de la gare.
   (On, L'autobus, Nous, Je, Vous, Les jeunes gens, Tu)

2. *Tu* ne te renseignes pas?
   (On, Le garagiste, Nous, Je, Vous, Les jeunes gens, Tu)

3. Où t'installes-*tu?*
   (on, vos voisins, nous, Philippe, vous, tu)

4. *Elles* ne se comprennent pas.
   (Nous, Ces jeunes gens, Vous, Mes frères, On, Elles)

5. Nous retrouvons-*nous* au café ?
   (on, les étudiants, vous, Monsieur et Madame Gautier, nous)

■ CONVERSATION EXERCISES

1.

LE GARAGISTE Qu'est-ce que vous voulez, Monsieur ?
M. MARTIN De l'essence, s'il vous plaît.
LE GARAGISTE Où est votre auto ?
M. MARTIN Je l'ai laissée sur la route ; je suis en panne.
LE GARAGISTE Est-ce qu'elle est loin ?
M. MARTIN Non, tout près d'ici, après le virage.
LE GARAGISTE Mon camion va par là, si vous ne voulez pas marcher.
M. MARTIN Je vous remercie beaucoup.
LE GARAGISTE Il va partir, dépêchez-vous.

2.

M. MARTIN La route est très mauvaise.
L'HOMME DU CAMION Oui, il y a beaucoup d'accidents par ici.
M. MARTIN C'est la première fois que je viens dans cette région.
L'HOMME DU CAMION D'où venez-vous ?
M. MARTIN De Paris ; je vais du côté de Nice.
L'HOMME DU CAMION C'est une jolie ville, Nice ; j'y ai habité trois ans. C'est votre auto, là-bas ?
M. MARTIN Oui ; je vous remercie.
L'HOMME DU CAMION Voilà votre essence, bon voyage.

■ QUESTIONS ON THE DIALOGUE

Qu'est-ce que Paul et Gisèle sont en train de faire quand Philippe arrive ?
Où laisse-t-il sa moto ?
La moto est-elle à Philippe ou à son père ?
A-t-il cette moto depuis longtemps ?
Est-elle en mauvais état ?
Est-ce que les deux pneus sont en bon état ?
Qu'est-ce qu'un piéton ?

■ ORAL COMPOSITION

Je vais *à Nice aujourd'hui.*
Nice est *à cent kilomètres* d'ici.
Je m'arrête *pour acheter une carte.*
Je vais *très vite,* parce que *la route est excellente.*

■ QUESTIONNAIRE

Où allez-vous ?
A quelle distance est-ce ?
Vous arrêtez-vous ? Pourquoi ?
Allez-vous vite ou lentement ? Pourquoi ?

Un Francophile

Paul est le fils d'un avocat de Philadelphie qui aime beaucoup la France, et qui a voulu que ses fils commencent à parler français de bonne heure.° Le frère de Paul ne s'intéresse qu'à la physique, mais Paul lui-même aime les langues étrangères. Il parle bien français, et il espère depuis longtemps aller à Paris, et étudier la littérature française à la Sorbonne. Il y a deux ans, Maître Chatel, qui connaît Mr. Adams, a passé un mois aux Etats-Unis avec son fils. Philippe et Paul ont tout de suite° été amis. Et Paul a été très heureux quand Maître Chatel l'a invité à passer un an chez lui.

de... early

tout... immediately

Et c'est ainsi° que, depuis octobre, Paul étudie la littérature française à la Sorbonne. Il s'y trouve maintenant chez lui. Trente-cinq mille autres jeunes gens y sont aussi chez eux et remplissent° les couloirs de rires° et de discussions en langues diverses. Les salles de cours sont si pleines que Paul prend parfois° ses notes assis par terre.° Il assiste à tous les cours, mais il sait que ce n'est pas obligatoire. Beaucoup d'étudiants ne viennent pas régulièrement. Les cours, d'ailleurs, sont des conférences,° sans° participation des étudiants. Paul trouve ses professeurs intéressants, mais il regrette de n'avoir aucun rapport° personnel avec eux.

thus

fill

laughter

sometimes

par... on the floor

lectures; without

contact

OPÉRA
OPÉRA
DIRECTIONS
PRÉ SAINT GERVAIS
PORTE DE LA VILLETTE

UNIT **10**

DIALOGUE

En route pour la faculté

Paul et Philippe bavardent dans le métro.

PAUL	As-tu jamais joué au football (1)?
PHILIPPE	Oui, j'en ai fait un peu autrefois.
PAUL	Je commence à manquer d'exercice.
PHILIPPE	Si c'est le football qui te manque, j'ai un ami qui peut t'aider. Il fait partie d'une équipe.
PAUL	Tu ne fais jamais de sport?
PHILIPPE	Pas en ce moment ; j'ai trop de travail.

Un jeune homme monte dans leur voiture, portant une paire de skis.

PAUL	Et du ski, tu en as fait?
PHILIPPE	J'ai pris quelques leçons l'hiver dernier. Je suis allé en Suisse avec Jacqueline.
PAUL	Vous y êtes restés longtemps?
PHILIPPE	Trois semaines, pendant les vacances de Noël.
PAUL	Et vous vous êtes bien amusés?
PHILIPPE	Enormément. Je me suis foulé la cheville, et Jacqueline s'est cassé le poignet.

◀ **Une station de métro.**

TAPE AIDS

ã rut pur la fa kyl te↘

pɔl e fi lip ba vard dãl me tro↘

a ty ʒa mɛ ju e o fut bal↗
wi ʒã ne fɛ œ̃ pø o trə fwa↘
ʒə kɔ mãs a mã ke dɛg zɛr sis↘
si sel fut bal kit mãk↗ ʒe œ̃ na mi ki pø tɛ de↘ il fɛ par ti dy ne kip↘

tyn fɛ ʒa mɛ də spɔr↗
pa ãs mɔ mã↘ ʒe trod tra vaj↘

œ̃ ʒœn ɔm mõt dã lœr vwa tyr pɔr tã tyn pɛr də ski↘

e dy ski↘ ty ã na fɛ↗
ʒe pri kɛl kə lə sõ li vɛr dɛr nje↘ ʒə sɥi za le ã sɥis a vɛk ʒak lin↘
vu zi ɛt rɛs te lõ tã↗
trwas mɛn→ pã dã lɛ va kãs də no ɛl↘

e vu vu zɛt bjɛ̃ na my ze↗
e nɔr me mã↘ ʒəm sɥi fu le laʃ vij↗ e ʒak lin sɛ ka sel pwa ɲɛ↘

On the Way to the University

Paul and Philippe are chatting in the subway.

PAUL Have you ever played football?
PHILIPPE Yes, I did a little in the past.
PAUL I'm beginning to need some exercise.
PHILIPPE If it's football you miss, I have a friend who can help you; he's a member of a team.
PAUL Don't you ever go in for sports?
PHILIPPE Not just now; I have too much work.

A young man gets into their car carrying a pair of skis.

PAUL And have you done any skiing?
PHILIPPE I took a few lessons last winter. I went to Switzerland with Jacqueline.
PAUL Did you stay long?
PHILIPPE Three weeks, during Christmas vacation.
PAUL And you had fun?
PHILIPPE Tremendous. I sprained my ankle, and Jacqueline broke her wrist.

SUPPLEMENTARY VOCABULARY

La Vie sportive	*Sports Activities*
Où avez-vous appris à nager ?	Where did you learn to swim?
Où avez-vous appris à plonger ?	Where did you learn to dive?
Où avez-vous appris à conduire ?	Where did you learn to drive?
Savez-vous jouer au tennis ?	Do you know how to play tennis?
Savez-vous jouer au basketball ?	Do you know how to play basketball?
Savez-vous jouer à ce jeu (2) ?	Do you know how to play this game?
A quoi avez-vous assisté ?	What did you attend?
J'ai assisté à une partie de tennis.	I attended a tennis game.
J'ai assisté à un match de tennis.	I attended a tennis match.
J'ai assisté à une course cycliste.	I attended a bicycle race.
Est-il difficile de monter à cheval ?	Is horseback riding hard?
Est-il difficile de monter à bicyclette ?	Is bicycle riding hard?
Non, c'est facile.	No, it's easy.
Est-ce que la meilleure équipe a gagné ?	Did the best team win?
Est-ce que le meilleur coureur a gagné ?	Did the best runner win?
Non, ils ont perdu.	No, they lost.

Peut-on pêcher dans le lac ?	Can you fish in the lake?
Peut-on se baigner dans le lac ?	Can you bathe in the lake?
Non, c'est interdit.	No, it's forbidden.

DIALOGUE NOTES

(1) French **football** is played with a round ball and the use of the hands is prohibited. French **rugby** is similar to French **football** except that the ball is oval and the use of the hands is permitted. French **football** would be identified by an American as soccer.

(2) The three terms **jeu, partie,** and **match** can all be translated into English as *game.* However, for a French speaker, they are not interchangeable:

le jeu de tennis	tennis as distinct from football or any other kind of game
une partie de tennis	one set of tennis as distinct from two or more sets
un match de tennis	a competitive session of tennis as distinct from a friendly session

Spelling

A. Final consonants Most single final consonant letters provide historical or grammatical information and do not represent spoken sounds. Most single final consonant sounds are indicated in writing by final **e.** However, particularly in words borrowed from other languages, there are some single final consonant sounds which are symbolized by final consonant letters. Compare:

robe	snob	mène	spécimen
—	avec	cape	cap
rude	sud	coque	coq
—	soif	rare	par
bague	zig-zag	—	autobus
—	kodak	vite	huit
pâle	cheval	fixe	six
Rome	album	gaze	gaz

B. Troublesome spellings These problems seem to be of two types. A few homonyms are kept apart in writing by accent marks. Among the most frequent are:

ou	*or*	du	*from*
où	*where*	dû	*due*
la	*the*	des	*from*
là	*there*	dès	*since*
a	*has*	mur	*wall*
à	*at*	mûr	*ripe*
sur	*on*		
sûr	*sure*		

Another kind of French spelling problem results from knowing how to spell in English. Compare:

ENGLISH	FRENCH	ENGLISH	FRENCH
baggage	bagages	cotton	coton
address	adresse	autumn	automne
marriage	mariage	May	mai
democracy	démocratie	American	américain
terrace	terrasse	exercise	exercice
villain	vilain	medicine	médecine

■ DICTATION DRILL

1. bagaʒ
2. swaf
3. vilɛ̃
4. otɔn
5. teras
6. dis
7. kɔtõ
8. marjaʒ
9. demokrasi
10. mɛ
11. laba
12. adrɛs
13. ɥit
14. nɥi
15. gaz
16. lə frɥi ɛ myr
17. u ɛ til
18. wi u nõ
19. ɛt vu syr
20. a pari

Vocabulary Drills

1. As-tu jamais joué au football?
   As-tu jamais *appris à nager?*
   Avez-vous jamais appris à nager?
   Avez-vous jamais *fait du sport?*
   A-t-il jamais fait du sport?
   A-t-il jamais *pris des leçons?*
   Ont-elles jamais pris des leçons?
   Ont-elles jamais *monté à cheval?*
   A-t-il jamais monté à cheval?
   A-t-il jamais *gagné une course?*
   Ont-ils jamais gagné une course?
   Ont-ils jamais *joué au football?*
   As-tu jamais joué au football?

2. Je commence à manquer d'exercice.
   Je commence à *monter à bicyclette.*
   Vous commencez à monter à bicyclette.
   Vous commencez à *comprendre le français.*
   Ils commencent à comprendre le français.
   Ils commencent à *bien parler.*
   Elle commence à bien parler.
   Elle commence à *manquer d'exercice.*
   Je commence à manquer d'exercice.

3. Nous manquons d'exercice.
   Nous manquons *d'idées.*
   Vous manquez d'idées.
   Vous manquez *de travail.*
   Mon camarade manque de travail.
   Mon camarade manque *d'essence.*
   Je manque d'essence.
   Je manque *de place.*
   Ce jeune homme manque de place.
   Ce jeune homme manque *d'exercice.*
   Nous manquons d'exercice.

4. Le football te manque beaucoup.
   Le football *nous manque beaucoup.*
   Le soleil nous manque beaucoup.
   Le soleil *me manque beaucoup.*
   L'auto me manque beaucoup.
   L'auto *vous manque un peu.*
   Votre frère vous manque un peu.
   Votre frère *leur manque un peu.*
   Paris leur manque un peu.
   Paris *lui manque un peu.*
   Sa sœur lui manque un peu.
   Sa sœur *te manque beaucoup.*
   Le football te manque beaucoup.

5. Il fait partie d'une équipe.
Il fait partie *de la famille.*
Vous faites partie de la famille.
Vous faites partie *de la course.*
Ça fait partie de la course.
Ça fait partie *du groupe.*
Nous faisons partie du groupe.
Nous faisons partie *d'une équipe.*
Il fait partie d'une équipe.

6. J'ai pris des leçons l'hiver dernier.
J'ai pris des leçons *l'année dernière.*
J'y suis allé l'année dernière.
J'y suis allé *mardi dernier.*
Il a fait beau mardi dernier.
Il a fait beau *la semaine dernière.*
Ils ont gagné la semaine dernière.
Ils ont gagné *l'hiver dernier.*
J'ai pris des leçons l'hiver dernier.

7. Je me suis foulé la cheville.
Je me suis foulé *le poignet.*
Elle s'est cassé le poignet.
Elle s'est cassé *le bras.*
Je me suis cassé le bras.
Je me suis cassé *la jambe.*
Vous vous êtes cassé la jambe.
Vous vous êtes cassé *la cheville.*
Je me suis foulé la cheville.

8. J'ai assisté à un match de football.
J'ai assisté *à deux cours.*
Nous avons assisté à deux cours.
Nous avons assisté *à une partie de tennis.*
Il a assisté à une partie de tennis.
Il a assisté *à l'arrivée de Paul.*
Ils ont assisté à l'arrivée de Paul.
Ils ont assisté *à un accident.*
Vous avez assisté à un accident.
Vous avez assisté *à un match de football.*
J'ai assisté à un match de football.

9. Il est difficile de monter à cheval.
Il est difficile *de traverser ici.*
Il est interdit de traverser ici.
Il est interdit *de se garer ici.*
Il est difficile de se garer ici.
Il est difficile *de nager ici.*
Il est interdit de nager ici.
Il est interdit *de monter à cheval.*
Il est difficile de monter à cheval.

37 Present tense of verbs like *venir*

EXAMPLES
Venez, j'y vais avec vous.
Ils **viennent** de s'asseoir.
Je **viens** d'aller la chercher.

Presentation Drills

■ SIMPLE SUBSTITUTION DRILLS

1. *Je viens* ici quelquefois.
(Nous venons, Tu viens, Elle vient, Elles viennent, Vous venez, Il vient, Ils viennent, Je viens)

2. Quand *viens-tu?*
(vient-il, viennent-ils, venez-vous, vient-elle, viennent-elles, venons-nous, viens-tu)

■ PROGRESSIVE SUBSTITUTION DRILL

Il ne vient pas souvent.
Il ne vient pas *tard.*
Vous ne venez pas tard.
Vous ne venez pas *demain.*
Je ne viens pas demain.
Je ne viens pas *aujourd'hui.*
Ils ne viennent pas aujourd'hui.
Ils ne viennent pas *ensemble.*
Nous ne venons pas ensemble.
Nous ne venons pas *souvent.*
Il ne vient pas souvent.

Discussion

The verb **venir** has three present tense spoken stems:

	vənir		**venir** *to come*
nu	vən	õ^z	nous venons
vu	vən	e^z	vous venez
il	vjɛn	t	ils viennent
ʒə	vjɛ̃	z	je viens
ty	vjɛ̃	z	tu viens
il	vjɛ̃	t	il vient

Several other verbs pattern like **venir**:

tenir	to hold	**appartenir à**	to belong to
devenir	to become	**contenir**	to contain
se souvenir de	to remember	**revenir**	to come back

Verification Drills

■ SIMPLE SUBSTITUTION DRILLS

1. *Tu* viens des Etats-Unis.
   (Vous, Je, Paul, Ces jeunes gens, Nous, Cette jeune fille, Tu)
2. Qu'est-ce que *tu* deviens?
   (vous, je, votre ami, vos frères, nous, votre sœur, leurs cousines, tu)
3. Est-ce que *tu* te souviens de leur accident?
   (vous, Paul, ses parents, on, leur fille, tu)

■ TRANSFORMATION DRILL

Je me souviens de son arrivée.
Je ne me souviens pas de son arrivée.
Ce livre vous appartient.
Ils viennent tous les jours.
Cette voiture tient bien la route.
Nous venons en auto.
Vous vous souvenez de ce film.
Ils appartiennent au même groupe.
Je m'en souviens très bien.

38 Order of object pronouns

EXAMPLES Je **vous en** prie.
C'est le vendeur qui **te l'**a dit?

Presentation Drills

■ SIMPLE SUBSTITUTION DRILLS

1. Il *te le* montre.
   (te la, vous les, me les, nous le, me la, nous la, te les, vous le, nous les, vous la, me le, te le)

2. Qui *vous les* a demandés ?
   (te la, me les, nous le, me la, nous la, te les, vous le, nous les, vous la, me le, te le, vous les)
3. Je *les lui* prête.
   (le lui, la leur, les leur, les lui, le leur, la lui, les lui)

■ PROGRESSIVE SUBSTITUTION DRILLS

1. Il ne les lui donne pas.
   Il ne *les leur* donne pas.
   Il ne les leur *apporte pas.*
   Il ne *la lui* apporte pas.
   Il ne la lui *présente pas.*
   Il ne *le leur* présente pas.
   Il ne le leur *montre pas.*
   Il ne *le lui* montre pas.
   Il ne le lui *demande pas.*
   Il ne *les lui* demande pas.
   Il ne les lui *donne pas.*

2. Les lui avez-vous apportés ?
   Le leur avez-vous apporté ?
   Le leur *avez-vous donné ?*
   Le lui avez-vous donné ?
   Le lui *avez-vous laissé ?*
   Les leur avez-vous laissés ?
   Les leur *avez-vous prêtés ?*
   La lui avez vous prêtée ?
   La lui *avez-vous montrée ?*
   Les lui avez-vous montrés ?
   Les lui *avez-vous apportés ?*

3. Tu m'en donnes.
   Tu m'en *parles.*
   Tu *nous en* parles.
   Tu nous en *demandes.*
   Tu *leur en* demandes.
   Tu leur en *laisses.*
   Tu *lui en* laisses.
   Tu lui en *donnes.*
   Tu *m'en* donnes.

Discussion

A French verb form may be directly preceded or followed by two object pronouns in sequence; the order of these pronouns is rigidly fixed. More than two object pronouns never occur.

For preceding verb forms the order is:

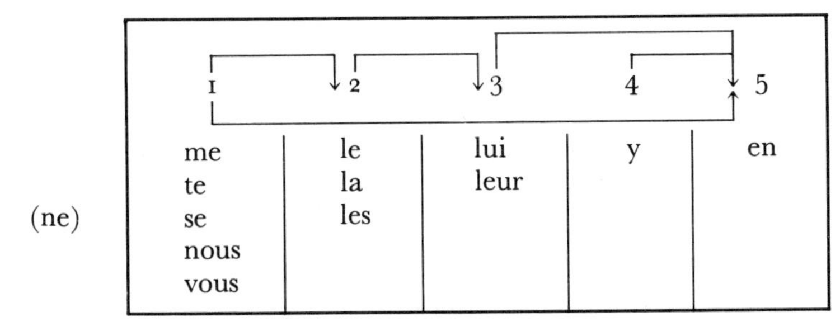

	1	2	3	4	5	
(ne)	me te se nous vous	le la les	lui leur	y	en	*verb* (pas)

Frequent combinations are indicated by arrows:

1 and 2	**Il me le donne.**	He's giving it to me.
1 and 5	**Il m'en donne.**	He's giving me some.
2 and 3	**Il le lui donne.**	He's giving it to him.
3 and 5	**Il lui en donne.**	He's giving him some.
4 and 5	**Il y en a.**[1]	There are some.

[1] Analytically, this is not a case of two object pronouns, the **y** being a part of the verb **y avoir** (Section 24).

After an affirmative imperative verb form (Section 27), the only construction in which the two object pronouns directly follow a verb form, the order parallels English:

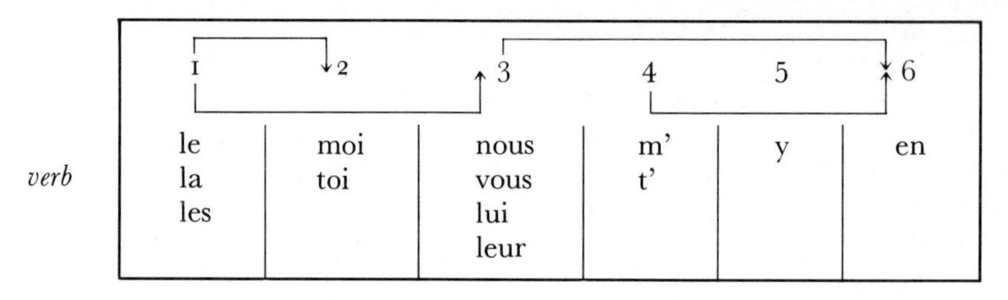

1
2
3
4
5
6
verb
le
la
les
moi
toi
nous
vous
lui
leur
m'
t'
y
en

Frequent combinations, indicated by arrows, are:

1 and 2	**Donnez-le-moi.**	Give it to me.
1 and 3	**Donnez-le-nous.**	Give it to us.
3 and 6	**Donnez-nous-en.**	Give us some.
4 and 6	**Donnez-m'en.**	Give me some.

The forms **en, moi,** and **toi** can occur only as the last pronoun.

Verification Drills

■ TRANSFORMATION DRILLS

1. Philippe présente Paul à sa sœur.
   Philippe le lui présente.
   Il présente Paul à ses parents.
   Gisèle montre la salle huit aux deux garçons.
   Elle demande l'heure à Philippe.
   Le garçon donne le menu aux trois amis.
   Il nous apporte notre café.
   Philippe montre son horloger à Paul.
   Le vendeur me vend ces chaussures.
   Le receveur vous donne les billets.
   Philippe montre sa moto à Gisèle.

2. Paul m'a parlé de ses amis.
   Paul m'en a parlé.
   Il m'a apporté des livres.
   Je vous ai présenté mes amis.
   On nous a montré les magasins.
   On nous a montré des cafés.
   Paul a donné notre adresse à ses parents.
   L'agent m'a montré le chemin.
   Il nous a donné des renseignements.
   Le libraire nous a apporté le livre.
   Vous avez demandé de l'essence au garagiste.
   Il vous a donné de l'essence.

3. Il ne m'a pas donné mes bagages.
   Il ne me les a pas donnés.
   Je ne vous ai pas demandé mes bagages.
   On n'a pas prêté la moto à Philippe.
   Nous n'avons pas parlé de nos ennuis à nos parents.
   Je ne vous ai pas donné de renseignements.
   Vous ne m'avez pas demandé de renseignements.
   Je n'ai pas prêté mes livres à mon camarade.
   Ils ne m'ont pas apporté ma malle.
   Maître Chatel n'a pas prêté sa voiture aux jeunes filles.

■ QUESTION DRILL

Est-ce qu'il vous a parlé de cette idée ?
  Non, il ne m'en a pas parlé.
Est-ce qu'il a montré sa maison à votre frère ?
Est-ce que vous leur avez demandé leur adresse ?
Est-ce qu'ils vous ont donné leur adresse ?
Est-ce que vous avez montré votre carte à l'agent ?
Est-ce que vous avez demandé des renseignements à l'agent ?
Est-ce qu'il vous a donné des renseignements ?
Est-ce qu'on a prêté cette voiture aux jeunes gens ?

■ RESPONSE DRILL

Dites-moi de ne pas demander l'heure à ces étudiants.
  Ne la leur demandez pas.
Dites-moi de ne pas vous donner mes livres.
Dites-moi de ne pas donner de renseignements à cet homme.
Dites-moi de ne pas montrer la carte à cette jeune fille.
Dites-moi de ne pas parler de votre accident à vos parents.
Dites-moi de ne pas vous donner de travail.
Dites-moi de ne pas donner mon adresse à l'agent.
Dites-moi de ne pas laisser de pourboire au garçon.
Dites-moi de ne pas acheter ces pneus au garagiste.
Dites-moi de ne pas acheter d'essence au garagiste.

39 Comparison patterns

EXAMPLES Parlez **plus lentement.**
On en trouve de **moins chères.**
C'est **la meilleure** amie de ma sœur.

Presentation Drills

■ SIMPLE SUBSTITUTION DRILLS

1. Il est plus *petit* que son frère.
   (beau, intéressant, grand, heureux, blond, vieux, fatigué, jeune, petit)
2. Elle est moins *jolie* que vous.
   (heureuse, grande, brune, belle, vieille, petite, fatiguée, blonde, jolie)
3. Ils sont aussi *contents* que moi.
   (grands, vieux, fatigués, jeunes, petits, blonds, heureux, contents)

1. Ce bâtiment est le plus intéressant de la ville.
   Ce bâtiment est *le plus grand* de la ville.
   Ce bâtiment est le plus grand *du quartier.*
   Ce bâtiment est *le moins vieux* du quartier.
   Ce bâtiment est le moins vieux *de Paris.*
   Ce bâtiment est *le plus beau* de Paris.
   Ce bâtiment est le plus beau *du quartier.*
   Ce bâtiment est *le moins mauvais* du quartier.
   Ce bâtiment est le moins mauvais *de la ville.*
   Ce bâtiment est *le plus intéressant* de la ville.

2. Jacqueline travaille mieux que son frère.
   Jacqueline travaille *moins bien* que son frère.
   Jacqueline *joue* moins bien que son frère.
   Jacqueline joue *mieux* que son frère.
   Jacqueline *nage* mieux que son frère.
   Jacqueline nage *moins bien* que son frère.
   Jacqueline *va* moins bien que son frère.
   Jacqueline va *mieux* que son frère.
   Jacqueline *travaille* mieux que son frère.

3. Cette équipe est meilleure que l'autre.
   Cette équipe est *moins bonne* que l'autre.
   Cette *bicyclette* est moins bonne que l'autre.
   Cette bicyclette est *meilleure* que l'autre.
   Cette *montre* est meilleure que l'autre.
   Cette montre est *moins bonne* que l'autre.
   Cette *idée* est moins bonne que l'autre.
   Cette idée est *meilleure* que l'autre.
   Cette *équipe* est meilleure que l'autre.

Discussion

Invariable forms which immediately precede adjectives are called intensifier adverbs:

Je suis *très* heureux.
Il fait *trop* mauvais.

Intensifier adverbs do not mark number or gender and occur before adverbs as well as adjectives:

Il parle *très* lentement.
Il y a un garagiste *tout* près.

Three of the intensifiers are used to compare:

/ plyz, ply /	**plus**	__er *or* more __
/ mwɛ̃z, mwɛ̃ /	**moins**	less __
/ osi /	**aussi**	just as __

The basic comparative pattern is:

plus moins aussi	Adjective Adverb	que	Remainder

Il est plus grand que vous.
Je travaille aussi bien que mon ami.
Il pleut moins souvent qu'en été.

Two frequent words have special comparison forms:

Adjective	**bon**	good	**meilleur**	better
Adverb	**bien**	well	**mieux**	better

Ce restaurant est meilleur que l'autre.
Elle parle mieux qu'autrefois.

The basic superlative patterns are:

Noun	*Verb*	*Noun*[1]	**le** { **plus** / **moins** } *Adjective*	**de** *Noun*
C' Je Elle Nous	est connais a voulons	le journal la jeune fille les robes	le plus intéressant la plus belle les plus élégantes les meilleurs	de Paris. du monde. de la ville. de la classe.

When the adjective is normally pre-nominal (Section 26), the following pattern may also occur:

Noun	*Verb*	**le** { **plus** / **moins** } *Adjective*	*Noun*[1]	**de** *Noun*
Je Elle Elles	connais a travaillent	la plus belle les plus jolis le mieux	jeune fille yeux	du monde. de la famille. du monde.

Verification Drills

■ TRANSFORMATION DRILLS

1. Il est vieux.
   Il est plus vieux que vous.
   Elle est brune.
   Ils sont jeunes.
   Nous sommes grands.
   Il est heureux.
   Elles sont belles.
   Je suis jeune.

2. Il est grand.
   Il est moins grand que l'autre.
   Elle est jolie.
   Elle est heureuse.
   Il est fatigué.
   Il est foncé.
   Elle est blonde.
   Elle est mauvaise.

3. Ils sont bons.
   Ils sont aussi bons que leurs amis.
   Elles sont belles.
   Ils sont intéressants.
   Ils sont fatigués.
   Elles sont rousses.
   Elles sont heureuses.

4. C'est une vielle maison.
   C'est la plus vieille maison du quartier.
   C'est un vieux bâtiment.
   C'est un beau magasin.
   C'est une longue rue.
   C'est une belle place.
   C'est un grand immeuble.
   Ce sont de beaux magasins.
   Ce sont de vieilles rues.
   Ce sont de vieux immeubles.

5. C'est une église intéressante.
   C'est l'église la plus intéressante de Paris.
   C'est un cinéma confortable.
   C'est un restaurant cher.
   C'est un musée intéressant.
   C'est une église blanche.
   C'est un homme heureux.

[1] Items in this slot are optional.

■ QUESTION DRILLS

1. Est-ce que ce coureur est moins bon que le premier ?
   Au contraire, il est meilleur.
   Est-ce qu'il joue plus mal ?
   Est-ce que son équipe est meilleure ?
   Est-ce que vous nagez moins bien que votre ami ?
   Est-ce qu'il est moins bon étudiant que vous ?
   Est-ce qu'il travaille mieux ?
   Est-ce que ces skis sont moins bons que ceux-là ?
   Est-ce que votre mère va moins bien ?
   Est-ce que ce restaurant est moins bon que l'autre ?

2. Est-ce un bon restaurant ?
   C'est le meilleur.
   Est-ce que ce sont de bons étudiants ?
   Est-ce une mauvaise étudiante ?
   Est-ce que cette équipe est bonne ?
   Est-ce un bon vendeur ?
   Est-ce que son français est bon ?

■ TRANSFORMATION DRILL

Il joue moins bien que vous.
Il joue mieux que vous.
Cette équipe est moins bonne.
Elle joue mieux.
Sa bicyclette est moins bonne que l'autre.
Je monte mieux que vous.
Cette moto est moins bon marché.
Elle est en moins bon état.

40 Present perfect with *être*

EXAMPLES

Il **est né** en juillet.
Il **est mort** le 15 octobre.
Je **suis allé** en Suisse avec Jacqueline.
Vous y **êtes restés** longtemps ?
Vous vous **êtes** bien **amusés** ?
Je me **suis foulé** la cheville.
Elle s'**est cassé** le poignet.

Presentation Drills

■ PROGRESSIVE SUBSTITUTION DRILL

Je suis arrivé ce matin.
Je suis arrivé *en auto.*
Ils sont arrivés en auto.
Ils sont arrivés *ensemble.*
Vous êtes arrivés ensemble.
Vous êtes arrivés *en avance.*
Elle est arrivée en avance.
Elle est arrivée *avec nous.*
Tu es arrivé avec nous.
Tu es arrivé *à l'heure.*
Nous sommes arrivés à l'heure.
Nous sommes arrivés *ce matin.*
Je suis arrivé ce matin.

■ SIMPLE SUBSTITUTION DRILLS

1. Où *s'est-il* installé ?
   (vous êtes-vous, t'es-tu, se sont-ils, nous sommes-nous, me suis-je, se sont-elles, s'est-elle, s'est-on, s'est-il)

2. *Ils ne sont* pas allés aux Etats-Unis.
   (Je ne suis pas, Elle n'est pas, Tu n'es pas, Nous ne sommes pas, Elles ne sont pas, Il n'est pas, Vous n'êtes pas, Ils ne sont pas)

Discussion

As seen in Section 34, most past participle forms fit into the pattern **avoir** + *past participle.* A small number of highly frequent verbs fit into the frame **être** + *past participle:*

Infinitive	*Past Participle*[1]	*Infinitive*	*Past Participle*[1]
aller	allé	naître	né
venir	venu	mourir	mort
arriver	arrivé	rester	resté
partir	parti	retourner	retourné
entrer	entré	tomber	tombé
sortir	sorti	devenir	devenu
monter	monté		
descendre	descendu		

Besides these, *all* verbs in reflexive construction (Section 36) have **être** + *past participle:*

Je me suis foulé la cheville.
Ils se sont parlés.
Nous nous sommes vus l'année dernière.

Verification Drills

■ TRANSFORMATION DRILLS

1. Nous restons en ville.
   Nous sommes restés en ville.
   Je vais chez le pharmacien.
   Mes parents restent jusqu'à Noël.
   Ils vont aux Etats-Unis.
   Ils arrivent au printemps.
   Nous y allons en voiture.
   Vous rentrez tard.
   Ils deviennent intéressants.
   Elle devient jolie.
   Jacqueline monte dans l'autobus.
   Je vais chez mes amis.
   Vous venez seul.

---

[1] A writing system convention marks gender by –e and number by –s with these past participles:

Vous y êtes allé. **Vous y êtes allée.**
Vous y êtes allés. **Vous y êtes allées.**

In speech, all the above forms are identical, except **mort,** which marks gender by spoken / t / (cf. Grammar 68):

/ il ɛ mɔr /	**Il est mort.**	/ ɛl ɛ mɔrt /	**Elle est morte.**
/ il sõ mɔr /	**Ils sont morts.**	/ ɛl sõ mɔrt /	**Elles sont mortes.**

2. Comment entrez-vous ?
Comment êtes-vous entré ?
Quand y allez-vous ?
Quand viennent-ils ?
Où vont-ils ?
A quelle heure arrive-t-elle ?
Pourquoi restes-tu ?
Pourquoi venez-vous ?
Que devient-il ?
A quel étage ces jeunes gens montent-ils ?

3. Nous nous serrons la main.
Nous nous sommes serré la main.
Tu te dépêches de rentrer.
Vous vous installez en ville.
Les cours s'arrêtent à midi.
Je me gare sous l'horloge.
Les étudiants se trompent de classe.
Je me trompe d'heure.
Ils s'asseyent à notre table.
Elle se renseigne à la gare.
Je me baigne tous les matins.
Vous vous dépêchez de traverser.

4. Ils ne se trompent pas d'adresse.
Ils ne se sont pas trompés d'adresse.
Elles ne s'aiment pas.
Vous ne vous asseyez pas.
Je ne me casse pas la jambe.
Nous ne nous rencontrons pas.
Tu ne t'arrêtes pas assez vite.
On ne se renseigne pas avant de partir.
Vous ne vous amusez pas.
Nous ne nous dépêchons pas.
Elles ne se regardent pas.

■ CONVERSATION EXERCISES

1.

HENRI Qu'est-ce que vous avez fait dimanche ?
M. MARTIN J'ai assisté à un match de football.
HENRI Tiens, où ça ?
M. MARTIN Aux environs de Paris.
HENRI Vous avez trouvé le match intéressant ?
M. MARTIN Non, pas très. Une des équipes est bien meilleure que l'autre.
HENRI Avez-vous jamais joué vous-même ?
M. MARTIN Très souvent autrefois ; mais maintenant je suis trop vieux. Je regarde les autres.

2.

ME[1] CHATEL Vous avez acheté une maison à Lagny, il paraît ?
M. MARTIN Oui, il y a trois mois. Nous sommes tout à fait installés maintenant.
ME CHATEL Je connais bien la région.
M. MARTIN Est-ce que vous aimez pêcher ?
ME CHATEL Oui, mais en général je ne prends pas beaucoup de poisson.
M. MARTIN J'en ai pris six samedi dernier.
ME CHATEL Ce n'est pas mal du tout.
M. MARTIN Non, et je me suis bien amusé. Voulez-vous venir dimanche ?
ME CHATEL Avec plaisir.

■ QUESTIONS ON THE DIALOGUE

Est-ce que Philippe a joué au football ?
Pourquoi l'ami de Philippe peut-il aider Paul ?
Pourquoi Philippe fait-il peu de sport ?
Où a-t-il fait du ski ?
Quand y est-il allé ?
Y est-il allé seul ?
Y sont-ils restés longtemps ?
Est-ce qu'ils ont eu des ennuis ?

■ ORAL COMPOSITION

Je fais *beaucoup de sport.*
Je joue *au tennis ;* je fais aussi partie d'*une équipe de volley-ball.*
J'apprends à *nager.*
Samedi, *je vais jouer au volley-ball avec des amis.*

---

[1] **Me** is the abbreviation for **Maître.**

■ QUESTIONNAIRE

Faites-vous du sport ?
A quel sport jouez-vous ?
Faites-vous partie d'une équipe ?
Apprenez-vous un autre sport ?
Allez-vous faire du sport samedi ?

READING

La Lycéenne

Jacqueline a presque dix-huit ans. Elle est blonde ; elle a de beaux yeux et un mauvais caractère.° Elle amuse beaucoup Paul, qui n'a pas de sœur ; il s'intéresse à ce qu'elle fait, et surtout° à ses études.°

temper
particularly
studies

Jacqueline veut devenir° professeur de mathématiques. En juin, elle doit passer les examens° de la deuxième partie du bachot,[1] et, si elle est reçue,° elle pourra° entrer à la Sorbonne et préparer une Licence ès Sciences.°

become
passer... to take the exams
passes; will be able to
Licence... a university degree roughly equivalent to a U. S. Master of Science

Jacqueline va au Lycée de Jeunes Filles depuis l'âge de onze ans. Après deux ans d'études générales, elle a choisi° entre les trois catégories possibles — littéraire, scientifique ou pratique. Elle a choisi, bien entendu, la catégorie scientifique ; son amie Gisèle, qui a un an de plus qu'elle, et qui prépare en ce moment une Licence ès Lettres, avait choisi la catégorie littéraire. Gisèle avait commencé ses études au Lycée de Bordeaux, mais elle a passé dans un Lycée de Paris sans difficulté, car les programmes, établis par le Ministère° de l'Education Nationale, sont les mêmes pour tous les lycées de France.

chose
ministry

Jacqueline aime la danse et les sports, mais elle n'a pas beaucoup de temps pour ces distractions° car la dernière année de Lycée est difficile. Elle travaille bien ; mais son frère lui dit que quarante pour cent des candidats ne sont pas reçus, et Jacqueline n'a pas envie de se trouver parmi ceux-ci.° Elle aura° le temps de s'amuser pendant les vacances — si elle est reçue.

amusements
those; will have

---

[1] Officially **le baccalauréat,** a diploma, earned by examination, which permits entry into the French universities; the **bachot** is customarily equivalent to two years of U.S. college.

UNIT **11**

DIALOGUE

L'Arrivée de Charles

Paul est à la gare Saint-Lazare (1). Il vient chercher un vieil ami de son père, Charles Guérard, qui vient en France pour la première fois.

PAUL Pardon, est-ce que le train du Havre est arrivé (2) ?
EMPLOYE Il y a trois minutes qu'il est en gare.
PAUL A quel quai ?
EMPLOYE Quai 17. Vous n'avez qu'à suivre ce porteur.

Paul a trouvé Charles parmi les voyageurs ; il l'aide à s'occuper de ses affaires.

PAUL On a descendu toutes vos valises ?
CHARLES Voyons, j'en avais six ; qu'est-ce qu'elles sont devenues ?
PAUL Un des porteurs les a sans doute prises.
CHARLES Oui, les voilà ; il les a mises sur son chariot.
PAUL Vous n'oubliez rien dans le train ? Vous n'aviez rien d'autre ?
CHARLES Non, c'est tout ; heureusement, car cet imbécile de douanier m'a tout fait ouvrir.

Ils se dirigent vers la sortie.

PAUL Vous avez fait bon voyage, j'espère ?
CHARLES Affreux. J'étais assis près d'une vieille femme insupportable.
PAUL Comment cela, insupportable ?
CHARLES Elle voulait m'empêcher de fumer ; elle a fait exprès de tousser sans arrêt.
PAUL La Normandie est belle, n'est-ce-pas (3) ?
CHARLES Les paysages ne m'intéressent jamais. Mon cher petit, j'ai horreur de voyager.

◀ **Gare Saint-Lazare.**

la ri ved ʃarl↘

Charles' Arrival

pɔl ɛ ta la gar sɛ̃ la zar↘ il vjɛ̃ ʃɛr ʃe œ̃ vje ja mid sõ pɛr↗ ʃarl ge rar↗ ki vjɛ̃ tã frãs pur la prəm jɛr fwa↘

Paul is at the Saint-Lazare Station. He has come to pick up an old friend of his father, Charles Guérard, who is coming to France for the first time.

par dõ↘ ɛs kə lə trɛ̃ dy av rɛ ta ri ve↗

PAUL Excuse me. Has the train from Le Havre come in?

il i a trwa mi nyt ki lɛ tã gar↘

EMPLOYEE It got in three minutes ago.

a kɛl kɛ→

PAUL Which track?

kɛ dis sɛt↘ vu na ve ka sɥiv sə pɔr tœr↘

EMPLOYEE Track 17. Just follow that porter.

pɔ la tru ve ʃarl par mi lɛ vwa ja ʒœr↘ il lɛd a sɔ ky ped sɛ za fɛr↘

Paul has found Charles among the travelers; he helps him to take care of his belongings.

o na de sã dy tut vo va liz↗

PAUL Have they brought down all your suitcases?

vwa jõ↘ ʒã na vɛ sis↘ kɛs kɛl sõ dəv ny↗

CHARLES Let's see, I had six; what happened to them?

œ̃ dɛ pɔr tœr lɛ za sã dut priz↘

PAUL One of the porters has probably taken them.

wi lɛ vwa la↘ il lɛ za miz syr sõ ʃar jo↘

CHARLES Yes, there they are; he's put them on his cart.

vu nu bli je rjɛ̃ dãl trɛ̃↗ vu na vje rjɛ̃ dotr↗

PAUL You're not forgetting anything in the train? You didn't have anything else?

nõ sɛ tu↗ ø røz mã kar sɛ tɛ̃ be sil də dwa nje ma tu fɛ tuv rir↘

CHARLES No, that's everything. Fortunately, because that stupid customs man made me open everything.

il sə di riʒ ver la sɔr ti↘

They walk toward the exit.

vu za ve fɛ bõ vwa jaʒ ʒɛ sper↘

PAUL You had a good trip, I hope.

a frø↘ ʒɛ tɛ za si prɛ dyn vjɛj fa mɛ̃ sy pɔr tabl↘

CHARLES Horrible. I was sitting near an unbearable old woman.

kɔ mã sla ɛ̃ sy pɔr tabl→

PAUL Unbearable? How so?

ɛl vu lɛ mã pɛ ʃed fy me↘ ɛ la fɛ tɛks prɛ də tu se sã za rɛ↘

CHARLES She wanted to prevent me from smoking; she purposely kept coughing incessantly.

la nɔr mã di e bɛl nɛs pa↗

PAUL Normandy is beautiful, isn't it?

lɛ pɛj zaʒ nə mɛ̃ te rɛs ʒa mɛ↘ mõ ʃɛr pə ti↗ ʒe ɔ rœr də vwa ja ʒe↘

CHARLES Scenery never interests me. My dear boy, I hate traveling.

SUPPLEMENTARY VOCABULARY

Les Voyages en chemin de fer

Railroad Travel

Je pars pour la France.
Nous partons pour Bordeaux (4).
Ils partent pour trois mois.

I'm leaving for France.
We're leaving for Bordeaux.
They're leaving for three months.

Donnez-moi un billet de seconde.
Donnez-moi un aller et retour.

Give me a second-class ticket.
Give me a round-trip ticket.

Nous avons loué des couchettes.
Nous avons loué deux coins.

We've taken berths.
We've taken two corner seats.

Je veux faire enregistrer cette malle.
Je veux faire assurer cette malle.
Je veux faire livrer cette malle.

I want to have this trunk checked through.
I want to have this trunk insured.
I want to have this trunk delivered.

Le train arrive à 13h.50 (5).
Le train part à 20h.45.

The train arrives at 1:50 P.M.
The train leaves at 8:45 P.M.

Il a perdu son bulletin.
Il a perdu son argent.
Il a perdu quelque chose.

He has lost his baggage check.
He has lost his money.
He has lost something.

Pouvons-nous changer de place ?
Pouvons-nous changer de compartiment ?

Can we change our seats?
Can we change compartments?

Ce train est rapide ; il met cinq heures pour aller à Bordeaux.
Ce train est lent ; il met sept heures pour y aller.

That train is fast; it takes five hours to get to Bordeaux.
That train is slow; it takes seven hours to get there.

Pourquoi votre serviette est-elle si lourde ?
Pourquoi votre serviette est-elle si légère ?
Pourquoi votre serviette est-elle fermée à clef ?

Why is your briefcase so heavy?
Why is your briefcase so light?
Why is your briefcase locked?

DIALOGUE NOTES

(1) **La gare Saint-Lazare,** situated north of the **place Vendôme,** serves as a terminus for trains coming from northwestern France and for commuter trains in the Paris region.

(2) **Le Havre,** which is 228 kilometers (140 miles) northwest of Paris, is the largest passenger port serving France and North America.

Note the combination **du Havre ; Le Havre** is one of the few city names in French which include a $\sqrt{\textbf{le}}$ noun marker. Other city names with $\sqrt{\textbf{le}}$ noun markers are: **Le Mans, Le Caire** (*Cairo*), **La Haye** (*The Hague*), and **La Nouvelle Orléans** (*New Orleans*).

(3) Normandy was a province from the ninth to the eighteenth centuries. After the French Revolution, Normandy was divided into five **départements.** Frenchmen of today, however, still often refer to the **provinces** rather than to the **départements.** The **provinces** are cultural geographic units; the **départements** are political geographic divisions.

(4) **Bordeaux** is an active port city of southwestern France 578 kilometers (362 miles) from Paris.

(5) Railroad times are expressed in a 24-hour system. The hours from 1 P.M. to midnight are spoken and written as **treize heures, quatorze heures,** etc., up to **vingt-quatre heures.** In the 24-hour system any minutes are enumerated as numbers and not as fractions.

Vocabulary Drills

1. Paul vient chercher un ami.
   Paul vient chercher *des valises.*
   Paul va chercher des valises.
   Paul va chercher *la malle.*
   Nous venons chercher la malle.
   Nous venons chercher *un ami.*
   Nous allons chercher un ami.
   Nous allons chercher *quelqu'un.*
   Paul vient chercher quelqu'un.
   Paul vient chercher *un ami.*

2. Il vient en Europe pour la première fois.
   Il vient en Europe *pour la sixième fois.*
   Je vous le dit pour la sixième fois.
   Je vous le dit *pour la centième fois.*
   Nous allons essayer pour la centième fois.
   Nous allons essayer *pour la dernière fois.*
   Il fume pour la dernière fois.
   Il fume *pour la première fois.*
   Il vient en Europe pour la première fois.

3. Il y a trois minutes qu'il est en gare.
   Il y a trois minutes *qu'ils sont partis.*
   Il y a une heure qu'ils sont partis.
   Il y a une heure *que je tousse.*
   Il y a longtemps que je tousse.
   Il y a longtemps *que nous sommes là.*
   Il y a peu de temps que nous sommes là.
   Il y a peu de temps *qu'il est en gare.*
   Il y a trois minutes qu'il est en gare.

4. Vous n'avez qu'à suivre ce porteur.
   Vous n'avez qu'à *regarder l'horloge.*
   Ils n'ont qu'à regarder l'horloge.
   Ils n'ont qu'à *y aller.*
   Nous n'avons qu'à y aller.
   Nous n'avons qu'à *attendre.*
   Elle n'a qu'à attendre.
   Elle n'a qu'à *changer de place.*
   Je n'ai qu'à changer de place.
   Je n'ai qu'à *suivre ce porteur.*
   Vous n'avez qu'à suivre ce porteur.

5. Il l'aide à descendre.
   Il l'aide à *monter.*
   Il commence à monter.
   Il commence à *marcher.*
   Je l'aide à marcher.
   Je l'aide à *travailler.*
   Je commence à travailler.
   Je commence à *descendre.*
   Il l'aide à descendre.

6. Je m'occupe de mes affaires.
   Je m'occupe de *votre argent.*
   Nous nous occupons de votre argent.
   Nous nous occupons de *ses bagages.*
   On s'occupe de ses bagages.
   On s'occupe de *vous.*
   Je m'occupe de vous.
   Je m'occupe de *mes affaires.*

7. Un des porteurs a pris la valise.
   Un des porteurs *descend les bagages.*
   Un de mes amis descend les bagages.
   Un de mes amis *vient me chercher.*
   Une de mes amies vient me chercher.
   Une de mes amies *va m'aider.*
   Un des employés va m'aider.
   Un des employés *a pris la valise.*
   Un des porteurs a pris la valise.

8. Vous n'oubliez rien.
   Vous n'avez rien.
   Je n'ai rien.
   Il ne fait rien.
   Vous n'entendez rien.
   Nous ne savons rien.
   Ils ne disent rien.
   Vous n'oubliez rien.

9. Vous n'avez rien d'autre ?
   Vous n'avez rien *de plus grand ?*
   Ils n'ont rien de plus grand ?
   Ils n'ont rien *de moins cher ?*
   On ne trouve rien de moins cher ?
   On ne trouve rien *de meilleur ?*
   Il ne veut rien de meilleur ?
   Il ne veut rien *d'autre ?*
   Vous n'avez rien d'autre ?

10. Les douaniers m'ont tout fait ouvrir.
    Les douaniers m'ont *tout fait montrer.*
    On lui a tout fait montrer.
    On lui a *tout fait livrer.*
    Je vous ai tout fait livrer.
    Je vous ai *tout fait voir.*
    Ils m'ont tout fait voir.
    Ils m'ont *tout fait ouvrir.*
    Les douaniers m'ont tout fait ouvrir.

11. Ma voisine m'empêche de fumer.
Ma voisine m'empêche *de voir le paysage.*
Cette femme m'empêche de voir le paysage.
Cette femme m'empêche *de suivre le porteur.*
L'employé m'empêche de suivre le porteur.
L'employé m'empêche *d'aller sur le quai.*
Mon père m'empêche d'aller sur le quai.
Mon père m'empêche *de fumer.*
Ma voisine m'empêche de fumer.

12. Elle a toussé sans arrêt.
Il a travaillé sans arrêt.
Vous parlez sans arrêt.
Je fume sans arrêt.
Elle sourit sans arrêt.
Elle a toussé sans arrêt.

13. J'ai horreur de voyager.
J'ai horreur *des voyages.*
Il a horreur des voyages.
Il a horreur *des paysages.*
Nous avons horreur des paysages.
Nous avons horreur *des trains.*
Ils ont horreur des trains.
Ils ont horreur *de voyager.*
J'ai horreur de voyager.

41 Verbs like *partir*

EXAMPLES
Nous **partons** pour Bordeaux.
Ils **partent** pour trois mois.
Je **pars** pour la France.
Gisèle **sort** de la salle de lecture.
On ne **sert** pas de sandwichs, Paul.

Presentation Drills

■ SIMPLE SUBSTITUTION DRILLS

1. *Nous partons* dans deux jours.
(Vous partez, Charles part, Mes amis partent, Je pars, Ma mère part, Tu pars, Nous partons)

2. *Sortez-vous* souvent ?
(Sortons-nous, Sort-il, Sortent-ils, Sort-on, Sors-tu, Sortent-elles, Sort-elle, Sortez-vous)

■ PROGRESSIVE SUBSTITUTION DRILLS

1. Nous ne partons pas en octobre.
Nous ne partons pas *pour longtemps.*
Je ne pars pas pour longtemps.
Je ne pars pas *en juillet.*
Il ne part pas en juillet.
Il ne part pas *pour un mois.*
Vous ne partez pas pour un mois.
Vous ne partez pas *en janvier.*
Nous ne partons pas en janvier.
Nous ne partons pas *en mai.*
Ils ne partent pas en mai.
Ils ne partent pas *en octobre.*
Nous ne partons pas en octobre.

2. Je ne suis pas parti.
Je ne suis pas *sorti.*
Il n'est jamais sorti.
Il n'est jamais *parti.*
Nous ne sommes pas partis.
Nous ne sommes pas *sortis.*
Tu n'es jamais sorti.
Tu n'es jamais *parti.*
Ils ne sont pas partis.
Ils ne sont pas *sortis.*
Vous n'êtes jamais sortis.
Vous n'êtes jamais *partis.*
Je ne suis pas parti.

Discussion

	partir		**partir** *to leave*
nu	part	õ^z	nous partons
vu	part	e^z	vous partez
il	part	t	ils partent
ʒə	par	=	je pars
ty	par	=	tu pars
il	par	=	il part
Past Participle: parti			(être) parti

The verb **partir** has two present tense stems, the plural stem having / -t- /. Other verbs that pattern like **partir** include:

(être) sortir	to go out
(avoir) mentir	to lie
(avoir) sentir	to feel, to smell

The verb **servir** has / -v- / in the plural present tense stem:

	sɛrvir		**servir** *to serve*
nu	sɛrv	õ^z	nous servons
vu	sɛrv	e^z	vous servez
il	sɛrv	t	ils servant
ʒə	sɛr	=	je sers
ty	sɛr	=	tu sers
il	sɛr	=	il sert
Past Participle: servi			(avoir) servi

The verb **dormir** has / -m- / in the plural present tense stem:

	dɔrmir		**dormir** *to sleep*
nu	dɔrm	õ^z	nous dormons
vu	dɔrm	e^z	vous dormez
il	dɔrm	t	ils dorment
ʒə	dɔr	=	je dors
ty	dɔr	=	tu dors
il	dɔr	=	il dort
Past Participle: dɔrmi			(avoir) dormi

Verification Drills

■ SIMPLE CORRELATION DRILLS

1. *Tu* pars dans une demi-heure.
   (Le train, Je, Nous, Ces jeunes gens, Vous, Tu)
2. *Tu* sors de la salle d'attente.
   (Charles, Les deux amis, Je, Nous, Vous, Les deux vieilles femmes, Tu)
3. A quelle heure es-*tu* parti ?
   (le train, ses amis, je, nous, les douaniers, vous, tu)
4. As-*tu* bien dormi ?
   (vous, vos parents, votre mère, tu)

■ QUESTION DRILL

Sortez-vous ce soir ?
  Non, je ne sors pas ce soir.
Sortons-nous de la classe à sept heures ?
Partez-vous bientôt ?
Est-ce que ces jeunes gens partent ensemble ?
Sort-il le dimanche ?
Ses parents sortent-ils le soir ?
Partent-ils pour les Etats-Unis ?
Dorment-ils bien ?

■ CONTEXTUAL TRANSFORMATION DRILL

Je sors cet après-midi.
  Je suis sorti cet après-midi.
Je sors seul.
Je pars en auto.
Mes frères ne sortent pas avec moi.
Ils partent avant moi.
Michel part le premier.
Les autres partent plus tard.
Vous partez avec Michel.
Nous ne sortons jamais ensemble, n'est-ce pas ?

42 Infinitive verb phrases

EXAMPLES

Je **vais demander** à Gisèle.
Le douanier m'**a** tout **fait ouvrir.**
Pouvez-vous **rester** avec nous ?
Il **doit connaitre** ceux du quartier.
Il **vient chercher** un ami de son père.
Savez-vous **conduire ?**

Presentation Drills

■ SIMPLE SUBSTITUTION DRILLS

1. *Elle va* sortir de la salle.
   (Elle peut, Elle veut, Elle doit, Il faut, Elle va)
2. *Je vais* prendre la même chose.
   (Je veux, Je peux, Il faut, Je dois, Je viens, Je fais, Je vais)
3. *Ils n'ont pas dû* travailler.
   (Nous n'avons pas voulu, Vous n'avez pas pu, Je n'ai pas dû, Ils ne sont pas venus, Il n'a pas fallu, Ils n'ont pas dû)

Discussion

All sequences of two verb forms pattern into two types:

(1) Past participle verb phrases:

(a)	√**avoir**	plus	past participle	(Section 34)
(b)	√**être**	plus	past participle	(Section 40)

(2) Infinitive verb phrases:

verb other than √**avoir** or √**être**	plus	infinitive

The infinitive verb phrase pattern includes several high-frequency verbs:

aller plus infinitive	*future time*
Allons nous asseoir quelque part.	Let's go sit down somewhere.
Parce qu'il va pleuvoir bientôt.	Because it's going to rain soon.
Je vais demander à Gisèle.	I'm going to ask Gisèle.
faire plus infinitive	*have something done*
Nous faisons envoyer ce paquet.	We're having that package mailed.
Je fais réparer ma montre.	I'm having my watch fixed.
Il fait faire un complet.	He's having a suit made.
pouvoir plus infinitive	*can, may*
Nous pouvons faire un tour.	We can go for a walk.
Il peut appeler le porteur.	He can call the porter.
Puis-je t'accompagner?	May I go along with you?
devoir plus infinitive	*must*
Vous devez être fatigué.	You must be tired.
Il doit connaître ceux du quartier.	He has to know the ones in the quarter.
Je dois faire réparer ma montre.	I've got to have my watch repaired.
vouloir plus infinitive	*want to*
Voulez-vous l'essayer?	Do you want to try it?
Elle veut travailler avec nous.	She wants to work with us.
Je veux voir Paris.	I want to see Paris.
venir plus infinitive	*come to*
Nous venons chercher un ami.	We're coming to pick up a friend.
Charles vient passer ses vacances en Europe.	Charles is coming to spend his vacation in Europe.
Je viens passer la soirée.	I'm coming to spend the evening.
savoir plus infinitive	*know how to*
Savez-vous nager?	Do you know how to swim?
Ils savent conduire.	They know how to drive.
Il sait jouer au tennis.	He knows how to play tennis.
laisser plus infinitive	*let something be done*
Laissons votre ami choisir.	Let's let your friend choose.
Ils me laissent travailler.	They're letting me work.
Gisèle vous laisse sortir tout seul?	Gisele's letting you go out all alone?

falloir plus infinitive — *be necessary to*

Combien de tickets faut-il donner ?	How many tickets do you have to give?
Il faut suivre le porteur.	You have to follow the porter.

If there is a third verb, it too is an infinitive:

Je dois faire réparer ma montre.	I have to have my watch fixed.
Je voudrais faire assurer cette malle.	I would like to have this trunk insured.
J'aimerais bien aller déjeuner.	I would like to go have lunch.

Verification Drills

■ QUESTION DRILL

Qu'allez-vous faire ?
Je vais travailler.
Que voulez-vous faire ?
Que peut-il faire ?
Que doivent-ils faire ?
Que faut-il faire ?
Que puis-je faire ?
Que vient-elle faire ?
Que viennent-elles faire ?

■ TRANSFORMATION DRILLS

1. Je répare ma montre.
   Je fais réparer ma montre.
   Je demande le prix.
   Nous faisons du café.
   Il visite le musée.
   Vous fermez la porte.
   Ils achètent des médicaments.
2. Il ne m'empêche pas de fumer.
   Il me laisse fumer.
   Nous ne l'empêchons pas de partir.
   Je ne vous empêche pas de descendre.
   Vous ne m'empêchez pas de prendre les billets.
   Vos parents ne vous empêchent pas de voyager.
3. On prend les bagages.
   Il faut prendre les bagages.
   On ne fume pas.
   Ouvre-t-on toutes les valises ?
   On change de place.
   Fait-on assurer la malle ?
   Obéit-on au douanier ?
   On l'aide.

43 Object pronouns in infinitive verb phrases

EXAMPLES

Allons **nous** asseoir quelque part.
Voulez-vous aller **le** voir ?
J'ai un ami qui peut **t**'aider.
Nous pouvons **y** aller demain, peut-être.

Presentation Drills

■ SIMPLE SUBSTITUTION DRILLS

1. Elle est venue *me le* montrer.
   (nous les, me la, vous en, te les, leur en, les leur, nous en, vous la, m'en, lui en, la lui, me le)

2. Voulez-vous *nous en* apporter ?
   (me les, leur en, les lui, le lui, nous la, le leur, lui en, me la, la leur, nous en)

3. *Il doit* y aller.
   Il veut, Il faut, Il peut, Il sait, Il va, Il doit)

Discussion

There are two positions for object pronouns in infinitive verb phrases:

(1) Object pronouns occur before **faire** and **laisser** when one of them is the first verb:

Je fais réparer ma montre.	**Je la fais réparer.**
Il fait envoyer le paquet.	**Il le fait envoyer.**
Nous laissons travailler Jacqueline.	**Nous la laissons travailler.**

(2) With all the other first verbs, the object pronouns occur before the infinitive:

Elle va voir Paul.	**Elle va le voir.**
Nous voulons parler à Michel.	**Nous voulons lui parler.**
Puis-je accompagner la classe ?	**Puis-je l'accompagner ?**

Verification Drills

■ TRANSFORMATION DRILLS

1. Vous faites faire vos vêtements.
   Vous les faites faire.
   Je fais venir mon ami.
   Je laisse partir mon ami à six heures.
   Ils font ouvrir les valises.
   Nous faisons réparer l'auto.
   Il laisse les jeunes gens attendre.

2. Je vais acheter cette maison.
   Je vais l'acheter.
   Nous voulons acheter des chaussures.
   Vous devez faire vos courses.
   Je dois aller à Paris.
   Elle veut trouver l'arrêt de l'autobus.
   Ils aiment marcher sur les quais.
   Elle va chercher ses parents.
   Il semble aimer cette région.

3. Nous allons donner ces livres à nos amis.
   Nous allons les leur donner.
   Je voudrais montrer ce quartier à Michel.
   Ils doivent nous apporter leurs cartes.
   Je veux donner de l'argent à votre frère.
   Il faut montrer vos affaires aux douaniers.
   Il vient nous montrer sa moto.
   Vous allez donnez ces renseignements à l'employé.
   Je fais donner la serviette à la jeune fille.

■ CONTEXTUAL QUESTION DRILL

Allez-vous voir vos parents ?
Oui, je vais les voir.
Devez-vous accompagner vos parents à la gare ?
Voulez-vous donner cette serviette à votre mère ?
Allez-vous leur parler de votre accident ?
Pouvez-vous leur demander leur voiture ?
Vont-ils vous prêter leur voiture ?

44 Quantity constructions with *en*

EXAMPLES

Il y **en** a **un** là-bas.
J'**en** avais **six.**
Oui, j'**en** vois **une.**
Oui, j'**en** ai fait **un peu** autrefois.

Presentation Drills

■ SIMPLE SUBSTITUTION DRILL

Il y en a *un.*
(beaucoup, trois, peu, cinq, plusieurs, assez, trop, pas mal, moins, autant, tant, un)

■ PROGRESSIVE SUBSTITUTION DRILL

J'ai un frère, il en a quatre.
J'ai un frère, *il en a plusieurs.*
J'ai un cours, il en a plusieurs.
J'ai un cours, *il en a trois.*
J'ai un ami, il en a trois.
J'ai un ami, *il en a beaucoup.*
J'ai un peu d'argent, il en a beaucoup.
J'ai un peu d'argent, *il en a autant.*
J'ai plusieurs valises, il en a autant.
J'ai plusieurs valises, *il en a quatre.*
J'ai un frère, il en a quatre.

Discussion

The quantity constructions listed in Section 22 are all followed by nouns. If they occur without a noun following, the verb is preceded by **en:**[1]

Il a beaucoup d'idées.	**Il en a beaucoup.**
Ils achètent peu de sel.	**Ils en achètent peu.**
Nous avons trop de travail.	**Nous en avons trop.**

This pattern occurs also with the $\sqrt{\textbf{un}}$, $\sqrt{\textbf{3}}$, and $\sqrt{\textbf{plusieurs}}$ noun markers. Compare:

$\sqrt{\textbf{le}}$	**J'ai le livre.**	**Je l'ai.**
$\sqrt{\textbf{ce}}$	**J'ai ce livre.**	
$\sqrt{\textbf{mon}}$	**J'ai mon livre.**	
$\sqrt{\textbf{un}}$	**J'ai un livre.**	**J'en ai un.**
$\sqrt{\textbf{3}}$	**J'ai trois livres.**	**J'en ai trois.**
$\sqrt{\textbf{plusieurs}}$	**J'ai plusieurs livres.**	**J'en ai plusieurs.**

But note (as explained in Section 35):

J'ai des livres. **J'en ai.**

---

[1] Except, of course, in the affirmative imperative, where the verb is followed by **en** (Section 35):

Donnez-en plusieurs.	Give several of them.
Ouvrez-en trois.	Open three of them.
Demandez-en six.	Ask for six of them.

Verification Drills

■ CONTEXTUAL TRANSFORMATION DRILLS

1. Nous avons trois valises.
   Nous en avons trois.
   Voulez-vous ouvrir une valise ?
   Je peux ouvrir deux valises, si vous voulez.
   Non, ouvrez une valise.
   Est-ce que vous avez beaucoup de vin ?
   Est-ce que vous avez trois bouteilles ?
   J'ai davantage de bouteilles.
   J'ai vingt bouteilles.
   Vous avez trop de bouteilles.
   Mais je ne trouve que six bouteilles dans cette valise.
   Il y a quatorze bouteilles dans l'autre.

2. Il y a tant de monde dans cette gare !
   Il y en a tant dans cette gare !
   Il y a vingt-cinq quais dans cette gare.
   Il n'y a pas assez d'employés.
   Il faut deux employés à chaque sortie.
   Mais je ne vois qu'un employé.
   Il y a beaucoup trop de monde.
   Je n'ai jamais vu autant de monde.

■ CONVERSATION EXERCISES

1.

ME CHATEL Quelles sont les heures des trains pour Bordeaux, s'il vous plaît ?
EMPLOYE Il y en a un le matin, à 7h.46, et un autre le soir, à 18h.31.
ME CHATEL Quel est le meilleur ?
EMPLOYE Le train du soir est le plus rapide.
ME CHATEL Est-ce qu'il y a un wagon-restaurant ?
EMPLOYE Oh oui ; il y en a toujours un, Monsieur, sur les grandes lignes.
ME CHATEL Vous dites qu'il part à 18h.46 ?
EMPLOYE 18h.31.
ME CHATEL Est-ce qu'il faut louer ?
EMPLOYE Ça dépend, Monsieur. Si vous voulez une couchette, oui, il vaudrait mieux la louer.
ME CHATEL Merci beaucoup.
EMPLOYE A votre service, Monsieur.

2.

M. MARTIN Pierre, comment allez-vous ? Comme je suis content de vous voir !
ME CHATEL Moi aussi. Vous allez bien ? Tout le monde va bien ?
M. MARTIN Ça va, merci. Vous avez fait bon voyage ?
ME CHATEL Très bon. Nous sommes partis en retard, mais je vois que nous arrivons à l'heure.
M. MARTIN Où sont vos bagages ?
ME CHATEL Je n'ai que cette valise.
M. MARTIN Elle semble lourde. Faites la prendre par un porteur.
ME CHATEL Oh non, je peux très bien la porter.
M. MARTIN Comme vous voulez. Nous allons avoir à marcher ; je suis garé assez loin de la gare.
ME CHATEL Vous avez toujours la même voiture ?
M. MARTIN Non, j'en ai acheté une plus grande ; nous avons deux enfants de plus, vous savez.
ME CHATEL Vous en avez cinq maintenant ?
M. MARTIN Oui. Et vous ?
ME CHATEL Moi, je n'en ai que deux.

La Circulation parisienne

Maître Chatel laisse rarement Philippe prendre sa voiture; d'abord, il en a presque toujours besoin° lui-même. De plus,° il trouve qu'une automobile est un luxe ridicule pour un étudiant. Sur ce sujet comme sur quelques autres, Philippe n'est pas tout à fait° d'accord avec son père. Il a longtemps fait des économies° dans l'espoir d'acheter une voiture d'occasion;° mais elles sont vraiment trop chères pour lui, et il a fini° par se contenter d'une moto.

need; **De...** moreover
tout... entirely; **fait...** saved his money; secondhand
a fini... ended up by

Paul a été très heureux de voir son ami réaliser un vieux rêve.° Mais il commence à être moins heureux, maintenant, car Philippe insiste pour l'emmener en excursion hors de° Paris. Il conduit vite, mais bien. Paul aime la vitesse, mais il n'est pas à l'aise dans la circulation° parisienne. Il n'a pas l'habitude des motos, des rues étroites, des cyclistes; surtout, il ne s'habitue pas à la règle° française qui donne, dans les croisements,° la priorité à toute voiture arrivant de la droite. Il lui arrive quelquefois de fermer les yeux.

réaliser... to make a dream come true
hors... outside
traffic
rule; crossings

Paul refuse toujours de se servir seul de° la moto de son ami. D'ailleurs, il n'a pas de permis de conduire.° Mais il a accepté une fois de prendre le volant° de la Renault de Maître Chatel. Tout s'est très bien passé. Une seule fois, dans Paris, il a oublié qu'il était interdit de klaxonner° dans la ville. Aucun agent, heureusement, n'était dans les environs pour l'entendre. Seul un chauffeur de taxi lui a fait quelques remarques qu'il n'a pas comprises. Maître Chatel et Philippe ont beaucoup ri,° mais n'ont pas voulu traduire.°

se servir de to use
permis... driver's license
wheel
to honk
laughed
to translate

GRAND HOTEL
AMERICAN EXPRESS
CADOT

UNIT 12

DIALOGUE

Charles s'installe

Le taxi que Paul et Charles ont pris à la gare les dépose devant un hôtel du quartier de l'Opéra. Ils entrent et se dirigent vers la réception.

PAUL J'ai retenu une chambre au nom de M. Guérard.
EMPLOYE En effet, Monsieur ; c'est le 63. On va vous y conduire tout de suite.
CHARLES Qu'est-ce que c'est que ça ?
EMPLOYE C'est votre fiche, Monsieur (1). Veuillez la remplir et signer ici.

Au 63. Le chasseur pose les valises par terre tandis que Charles examine la chambre.

PAUL Eh bien, est-ce que ça vous plaît ?
CHARLES Les fenêtres donnent sur la rue ; je vais sûrement mal dormir.
PAUL Oh, je suis désolé ; attendez, ils ont sans doute autre chose.
CHASSEUR Il y a une chambre de libre au-dessus, je le sais. Elle donne sur la cour (2).
PAUL Voulez-vous la voir ?
CHARLES Non, je reste ici, tant pis. Mais mettez une couverture de plus ; je suis sûr que le chauffage est insuffisant.
CHASSEUR La femme de chambre va en apporter une immédiatement.

Il sort.

CHARLES C'est votre père qui m'a recommandé cet hôtel.
PAUL Il est excellent, vous verrez; mes parents y descendent toujours.
CHARLES Vos parents sont toujours contents ; pas moi.

◀ **Place de l'Opéra.**

ʃarl sɛ̃ stal↘

lə tak si kə pɔl e ʃarl õ pri a la gar lɛ de poz də vã œ̃ no tɛl dy kar tjed lɔ pe ra↘ il zãtr↗ e sə di riʒ vɛr la re sɛp sjõ↘

ʒer tə ny yn ʃã bro nõ də mə sjø ge rar↘

ã nɛ fɛ mə sjø↘ sɛl swa sãt trwa↘ õ va vu zi kõ dɥir tut sɥit↘

kɛs kə sɛk sa→

sɛ vɔ trə fiʃ mə sjø↘ vø je la rã plir e si ɲe i si↘

o swa sãt trwa↘ lə ʃa sœr poz lɛ va liz par tɛr tã di kə ʃarl ɛg za min la ʃãb↘

ɛ bjɛ̃→ ɛs kə sa vu plɛ↗

lɛf nɛ trə dɔn syr la ry↘ ʒə vɛ syr mã mal dɔr mir↘

o→ ʒə sɥi de zɔ le↘ a tã de↘ il zõ sã dut o trə ʃoz↘

i li a yn ʃã brə də li brod sy ʒəl sɛ↘ ɛl dɔn syr la kur↘

vu le vu la vwar↗

nõ ʒə rɛs ti si tã pi↘ mɛ→ mɛ te yn ku vɛr tyr də plys↘ ʒə sɥi syr kəl ʃo faʒ ɛ tɛ̃ sy fi zã↘

la fam də ʃã brə va ã na pɔr te yn i med jat mã↘

il sɔr↘

sɛ vɔ trə pɛr ki mar kɔ mã de sɛ to tɛl↘

i lɛ tɛk sɛ lã vu vɛ re↘ mɛ pa rã i dɛ sãd tu ʒur↘

vo pa rã sõ tu ʒur kõ tã↘ pa mwa↘

Charles Gets Settled

The taxi which Paul and Charles took at the station drops them off in front of a hotel in the Opera quarter. They enter and make their way toward the desk.

PAUL I've reserved a room in the name of Mr. Guérard.

CLERK Yes, indeed, sir; it's number 63. We'll take you up there right away.

CHARLES What's that?

CLERK It's your registration form, sir. Please fill it out and sign here.

In room 63. The porter puts the bags down while Charles inspects the room.

PAUL Well, does this please you?

CHARLES The windows look out onto the street; I'll certainly sleep poorly.

PAUL Oh, I'm very sorry. Wait, they probably have something else.

PORTER There's a room free upstairs, I know. It's on the courtyard.

PAUL Do you want to see it?

CHARLES No, I'll stay here, never mind. But put on one more blanket; I'm sure the heating is inadequate.

PORTER The chambermaid will bring one in immediately.

He goes out.

CHARLES It's your father who recommended this hotel to me.

PAUL It's excellent, you'll see. My parents always stop here.

CHARLES Your parents are always satisfied; I'm not.

SUPPLEMENTARY VOCABULARY

A l'hôtel	*At the Hotel*
Je voudrais une chambre à deux lits.	I'd like a room with twin beds.
Je voudrais une chambre avec pension (3).	I'd like room and board.
Je voudrais un petit déjeuner pour une personne.	I'd like breakfast for one.

La lampe ne marche pas.
L'ascenseur ne marche pas.

The light doesn't work.
The elevator doesn't work.

Allumez en sortant, s'il vous plaît.
Eteignez en sortant, s'il vous plaît.

Turn on the lights as you leave, please.
Turn off the lights as you leave, please.

Cette chaise est cassée.
Cette serviette est mouillée (4).
Ce costume est froissé.

This chair is broken.
This towel is wet.
This suit is wrinkled.

Vous pouvez enlever une couverture.
Vous pouvez ranger la chambre.
Vous pouvez nettoyer la salle de bain.

You can take off one blanket.
You can straighten up the room.
You can clean the bathroom.

Le chasseur est parti avec deux valises ; il revient avec deux autres.
Il a monté l'escalier ; il le remonte.
Charles lui a demandé le numéro de la chambre ; il le lui redemande.

The porter left with two suitcases; he's coming back with two others.
He went up the stairs; he's going up again.
Charles asked him for the number of the room; he's asking him for it again.

DIALOGUE NOTES

(1) French law requires hotel guests to fill out information blanks.

(2) Many Paris residential buildings are constructed around a central interior courtyard.

(3) **Une pension** is a sum of money which is paid for board and/or room. By extension, it also refers to a place which offers lodging and meals.

(4) As has been seen, **la serviette** can refer to a napkin (Unit 4), a briefcase (Unit 11), or a towel (Unit 12).

Vocabulary Drills

1. En effet, il s'appelle Charles.
   C'est vrai, il s'appelle Charles.
   C'est vrai, *il a retenu une chambre.*
   En effet, il a retenu une chambre.
   En effet, *l'ascenseur marche.*
   C'est vrai, l'ascenseur marche.
   C'est vrai, *il fait froid.*
   En effet, il fait froid.
   En effet, *il s'appelle Charles.*

2. Ils se dirigent vers nous.
   Ils se dirigent *vers la sortie.*
   Nous nous dirigeons vers la sortie.
   Nous nous dirigeons *vers la porte.*
   Vous vous dirigez vers la porte.
   Vous vous dirigez *vers l'ascenseur.*
   Je me dirige vers l'ascenseur.
   Je me dirige *vers elle.*
   Ils se dirigent vers elle.
   Ils se dirigent *vers nous.*

3. Je vais sûrement mal dormir.
   Je vais sûrement *bien dormir.*
   Il va encore bien dormir.
   Il va encore *mal manger.*
   Nous allons sûrement mal manger.
   Nous allons sûrement *mieux manger.*
   Tu vas sûrement mieux manger.
   Tu vas sûrement *mal jouer.*
   Je vais sûrement mal jouer.
   Je vais sûrement *mal dormir.*

4. Il y a une chambre de libre.
   J'ai une chambre de libre.
   J'ai *une journée de libre.*
   Vous avez une journée de libre.
   Vous avez *une heure de libre.*
   Voilà une heure de libre.
   Voilà *une heure de perdue.*
   Encore une heure de perdue.
   Encore *une chambre de libre.*
   Il y a une chambre de libre.

5. C'est votre père qui m'a recommandé cet hôtel.
C'est un ami qui m'a recommandé cet hôtel.
C'est un ami *qui vient me chercher.*
C'est mon frère qui vient me chercher.
C'est mon frère *qui m'a donné votre adresse.*
C'est quelqu'un qui m'a donné votre adresse.
C'est quelqu'un *qui me l'a dit.*
C'est votre père qui me l'a dit.
C'est votre père *qui m'a recommandé cet hôtel.*

6. Ma chambre donne sur la rue.
Ma chambre donne *sur la cour.*
Nous avons deux fenêtres sur la cour.
Nous avons deux fenêtres *sur la Seine.*
Cette salle de bain donne sur la Seine.
Cette salle de bain donne *sur le boulevard.*
L'autre porte ouvre sur le boulevard.
L'autre porte ouvre *sur le couloir.*
Cette salle donne sur le couloir.
Cette salle donne *sur la rue.*
Ma chambre donne sur la rue.

7. Mettez une couverture de plus.
Mettez *deux serviettes de plus.*
Elle veut deux serviettes de plus.
Elle veut *quelques chaises de moins.*
Nous avons quelques chaises de moins.
Nous avons *une valise de moins.*
Je vais prendre une valise de moins.
Je vais prendre *deux cent francs de plus.*
Je voudrais deux cent francs de plus.
Je voudrais *une couverture de plus.*
Mettez une couverture de plus.

8. Je suis sûr que le chauffage est insuffisant.
Je suis sûr *que le chauffage est fermé.*
Je crois bien que le chauffage est fermé.
Je crois bien *que l'ascenseur est en panne.*
Je suis sûr que l'ascenseur est en panne.
Je suis sûr *que la lampe ne marche pas.*
Je crois bien que la lampe ne marche pas.
Je crois bien *qu'il n'y a pas de salle de bain.*
Je suis sûr qu'il n'y a pas de salle de bain.
Je suis sûr *que c'est fermé à clef.*
Je crois bien que c'est fermé à clef.
Je crois bien *que le chauffage est insuffisant.*
Je suis sûr que le chauffage est insuffisant.

45 The verbs *savoir* and *connaître*

EXAMPLES

Je ne **sais** pas.
Savez-vous jouer au tennis ?
Connais-tu un bon horloger ?
Tiens, vous le **connaissez ?**
Je **connais** la plupart de nos voisins.

Presentation Drills

■ PROGRESSIVE SUBSTITUTION DRILLS

1. Je sais nager.
Il sait nager.
Il sait *conduire.*
Vous savez conduire.
Vous savez *monter à cheval.*
Ils savent monter à cheval.
Ils savent *plonger.*
Nous savons plonger.
Nous savons *jouer à ce jeu.*
Je sais jouer à ce jeu.
Je sais *nager.*

2. Tu connais un horloger.
Il connaît un horloger.
Il connaît *l'employé.*
Vous connaissez l'employé.
Vous connaissez *la femme de chambre.*
Ils connaissent la femme de chambre.
Ils connaissent *ces jeunes gens.*
Nous connaissons ces jeunes gens.
Nous connaissons *un bon hôtel.*
Tu connais un bon hôtel.
Tu connais *un horloger.*

SIMPLE SUBSTITUTION DRILLS

1. *Sais-tu* son nom?
   (Savez-vous, Sait-on, Savent-ils, Sait-il, Savons-nous, Savent-elles, Sais-tu)

2. *Je n'ai pas su* où aller.
   (Vous n'avez pas su, On n'a pas su, Ils n'ont pas su, Nous n'avons pas su, Tu n'as pas su, Je n'ai pas su)

3. *Connais-tu* cet homme?
   (Connaissez-vous, Connaît-il, Connaissent-ils, Connaît-on, Connaissons-nous, Connais-tu)

4. *J'ai connu* son père.
   (Vous avez connu, Il a connu, Mes parents ont connu, Tu as connu, Nous avons connu, J'ai connu)

Discussion

	savwar		**savoir** *to know*
nu	sav	õ^z	nous savons
vu	sav	e^z	vous savez
il	sav	^{t}	ils savent
ʒə	sɛ	^{z}	je sais
ty	sɛ	^{z}	tu sais
il	sɛ	^{t}	il sait
Past Participle: sy			(avoir) su

The verb **savoir** has two present tense stems: / sav- / in the plural and / sɛ / in the singular.

	kɔnɛtr		**connaître** *to know*
nu	kɔnɛs	õ^z	nous connaissons
vu	kɔnɛs	e^z	vous connaissez
il	kɔnɛs	^{t}	ils connaissent
ʒə	kɔnɛ	^{z}	je connais
ty	kɔnɛ	^{z}	tu connais
il	kɔnɛ	^{t}	il connaît
Past Participle: kɔny			(avoir) connu

Connaître has two present tense stems, with / -s- / in the plural forms. Other verbs that pattern like **connaître** include:

paraître	to appear
reconnaître	to recognize

Connaître and **savoir** often confuse English-speaking students, who understand them both as meaning *to know*. The verb **connaître** occurs only before a noun or after an object pronoun:

Je connais ce Français.	I know that Frenchman.
Je le connais.	I know him.

The verb **savoir** can occur in the same patterns:

Je sais le français.	I know French.
Je le sais.	I know it.

The verb **savoir** also occurs in many other patterns where **connaître** never occurs:

# Subject Verb #	**Je sais.**
# Subject Verb Infinitive #	**Savez-vous jouer au tennis ?**
# Subject Verb Clause Relator Subject Verb	**Tu sais bien que je plaisante.** **Je ne sais pas pourquoi je vous obéis.**

In general, **connaître** refers to people, **savoir** to things. However:

connaître	**un endroit** **un musée** **un magasin** **un café** **une ville** **une région** **un quartier**	**connaître**	**une nouvelle** **une adresse** **un numéro de téléphone** **une opinion** **un journal** **une pièce de théâtre** **l'œuvre d'un écrivain**

Verification Drills

■ SIMPLE CORRELATION DRILLS

1. Sais-*tu* l'heure du train ?
   (nous, on, ce jeune homme, ces jeunes gens, vous, tu)

2. *Je* ne la reconnais pas.
   (Nous, On, Sa famille, Ses amis, Tu, Vous, Je)

■ MULTIPLE CORRELATION DRILL

Je le connais, *je* sais son adresse.
(Nous, On, Mon père, Mes parents, Tu, Vous, Je)

■ TRANSFORMATION DRILL

Je ne sais pas leur nom.
Je n'ai pas su leur nom.
Elle ne sait pas comment faire.
Nous ne savons pas où descendre.

Je ne sais pas quel autobus prendre.
Vous ne savez pas pourquoi.
Tu ne sais pas le chemin.
Ils ne savent pas l'heure du train.

■ CHAIN DRILL

Il a changé, je ne l'ai pas reconnu.
Il a changé, nous ______________.
Il a changé, tu ________________.
Il a changé, vous ______________.
Il a changé, on ________________.
Il a changé, mon oncle _________.
Il a changé, mes amis __________.

■ CONTEXTUAL EXPANSION DRILL

Madame Chatel.
Je connais Madame Chatel.
Elle est française.
Je sais qu'elle est française.
Elle a deux enfants.
Ses enfants.
Son fils s'appelle Philippe.
Il est étudiant.
Il a un ami américain.
Sa fille Jacqueline.
Elle est jolie.
Son âge.
Elle a dix-sept ans.
Son amie Gisèle.
Sa maison.
Dans quel quartier la maison se trouve.
Le nom de son père.
Il s'appelle Monsieur Courtin.

46 The imperfect tense

EXAMPLES Si nous **laissions** votre ami choisir?
Où **alliez**-vous?
J'en **avais** six.
Elle **voulait** m'empêcher de fumer.

Presentation Drills

■ SIMPLE SUBSTITUTION DRILLS

1. Autrefois, j'aimais voyager.
Autrefois, *nous habitions Nice.*
Autrefois, *elle était jolie.*
Autrefois, *vous marchiez davantage.*
Autrefois, *ils avaient une auto.*
Autrefois, *tu faisais du sport.*
Autrefois, *je fumais beaucoup.*
Autrefois, *nous étions amis.*
Autrefois, *vous aimiez conduire.*
Autrefois, *mes parents sortaient beaucoup.*

2. L'année dernière, *ils n'habitaient pas là.*
L'année dernière, *nous ne vous connaissions pas.*
L'année dernière, *vous n'aviez pas cette maison.*
L'année dernière, *Paul n'était pas en France.*
L'année dernière, *ils ne travaillaient pas bien.*
L'année dernière, *il ne faisait pas si froid.*
L'année dernière, *leur équipe ne gagnait jamais.*
L'année dernière, *nous ne savions pas ça.*
L'année dernière, *je n'avais pas de bicyclette.*

■ PROGRESSIVE SUBSTITUTION DRILL

Quand j'avais votre âge, j'allais à la Sorbonne.
Quand j'avais votre âge, *on travaillait davantage.*
Quand j'étais jeune, on travaillait davantage.
Quand j'étais jeune, *on voyageait moins.*
Quand nous étions jeunes, on voyageait moins.
Quand nous étions jeunes, *nous faisions du sport.*
Quand nous avions le temps, nous faisions du sport.
Quand nous avions le temps, *nous allions à pied.*
Quand il faisait beau, nous allions à pied.
Quand il faisait beau, *j'aimais aller sur les quais.*
Quand nous habitions Paris, j'aimais aller sur les quais.
Quand nous habitions Paris, *j'allais à la Sorbonne.*
Quand j'avais votre âge, j'allais à la Sorbonne.

■ SIMPLE SUBSTITUTION DRILL

A vingt ans, *j'avais déjà beaucoup voyagé.*
A vingt ans, *vous aviez déjà beaucoup travaillé.*
A vingt ans, *il avait déjà beaucoup appris.*
A vingt ans, *ils avaient déjà beaucoup voyagé.*
A vingt ans, *nous avions déjà beaucoup travaillé.*
A vingt ans, *ils avaient déjà beaucoup appris.*

Discussion

All French verbs have another set of past tense forms (**l'imparfait**) in addition to present perfect verb phrases (Sections 34 and 40).

The endings of all imperfect tense forms are:

nu	—jõ^{z}	nous	—ions
vu	—je^{z}	vous	—iez
il	—ɛ^{t}	ils	—aient
ʒə	—ɛ^{z}	je	—ais
ty	—ɛ^{z}	tu	—ais
il	—ɛ^{t}	il	—ait

The imperfect stem is predictable from the / nu / present tense stem:

SPEECH				WRITING
	Present		*Imperfect Stem*	
nuz	av–	õ	av–	av–
nu	parl–	õ	parl–	parl–
nuz	al–	õ	al–	all–
nu	fəz–	õ	fəz–	fais–
nu	puv–	õ	puv–	pouv–
nu	vul–	õ	vul–	voul–
nu	prən–	õ	prən–	pren–
nu	dəv–	õ	dəv–	dev–
nu	vwaj–	õ	vwaj–	voy–
nu	vən–	õ	vən–	ven–
nu	part–	õ	part–	part–
nu	sav–	õ	sav–	sav–
nu	kɔnɛs–	õ	kɔnɛs–	connaiss–

The verb **être** has a special imperfect tense stem:

nu	sɔm	et–	ét–

Combining the imperfect tense stems and endings:

nu	parl	jõ	nous parlions
vu	parl	je	vous parliez
il	parl	ɛ	ils parlaient
ʒə	parl	ɛ	je parlais
ty	parl	ɛ	tu parlais
il	parl	ɛ	il parlait
nuz	av	jõ	nous avions
vuz	av	je	vous aviez
ilz	av	ɛ	ils avaient
ʒ	av	ɛ	j'avais
ty	av	ɛ	tu avais
il	av	ɛ	il avait
nuz	et	jõ	nous étions
vuz	et	je	vous étiez
ilz	et	ɛ	ils étaient
ʒ	et	ɛ	j'étais
ty	et	ɛ	tu étais
il	et	ɛ	il était

The meaning of the imperfect tense is essentially some kind of duration in the past:

(1) continuous action
(2) habitual action
(3) repeated action

The imperfect tense translates consistently two English verbal constructions:

used to	**J'habitais Paris autrefois.** I used to live in Paris at one time.
was __ing	**J'habitais Paris quand Charles est venu.** I was living in Paris when Charles came.

However, the imperfect is often not translatable into English by these constructions.

The imperfect contrasts with the present, marking completed duration versus duration which is still going on:

J'allais à l'école tous les jours.	I went to school every day.
Je vais à l'école tous les jours.	I have been going to school every day.

The present perfect also marks past, but does not mark duration, and thus contrasts with the imperfect in quite a different way. A detailed study of these contrasts will be found in Section 50.

The past participle verb phrase which includes the imperfect tense forms is called the pluperfect **(le plus-que-parfait).** It consists of an imperfect form of the verbs **avoir** or **être** and a past participle:

This verb phrase corresponds to English *had* plus past participle:

Nous le faisions.	We were doing it.	**Il partait ce jour-là.**	He was leaving that day.
Nous l'avions fait.	We had done it.	**Il était parti ce jour-là.**	He had left that day.

Verification Drills

■ CONTEXTUAL TRANSFORMATION DRILLS

1. D'habitude, je pars à neuf heures.
   D'habitude, je partais à neuf heures.
   Michel vient avec moi.
   Nous descendons le boulevard.
   Nous allons à pied,
   parce que les autobus sont pleins.
   Nous marchons lentement.
   Nous rencontrons des camarades.
   Certains viennent avec nous.
   Vous êtes toujours en retard.
   Mais vos amis vous attendent.
   Quelquefois, je vous attends aussi.

2. D'habitude, Jacques prend le métro.
   D'habitude, Jacques prenait le métro.
   Il arrive avant nous.
   La salle est toujours pleine.
   Nous restons ensemble.
   Mais Jacques ne reste pas longtemps avec nous.
   Il trouve toujours une place.
   Et cette place est toujours près de ma sœur.

3. Pendant ce temps, où êtes-vous ?
   Pendant ce temps où étiez-vous ?
   Que faites-vous ?
   Où est votre père ?
   Pourquoi n'êtes-vous pas ensemble ?
   L'homme ne fait pas de bruit ?
   Vous ne pouvez pas le voir ?
   Les fenêtres sont-elles fermées ?
   Comment est-il entré ?
   Il n'y a pas d'agent ?
   Les voisins sont en voyage ?
   Vous ne pouvez pas appeler quelqu'un ?
   Dans quelle chambre est cet homme ?
   Savez-vous qu'il est seul ?
   Combien d'argent avez-vous dans la maison ?

4. Le train est déjà arrivé.
   Le train était déjà arrivé.
   Les voyageurs sont déjà descendus.
   Les porteurs ont déjà pris les bagages.
   Charles a déjà donné ses valises.
   Le porteur les a déjà mises sur son chariot.
   Paul est bien arrivé à la gare.
   Mais il n'a pas trouvé Charles.

5. J'apprends le français avant d'aller en France.
   J'avais appris le français avant d'aller en France.
   Mes frères aussi l'apprennent.
   Nos parents nous parlent de Paris.
   Mon père nous parle de la Sorbonne.
   Il est étudiant à la Sorbonne.
   Il y reste deux ans.
   Il s'y amuse beaucoup.
   Mais il travaille aussi beaucoup.
   Il fait de bons amis.
   Ils nous demandent d'aller les voir.
   Je ne voyage pas.
   Mais mes frères vont à Québec.

47 Obligatory object pronoun *le*

EXAMPLES Oui, elles **le** sont.
C'est le vendeur qui te **l'**a dit ?

Presentation Drills

■ SIMPLE SUBSTITUTION DRILL

Il le *dit.*
(fait, sait, faut, veut, pense, comprend, dit)

■ TRANSFORMATION DRILL

Je le suis.
Je ne le suis pas.
Vous l'êtes.
Nous le sommes.
Elles le sont.
Vous l'êtes.
Tu l'es.
Il l'est.
Ils le sont.

Discussion

Some verbs in French are closely tied with object pronouns when final; this is not always the case with the corresponding English verbs.

The invariable object pronoun **le,** with no reference to number or gender, occurs with:

(l') être	**Etes-vous professeur?** **Oui, je le suis.**	Are you a teacher? Yes, I am.
	Elles ont l'air confortable. **Oui, elles le sont.**	They look comfortable. Yes, they are.
(le) dire	**Dit-il qu'il arrive ce soir?** **Il le dit.**	Does he say he's arriving this evening? He says so.
(le) penser	**Pense-t-il qu'il a raison?** **Il le pense.**	Does he think he's right? He thinks so.
(le) falloir	**Faut-il y aller?** **Oui, il le faut.**	Do we have to go? Yes, we do.
(le) pouvoir	**Peut-il travailler?** **Il le peut.**	Can he work? He can.
(le) savoir	**Sait-il que nous partons?** **Oui, il le sait.**	Does he know we're leaving? Yes, he does.

The one verb **avoir** always has either $\sqrt{}$**le** or **en** if no noun follows:

($\sqrt{}$le) avoir	**A-t-il les clefs?** **Oui, il les a.**	Has he the keys? Yes, he has.
(en) avoir	**A-t-il des couvertures?** **Oui, il en a.**	Has he any blankets? Yes, he has.

The present and imperfect of **aller** have **y** if no prepositional phrase of place follows:

(y) aller	**Allez-vous à Paris?** **Oui, j'y vais.**	Are you going to Paris? Yes, I'm going.

Verification Drills

■ QUESTION DRILL

Dit-il qu'il est fatigué?
Oui, il le dit.
Savent-ils qu'il est fatigué?
Savez-vous que Charles est parti?
Voulez-vous que je reste?
A-t-il su où aller?
Sait-elle qu'il est mort?
Est-ce qu'on dit qu'il est mort?
Faut-il travailler?
Sont-ils américains?

■ TRANSFORMATION DRILL

On dit que c'est intéressant.
On le dit.
Il faut partir à l'heure.
Elle est étrangère.
Il peut vous aider.
Ils sont jeunes.
Je crois qu'il pleut.

■ CHAIN DRILL

Roger est en retard, mais je ne le suis pas.
Il pense qu'il a raison, mais je ________.
Il peut travailler toute la nuit, mais je ___.
Vous savez où il habite, mais nous ______.
Tu es content, mais nous ____________.
Je suis français, mais il ____________.
Il dit que c'est vrai, mais je __________.

48 Clause relators after nouns

EXAMPLES Jacqueline, **qui** passait, l'aperçoit.
J'ai un ami **qui** peut t'aider.
Le taxi **que** Paul et Charles ont pris les dépose devant un hôtel.

Presentation Drills

■ PROGRESSIVE SUBSTITUTION DRILLS

1. Voici l'autobus qui va à l'Opéra.
Voici un homme qui va à l'Opéra.
Voici un homme *qui peut vous aider.*
Voici quelque chose qui peut vous aider.
Voici quelque chose *qui coûte moins cher.*
Voici une chambre qui coûte moins cher.
Voici une chambre *qui me paraît bien.*
Voici un employé qui me paraît bien.
Voici un employé *qui s'arrête devant la porte.*
Voici l'autobus qui s'arrête devant la porte.
Voici l'autobus *qui va à l'Opéra.*

2. J'ai encore la montre que vous m'avez donnée.
J'ai encore la montre *que vous vouliez.*
Voici la couverture que vous vouliez.
Voici la couverture *qu'on a apportée.*
Donnez-moi la lampe qu'on a apportée.
Donnez-moi la lampe *que vous avez.*
Je voudrais le billet que vous avez.
Je voudrais le billet *qu'il a laissé.*
Voilà le livre qu'il a laissé.
Voilà le livre *que vous m'avez donné.*
J'ai encore la montre que vous m'avez donnée.

3. Voici le cinéma dont je vous ai parlé.
   Voici le cinéma *dont on parle tant.*
   Voici la jeune femme dont on parle tant.
   Voici la jeune femme *dont vous avez entendu parler.*
   Voici Monsieur Guérard dont vous avez entendu parler.
   Voici Monsieur Guérard *dont vous connaissez la fille.*
   Voici nos amis dont vous connaissez la fille.
   Voici nos amis *dont je vous ai parlé.*
   Voici le cinéma dont je vous ai parlé.

4. L'hôtel dont il parle est dans cette rue.
   L'hôtel dont il parle *n'est pas ici.*
   Le jeune homme dont il parle n'est pas ici.
   Le jeune homme dont il parle *n'a pas joué.*
   L'équipe dont il parle n'a pas joué.
   L'équipe dont il parle *est la meilleure.*
   La pharmacie dont il parle est la meilleure.
   La pharmacie dont il parle *est dans cette rue.*
   L'hôtel dont il parle est dans cette rue.

Discussion

A clause is defined as any noun (or subject pronoun) and verb tied together; the verb ending "ties" the verb to the noun.

Two clauses in sequence are either

(1) separated by the terminals / ↗ ↘ → /, in which case the clauses are heard as separate units:

nupartõ ↗ ilrɛst ↘	**Nous partons, il reste.**
ditmwa ↘ ɛtildeʒaarive ↗	**Dites-moi, est-il déjà arrivé ?**
bõʒur → ditil ↘	**« Bonjour », dit-il.**

(2) or connected by the tie words **(conjonctions de coordination) et, mais,** or **ou :**

Nous partons et il reste.
Nous partons mais il reste.
Il part ou il reste ?

(3) or connected by one of the clause relators. These forms occur after nouns, after **ce** (Section 52), after prepositions (Section 56), and after verbs (Section 60).

After nouns, three clause relator forms are found:

que	*Noun*	*Verb*	*Noun*	**que**	*Noun*	*Verb*	
	C'	est	le professeur	que	nous	voyons.	*It's the teacher we see.*
	J'	ai	le livre	que	vous	voulez.	*I have the book you want.*
	C'	est	vous	que	je	cherche.	*It's you I'm looking for.*

Noun	**que**	*Noun*	*Verb*	*Verb*		
Le professeur	que	nous	voyons	est	français.	*The teacher we see is French.*
La personne	que	vous	attendez	arrivera	ce soir.	*The person you're waiting for will arrive this evening.*
Le vendeur	que	vous	cherchez	habite	Paris.	*The sales clerk you're looking for lives in Paris.*

The form **que** signals that the preceding noun is the object of the following verb.

qui

Noun	*Verb*	*Noun*	**qui**	*Verb*		
C'	est	le professeur	qui	arrive.		*It's the teacher who's arriving.*
Je	connais	une personne	qui	habite	Paris.	*I know a person who lives in Paris.*
Paul	attend	le train	qui	amène	Charles.	*Paul is waiting for the train which is bringing Charles.*

Noun	**qui**	*Verb*	*Verb*		
Le professeur	qui	nous regarde	a étudié	en France.	*The teacher who is looking at us studied in France.*
Jacqueline,	qui	passait,	l'aperçoit.		*Jacqueline, who was passing by, notices him.*
Paul,	qui	attend le train,	est	un Américain.	*Paul, who is waiting for the train, is an American.*

The clause relator **qui** is the subject of the first verb that follows it.

dont

Noun	*Verb*	*Noun*	**dont**	*Noun*	*Verb*		
Jacqueline	était	la jeune fille	dont	vous	connaissiez	le frère.	*Jacqueline was the girl whose brother you knew.*
C'	est	le professeur	dont	je	vous ai parlé.		*It's the teacher I spoke to you about.*
Philippe	a	le livre	dont	nous	avons	besoin.	*Philippe has the book we need.*

Noun	**dont**	*Noun*	*Verb*	*Verb*		
Jacqueline,	dont	vous	connaissiez le frère,	est	ici.	*Jacqueline, whose brother you knew, is here.*
La chose	dont	ils	parlent	m'intéresse.		*The thing they're talking about interests me.*
Le livre	dont	Jacques	a besoin	n'est pas	là.	*The book Jacques needs isn't there.*

The clause relator **dont** has a transformation involving **de** plus noun:

Jacqueline, **dont** vous connaissiez le frère ⇌ vous connaissiez le frère **de** Jacqueline
la chose **dont** ils parlent ⇌ ils parlent **de** la chose
le livre **dont** Jacques a besoin ⇌ Jacques a besoin **du** livre

Verification Drills

■ TRANSFORMATION DRILLS

1. J'ai un livre ; il va vous plaire.
   J'ai un livre qui va vous plaire.
   Donnez-moi la fiche ; elle est sur la table.
   Attends le porteur ; il a tes valises.
   Ils ont un fils ; il est insupportable.
   Il y a un ascenseur ; il ne marche jamais.
   J'ai pris une chambre ; elle donne sur la place de l'Opéra.
   Voici l'homme ; il m'a aidé.
   Comment s'appelle l'hôtel ; il est en face de la Sorbonne ?

2. Où sont les livres ? Nous les avons apportés.
   Où sont les livres que nous avons apportés ?
   As-tu trouvé les gants ? Je les ai perdus.
   Comment s'appelle l'hôtel ? Vous me l'avez recommandé.
   Aimez-vous la maison ? Ils l'ont achetée.
   On m'a dit quelque chose. Je ne le savais pas.
   Voici les renseignements. Vous me les avez demandés.
   Ce sont des amis. Je les aime beaucoup.
   Il a dit quelque chose. Je n'ai pas compris.

3. J'ai l'adresse de ce magasin.
   C'est le magasin dont j'ai l'adresse.
   Vous parlez de cet homme.
   J'ai acheté la moto de ce garçon.
   Je vous ai parlé de cette équipe.
   Votre ami parlait de cette vieille femme.
   Nous avons fait la connaissance de ce professeur.
   Je suis les cours de ce professeur.
   J'ai envie de ce chapeau.

4. Voici la voiture ; je l'ai achetée hier.
   Voici la voiture que j'ai achetée hier.
   Voici la voiture ; je vous en ai parlé.
   Voici la voiture ; je veux la vendre.
   Voici la voiture ; elle était garée devant chez vous.
   Voici la voiture ; j'en ai entendu parler.
   Voici la voiture ; elle a eu un accident.
   Voici la voiture ; mon frère en a envie.
   Voici la voiture ; il la veut.
   Voici la voiture ; elle lui plaît.

■ CONTEXTUAL TRANSFORMATION DRILLS

1. Voici Monsieur Courtin ; vous connaissez sa fille.
   Voici Monsieur Courtin, dont vous connaissez la fille.
   C'est la jeune femme ; nous avons fait sa connaissance.
   Elle habite cette maison ; vous apercevez les fenêtres.
   Elle a un frère ; elle en parle souvent.
   Elle a aussi deux sœurs ; elle en parle moins.
   Elle m'a donné ce livre ; j'en avais entendu parler.
   Et elle m'a dit quelque chose ; je vais vous en parler.

2. Monsieur Adams a plusieurs amis ; l'un s'appelle Charles Guérard.
   Monsieur Adams a plusieurs amis, dont l'un s'appelle Charles Guérard.
   Il a deux fils ; l'un est à Paris.
   Maître Chatel a deux enfants ; l'un est l'ami de Paul.
   Il a deux maisons ; l'une est dans les environs de Paris.
   Il a deux autos ; l'une est américaine.
   Jacqueline a deux amies ; l'une s'appelle Gisèle.
   Gisèle a deux frères ; l'un est plus vieux qu'elle.

■ CONVERSATION EXERCISES

1.

PHILIPPE Mon père m'a dit que vous aviez beaucoup voyagé.

LE VIEIL HOMME Oui, beaucoup ; j'aimais ça autrefois.

PHILIPPE Et maintenant ?

LE VIEIL HOMME Oh, je suis trop vieux.

PHILIPPE Mais non, vous ne l'êtes pas.

LE VIEIL HOMME Si, je le suis, mon cher petit, je le suis.

PHILIPPE Vous avez dû aller en France ?

LE VIEIL HOMME Souvent. Nous y allions toujours en automne.

PHILIPPE Nous ?

LE VIEIL HOMME Ma femme et moi. Nous descendions dans un petit hôtel qui était excellent.

PHILIPPE Comment s'appelait-il ?

LE VIEIL HOMME L'Hôtel des Arts, je crois. Ah ! c'était le bon temps.

PHILIPPE Il est sans doute toujours là.

LE VIEIL HOMME C'est possible. Voyons, combien coûtait la chambre ? Un franc cinquante, je crois.

PHILIPPE Je suis sûr que vous trouviez ça cher.

LE VIEIL HOMME Oui, c'etait assez cher. Ma femme aimait tant Paris en octobre.

PHILIPPE Mais il paraît qu'il pleut beaucoup en automne.

LE VIEIL HOMME Oh, il pleuvait peut-être. Mais nous étions jeunes et heureux. Nous nous amusions beaucoup.

2.

M. MARTIN Est-ce que vous avez des chambres de libres ?

L'EMPLOYE D'HOTEL Il nous reste une chambre à un lit, Monsieur.

M. MARTIN Très bien, c'est ce qu'il me faut.

L'EMPLOYE C'est une chambre avec bains, au premier étage. Elle est petite, mais très confortable.

M. MARTIN Quel est le prix ?

L'EMPLOYE Avec pension ?

M. MARTIN Non, sans pension.

L'EMPLOYE C'est vingt francs par jour. Service compris.

M. MARTIN Bon. Est-ce qu'il faut remplir la fiche maintenant ?

L'EMPLOYE Non, Monsieur ; vous pouvez la remplir dans votre chambre. Combien de temps restez-vous ?

M. MARTIN Trois jours, je pense.

L'EMPLOYE On va vous montrer la chambre tout de suite. Avez-vous d'autres bagages ?

M. MARTIN Non, c'est tout. Merci.

L'EMPLOYE A votre service, Monsieur.

READING

Les Français et leurs cafés

Un étranger à Paris ne peut pas manquer d'être° surpris par le grand nombre de cafés, bars, bistros, brasseries, qu'il voit partout, et d'en tirer° peut-être la conclusion que les Français passent leur temps à boire.° Sa conclusion est légitime, mais il commet° tout de même° une erreur.

manquer... fail to be
draw
à... drinking; commits
tout... all the same

Pour un Français de classe modeste — ou plus bas dans l'échelle° sociale—le bistro du coin n'est pas seulement l'endroit° où on lui sert son apéritif; c'est bien davantage. C'est l'endroit où il se délasse,° se distrait,° rencontre ses amis, joue aux cartes, discute le gouvernement, donne et reçoit les nouvelles du quartier, ou parie° aux courses. C'est son club.

ladder; the place

il... he relaxes; amuses himself

bets

Les Français, en général, ont remarquablement peu de distractions. Ils n'aiment pas sortir de chez eux; ils n'aiment pas davantage° y recevoir.° Aussi° leurs visites au café—un film ou un match de football de temps en temps — représentent-elles le plus clair° de leur délassement. Le dimanche, ils y mènent leur famille pour un apéritif, ou un bock° en été, et un syrop de fruit pour les enfants. Autour de ce verre unique,° ils restent longtemps assis à regarder leurs semblables, ou à jouer aux dames.°

more; to entertain; Therefore

le... most of

glass of light beer

single

checkers

Dans les classes privilégiées, le bistro perd une partie de son rôle récréatif; mais les bars chics et les grands cafés n'en ont pas moins leurs habitués, des hommes d'affaires,° des journalistes, qui y viennent souvent à la même heure, à la même table, et y déjeunent peut-être même d'un sandwich. Mainte affaire° se traite autour d'un guéridon.°

hommes... businessmen

Mainte... Many a deal

round café table

Les intellectuels ont toujours utilisé les cafés parisiens comme lieux de réunion,° ou de propagande. Voltaire, Diderot, Verlaine ont fréquenté un vénérable café qui existe toujours au Quartier latin. Jean-Paul Sartre a rendu célèbre le Café de Flore en y écrivant ses premiers livres; Françoise Sagan va chercher l'inspiration dans les bars américains de la rive droite.°

lieux... meeting places

rive... Right Bank

Comment, dans ces conditions, s'étonner° du nombre d'établissements qui étanchent° la soif, la curiosité, le besoin de bavardage° et de rapports humains de trois millions de Parisiens?

be surprised

quench; chat

UNIT **13**

DIALOGUE

Charles est de mauvaise humeur

Paul et Charles remontent les Champs-Elysées (1). Paul réfléchit ; Charles, comme toujours, a l'air furieux.

CHARLES Peut-on savoir à quoi vous pensez ?
PAUL A quelqu'un que je devais voir ce matin. Je n'ai même pas téléphoné.
CHARLES Vous comprenez ce qu'on vous dit au téléphone, vous ? Moi, je n'y arrive jamais.
PAUL C'est une question d'habitude, cela viendra.
CHARLES Cela m'étonnerait. D'abord, les Français parlent très mal.
PAUL Mal ? Qu'est-ce que vous voulez dire ?
CHARLES Ils parlent trop vite, ils avalent la moitié des mots... (2)
PAUL Nous en faisons autant en anglais, vous savez.

Paul sourit ; silence offensé de Charles.

CHARLES Et quelle façon de s'habiller ! Regardez ces complets (3) !
PAUL La mode est un peu différente de la nôtre ; mais vous vous habituerez à ces détails.
CHARLES Je n'ai pas l'intention de m'y habituer. J'ai décidé d'aller à Rome le plus tôt possible.
PAUL Puis-je vous offrir une cigarette ?
CHARLES Du tabac français (4) ! Jamais de la vie ! Vous allez vous rendre malade !

◀ **Avenue des Champs-Elysées.**

ʃarl ed mɔ vɛ zy mœr↘	*Charles Is in a Bad Mood*
pɔ le ʃarl rə mõt le ʃã ze li ze↘ pɔl re fle ʃi↘ ʃarl kɔm tu ʒur a lɛr fyr jø↘	Paul and Charles are walking back up the Champs-Elysées. Paul is thinking; Charles, as always, appears infuriated.
pø tõ sa vwar a kwa vu pã se↗	CHARLES Could you tell me what you're thinking about?
a kɛl kœ̃ kɔʒ də vɛ vwar sə ma tɛ̃↘ ʒə ne mɛm pa te le fɔ ne↘	PAUL About someone I was supposed to see this morning. I didn't even call.
vu kõ prə ne skõ vu di o te le fɔn↗ vu↗ mwa ʒə ni a riv ʒa mɛ↘	CHARLES Do *you* understand what they say on the telephone? I can never manage to.
sɛ tyn kɛs tjõ da bi tyd→ sə la vjɛ̃ dra↘	PAUL It's a matter of practice; it will come.
sə la me tɔn rɛ↘ da bɔr↗ lɛ frã sɛ par lə trɛ mal↘	CHARLES That would surprise me. First of all, Frenchmen speak very badly.
mal↗ kɛs kə vu vu le dir↘	PAUL Badly? What do you mean?
il par lə tro vit→ il za val la mwa tje dɛ mo→	CHARLES They speak too fast, they swallow half the words . . .
nu zã fə zõ o tã ã nã gle vu sa ve↗	PAUL We do just as much in English, you know.
pɔl su ri↘ si lãs ɔ fã se də ʃarl↘	*Paul smiles; injured silence from Charles.*
e↘ kɛl fa sõ də sa bi je↘ rə gar de se kõ plɛ↘	CHARLES And what a way to dress! Look at those suits!
la mɔd e tœ̃ pø di fe rãt də la notr↘ mɛ vu vu za bi tɥe re a se de taj↘	PAUL The style is a little different from ours; but you'll get used to those details.
ʒə ne pa lɛ̃ tã sjõ də mi a bi tɥe↘ ʒə de si de da le a rɔm lə ply to pɔ sibl↘	CHARLES I don't intend to get used to them. I've decided to go to Rome as soon as possible.
pɥiʒ vu zɔ frir yn si ga rɛt↗	PAUL May I offer you a cigarette?
dy ta ba frã sɛ↗ ʒa mɛd la vi↘ vu za le vu rã drə ma lad↘	CHARLES French tobacco! Not on your life! You'll make yourself sick!

SUPPLEMENTARY VOCABULARY

Charles vient de se coucher.	Charles has just gone to bed.
Charles vient de se réveiller.	Charles has just waked up.
Charles vient de se lever.	Charles has just gotten up.
Il commence à se laver.	He's beginning to wash.
Il commence à se raser.	He's beginning to shave.
Il commence à s'habiller.	He's beginning to dress.
Il a failli se couper.	He almost cut himself.
Il a failli se perdre.	He almost got himself lost.
Il a failli tomber.	He almost fell down.
Je ne comprends pas ce que vous dites.	I don't understand what you're saying.
Je ne comprends pas ce que vous voulez dire.	I don't understand what you mean.
Je ne comprends pas ce que cette phrase veut dire.	I don't understand what that sentence means.

J'ai entendu la moitié de la conversation. — I heard half the conversation.
J'ai entendu une partie de la conversation. — I heard part of the conversation.
J'ai entendu la fin de la conversation. — I heard the end of the conversation.

Quelles drôles de gens ! — What strange people!
Quel drôle de goût ! — What strange taste!
Quelle drôle d'histoire ! — What a strange story!

DIALOGUE NOTES

(1) **L'Avenue des Champs-Elysées** is a magnificent, wide, mile-long artery that connects the Tuileries and the Arc de Triomphe. A traditional parade route, it is the best-known avenue in Paris.

(2) Frenchmen who do not speak English make the same comments about Americans speaking English. Both groups share the same kinds of confusions about speech and writing.

(3) Frenchmen's suit styles seem always to lean toward shorter sleeves and natural coat contours.

(4) The growth, manufacture, and sale of tobacco in France is a national monopoly. Tobacco is sold only in licensed stores, which display the orange-colored rhombic figure ◊. Americans usually find French tobacco rather strong.

Vocabulary Drills

1. Comme toujours, il a l'air furieux.
   Comme toujours, *vous avez l'air heureux.*
   Comme d'habitude, vous avez l'air heureux.
   Comme d'habitude, *elle a l'air malade.*
   Comme toujours, elle a l'air malade.
   Comme toujours, *ils ont l'air fatigué.*
   Comme d'habitude, ils ont l'air fatigué.
   Comme d'habitude, *il a l'air furieux.*
   Comme toujours, il a l'air furieux.

2. Je pense à quelqu'un que je devais voir.
   Je pense à quelqu'un *que je voulais voir.*
   Je pense à quelque chose que je voulais voir.
   Je pense à quelque chose *que nous devions trouver.*
   Je pense à quelqu'un que nous devions trouver.
   Je pense à quelqu'un *qu'il voulait voir.*
   Je pense à quelque chose qu'il voulait voir.
   Je pense à quelque chose *que je devais voir.*
   Je pense à quelqu'un que je devais voir.

3. Vous arrivez à téléphoner ?
   Vous arrivez *à les comprendre ?*
   Elle arrive à les comprendre ?
   Elle arrive *à leur parler ?*
   Tu arrives à leur parler ?
   Tu arrives *à trouver le chemin ?*
   Ils arrivent à trouver le chemin ?
   Ils arrivent *à téléphoner ?*
   Vous arrivez à téléphoner ?

4. Je n'y arrive jamais.
   Je n'y arrive *pas.*
   Nous n'y arrivons pas.
   Nous n'y arrivons *jamais.*
   Elle n'y arrive jamais.
   Elle n'y arrive *pas.*
   Vous n'y arrivez pas.
   Vous n'y arrivez *jamais.*
   Je n'y arrive jamais.

5. C'est une question d'habitude.
   C'est une question *d'argent.*
   C'est une question *de temps.*
   C'est une question *de mode.*
   C'est une question *d'âge.*
   C'est une question *de goût.*
   C'est une question *d'habitude.*

6. Ils avalent la moitié des mots.
   Je comprends la moitié des mots.
   Je comprends *la fin de la phrase.*
   Nous entendons la fin de la phrase.
   Nous entendons *une partie de la phrase.*
   J'ai compris une partie de la phrase.
   J'ai compris *une partie de ce qu'il a dit.*
   Nous avons entendu une partie de ce qu'il a dit.
   Nous avons entendu *la moitié des questions.*
   Ils avalent la moitié des questions.
   Ils avalent *la moitié des mots.*

7. Qu'est-ce que ça veut dire?
   Qu'est-ce que *vous voulez dire?*
   Qu'est-ce que *ce mot veut dire?*
   Qu'est-ce que *cette phrase veut dire?*
   Qu'est-ce qu'*ils ont voulu dire?*
   Qu'est-ce que *ça veut dire?*

8. Je n'ai pas l'intention de m'y habituer.
   Je n'ai pas l'intention *de leur téléphoner.*
   Vous n'avez pas l'intention de leur téléphoner.
   Vous n'avez pas l'intention *de le voir.*
   Je n'ai pas l'intention de le voir.
   Je n'ai pas l'intention *de répondre.*
   Je n'ai jamais l'intention de répondre.
   Je n'ai jamais l'intention *de m'y habituer.*
   Je n'ai pas l'intention de m'y habituer.

9. Vous allez vous rendre malade.
   Vous allez vous rendre *insupportable.*
   Il veut se rendre insupportable.
   Il veut se rendre *intéressant.*
   Ils se sont rendus intéressants.
   Ils se sont rendus *utiles.*
   Nous nous sommes rendus utiles.
   Nous nous sommes rendus *malades.*
   Vous allez vous rendre malade.

10. Le plus tôt possible, s'il vous plaît.
    Le plus loin possible, s'il vous plaît.
    Le moins loin possible, s'il vous plaît.
    Le moins cher possible, s'il vous plaît.
    Le plus cher possible, s'il vous plaît.
    Le plus vite possible, s'il vous plaît.
    Le moins vite possible, s'il vous plaît.
    Le moins longtemps possible, s'il vous plaît.
    Le plus longtemps possible, s'il vous plaît.
    Le plus tôt possible, s'il vous plaît.

11. Il a failli se couper.
    Il a failli *arriver trop tard.*
    Nous avons failli arriver trop tard.
    Nous avons failli *nous perdre.*
    Elles ont failli nous perdre.
    Elles ont failli *entendre.*
    J'ai failli entendre.
    J'ai failli *gagner.*
    Ils ont failli gagner.
    Ils ont failli *se couper.*
    Il a failli se couper.

12. J'ai failli ne pas venir.
    J'ai failli *ne pas vous voir.*
    Il a failli ne pas vous voir.
    Il a failli *ne pas rentrer.*
    Nous avons failli ne pas rentrer.
    Nous avons failli *ne pas y aller.*
    Elle a failli ne pas y aller.
    Elle a failli *ne pas venir.*
    J'ai failli ne pas venir.

49 Verbs like *vendre*

EXAMPLES

A la librairie, **on vend** des livres.
Attends, je vais demander à Gisèle.
Paul et Philippe **descendent** le boulevard.
Nous sommes **perdus.**

Presentation Drills

■ PROGRESSIVE SUBSTITUTION DRILL

On vend du pain.
On vend *des médicaments.*
Je vends des médicaments.
Je vends *la maison.*
Nous vendons la maison.
Nous vendons *cette voiture.*
Elle vend cette voiture.
Elle vend *des gants.*
Ils vendent des gants.
Ils vendent *quelque chose.*
Vous vendez quelque chose.
Vous vendez *du pain.*
On vend du pain.

■ SIMPLE SUBSTITUTION DRILLS

1. Pourquoi *vends-tu* cette bicyclette?
   (vendez-vous, vend-il, vendent-ils, vendons-nous, vend-on, vendent-elles, vend-elle, vends-tu)

2. *Tu ne descends pas* au prochain arrêt.
   (Vous ne descendez pas, Je ne descends pas, Ils ne descendent pas, Nous ne descendons pas, Elle ne descend pas, Tu ne descends pas)

■ PROGRESSIVE SUBSTITUTION DRILLS

1. Avez-vous attendu la voiture?
   Avez-vous vendu la voiture?
   Avez-vous vendu *votre bicyclette?*
   Avez-vous perdu votre bicyclette?
   Avez-vous perdu *les clefs?*
   A-t-il perdu les clefs?
   A-t-il perdu *quelque chose?*
   A-t-il vendu quelque chose?
   A-t-il vendu *sa malle?*
   A-t-il attendu sa malle?
   A-t-il attendu *la voiture?*
   Avez-vous attendu la voiture?

2. Il descendait les bagages.
   Il descendait *le boulevard.*
   Nous descendions le boulevard.
   Nous descendions *dans cet hôtel.*
   Mes parents descendaient dans cet hôtel.
   Mes parents descendaient *tard.*
   Vous descendiez tard.
   Vous descendiez *de l'autobus.*
   Je descendais de l'autobus.
   Je descendais *les bagages.*
   Il descendait les bagages.

Discussion

	vãdr		**vendre** *to sell*
nu	vãd	õ^{z}	nous vendons
vu	vãd	e^{z}	vous vendez
il	vãd	^{t}	ils vendent
ʒə	vã	^{z}	je vends
ty	vã	^{z}	tu vends
il	vã	=	il vend
Past Participle:	vãdy		(avoir) vendu
Imperfect Stem:	vãd–		vend–

The verb **vendre** has two present tense stems, characterized by / -d- / in the plural forms. A large number of verbs pattern like **vendre :**

attendre	to wait	**entendre**	to hear
dépendre (de)	to depend (on)	**perdre**	to lose
(être) descendre	to go down	**rendre**	to give back
(avoir) descendre	to take down	**répondre**	to answer

Verification Drills

■ SIMPLE CORRELATION DRILLS

1. *Tu* vends cette maison.
   (Georges, Nous, Mes voisins, Vous, Je, On, Mon frère, Tu)
2. *Tu* ne leur réponds pas.
   (Je, Nous, Son ami, Vous, Les deux jeunes filles, Tu)
3. Entends-*tu* leur conversation ?
   (on, vous, les voisins, nous, leur mère, tu)
4. *Je* suis descendu du wagon.
   (On, Nous, Les voyageurs, Vous, Charles, Je)
5. *J*'ai descendu les bagages.
   (On, Nous, Les porteurs, Vous, Charles, Je)

■ TRANSFORMATION DRILLS

1. Ça dépend de vous.
   Ça dépendait de vous.
   Les porteurs attendent le train.
   On entend le train.
   Je réponds à l'employé.
   Une vieille femme vend des livres.
   Nous attendons l'arrivée d'un ami.
   Je descends mes affaires.
   On nous rend notre argent.
   Elles n'entendent pas la question du douanier.
   Vous ne répondez jamais.
   On ne vend pas de sandwichs dans le train.
2. Attend-il longtemps ?
   Ont-ils attendu longtemps ?
   Vous rendent-ils vos affaires ?
   Entendez-vous ce bruit ?
   Perdons-nous la partie ?
   Vend-on la librairie ?
   A quelle heure descendez-vous ?
   Descend-il tous les bagages ?
   Entends-tu la voiture ?
   Descend-il de bonne heure ?

50 Present perfect and imperfect

Presentation Drills

■ PROGRESSIVE SUBSTITUTION DRILLS

1. Quand je suis arrivé, il travaillait.
   Quand je suis arrivé, *vous étiez à table.*
   Quand il est entré, vous étiez à table.
   Quand il est entré, *nous déjeunions.*
   Quand vous avez téléphoné, nous déjeunions.
   Quand vous avez téléphoné, *elle dormait.*
   Quand nous sommes partis, elle dormait.
   Quand nous sommes partis, *il travaillait.*
   Quand je suis arrivé, il travaillait.

2. Je venais souvent le lundi.
Je venais souvent *le dimanche.*
Nous sortions souvent le dimanche.
Nous sortions souvent *le soir.*
Ils travaillaient toujours le soir.
Ils travaillaient toujours *le samedi.*
Vous arriviez toujours le samedi.
Vous arriviez toujours *le lundi.*
Je venais souvent le lundi.

3. Je suis venu lundi.
Je suis venu *dimanche.*
Nous sommes sortis dimanche.
Nous sommes sortis *hier soir.*
Ils ont travaillé hier soir.
Ils ont travaillé *samedi.*
Vous êtes arrivés samedi.
Vous êtes arrivés *lundi.*
Je suis venu lundi.

4. Je suis parti parce que vous paraissiez fatigué.
Je suis parti *parce qu'il n'était pas libre.*
Nous avons attendu parce qu'il n'était pas libre.
Nous avons attendu *parce que nous étions en avance.*
Il nous a parlé parce que nous étions en avance.
Il nous a parlé *parce que nous étions seuls.*
Elle est restée parce que nous étions seuls.
Elle est restée *parce que vous paraissiez fatigué.*
Je suis parti parce que vous paraissiez fatigué.

Discussion

Both the imperfect tense and the present perfect verb phrase share the semantic feature of reference to past time. A French speaker, because of his language, has the possibility (and sometimes the obligation) of referring to past time either punctually (*present perfect*) or extensionally (*imperfect*).

An analogy may prove useful to illustrate these two ways of viewing the past: a snapshot records a single event which is now past history (*present perfect*); a motion picture film records: (1) a sequence of linked single events, if one examines a strip of movie film by hand (*imperfect*) or (2) a continuity of action, if one watches a movie being projected (*imperfect*).

Here are some tentative guides based on the occurrence of structural clues:

(1) The imperfect is often found

(a) when there is a time expression which marks duration included in the sentence:

J'allais toujours à Paris.
J'allais souvent à Paris.
J'allais régulièrement à Paris.
J'allais rarement à Paris.

Je travaillais en été.
Je travaillais le lundi.
Je travaillais le soir.
En général, il étudiait.

(b) when the sentence is joined to a clause involving a time conjunction which refers to the same point in time:

Il partait, quand vous êtes entré.
Il partait, au moment où vous êtes arrivé.
Il partait, pendant que vous attendiez.

(c) when the verb involves no action or event:

Son frère était jeune.
Le film semblait bon.
Vous paraissiez fatigué.

(2) The imperfect and the pluperfect sometimes contrast in second clauses in indirect discourse:

J'ai dit que j'allais le voir.	I said I was going to see him.
J'ai dit que j'étais allé le voir.	I said I went to see him.
Il a répondu qu'il devait rester au lit.	He answered that he was supposed to stay in bed.
Il a répondu qu'il avait dû rester au lit.	He said that he had had to stay in bed.
Nous avons expliqué que nous ne pouvions pas faire le travail.	We explained that we weren't able to do the work.
Nous avons expliqué que nous n'avions pas pu faire le travail.	We explained that we weren't able to (and didn't) do the work.

(3) In **si** clauses, the choice of imperfect or present perfect is conditioned by the tense in the other clause. This problem will be taken up in Section 59.

Verification Drills

■ CONTEXTUAL TRANSFORMATION DRILLS

1. Mardi, il fait beau.
   Mardi, il faisait beau.
   Nous allons en ville vers dix heures.
   Michel a des courses à faire.
   Et je veux voir la nouvelle salle du musée.
   Nous prenons l'autobus.
   Il y a beaucoup de monde.
   Nous arrivons en ville à onze heures.
   D'abord, nous allons au musée.
   Mais Michel reste dans la première salle, pendant que le guide me montre la nouvelle.
   Nous quittons le musée à onze heures et demie.
   Pendant que Michel fait ses courses, je vais téléphoner.
   A une heure, nous nous retrouvons devant le restaurant.
   Après le déjeuner, Michel me quitte.
   Il a rendez-vous avec son père.

2. — Nous partons en retard, parce qu'il pleut.
   — *Nous sommes partis en retard, parce qu'il pleuvait.*
— Pleut-il beaucoup ?
— Non, mais Jacqueline ne veut pas marcher sous la pluie.
— Pourquoi n'appelez-vous pas un taxi ?
— Parce que nous n'en voyons pas.
Il n'y en a pas un dans la rue.
— Vous attendez longtemps ?
— Non, la pluie s'arrête.
— Vous partez à pied ?
— Nous voulons prendre l'autobus.
Mais il y a beaucoup de monde à l'arrêt.
Nous marchons jusqu'au pont.
Là, nous trouvons un taxi libre.
Nous arrivons une demi-heure en retard.
Nos amis sont furieux.

51 Adverbs

EXAMPLES

Parlez plus **lentement.**
J'aimerais mieux déjeuner **légèrement.**
La femme de chambre va en apporter une **immédiatement.**
Je n'ai pas ma montre **aujourd'hui.**
Traversons **vite.**
Veuillez signer **ici.**

Presentation Drills

■ SIMPLE SUBSTITUTION DRILL

Il a répondu *lentement.*
(correctement, ouvertement, immédiatement, longuement, librement, lentement)

■ PROGRESSIVE SUBSTITUTION DRILLS

1. Premièrement, elle est jolie.
Heureusement, elle est jolie.
Heureusement, *ils sont là.*
Généralement, ils sont là.
Généralement, *elle arrive à l'heure.*
Certainement, elle arrive à l'heure.
Certainement, *je les aime beaucoup.*
Vraiment, je les aime beaucoup.
Vraiment, *elle est jolie.*
Premièrement, elle est jolie.

2. Il vient ici.
Il vient *aujourd'hui.*
Il part aujourd'hui.
Il part *déjà.*
Ils partent déjà.
Ils partent *ensemble.*
Nous travaillons ensemble.
Nous travaillons *beaucoup.*
Ils jouent beaucoup.
Ils jouent *dehors.*
Vous restez dehors.
Vous restez *ici.*
Il vient ici.

3. Il est très en retard.
Il est *encore* en retard.
Vous arrivez encore en retard.
Vous arrivez *toujours* en retard.
Elles partent toujours en retard.
Elles partent *bien* en retard.
Nous étions bien en retard.
Nous étions *souvent* en retard.
Il est souvent en retard.
Il est *très* en retard.

Discussion

Adverbs are forms which occur in verbal and adjectival phrases. They are of two types:

(1) Adverbs derived from adjectives:

Most adjectives (Sections 26 and 30) have a corresponding adverb form in **–ment** (paralleling the English *bad, badly*). The suffix **–ment** / -mã / is added to the spoken feminine form of the adjective; this pattern is not consistently observed in the writing system:

ADJECTIVE	ADVERB
libre	librement
première	premièrement
confortable	confortablement
vraie	vraiment
claire	clairement
sérieuse	sérieusement

In some cases, particularly with regard to pre-nominal adjectives, the meaning of the adverb does not parallel that of the adjective:

heureuse	happy	**heureusement**	fortunately
autre	other	**autrement**	otherwise
bonne	good	**bonnement**	simply
seule	alone	**seulement**	only
prochaine	next	**prochainement**	soon
dernière	last	**dernièrement**	recently
longue	long	**longuement**	at length

A few adjectives have special stems before / -mã / :

énorme	/ enɔrme- /	**énormément**
élégante	/ elega- /	**élégamment**

(2) Adverbs having no parallel adjective forms:

These are grouped here according to the kind of information they provide:

ADVERBS OF TIME

autrefois	formerly
déjà	already
depuis	since
encore	again
jamais	ever
quelquefois	sometimes
toujours	always
tout de suite	right away

ADVERBS OF PLACE

ici	here
là	there
loin	far away
près	nearby

ADVERBS OF QUANTITY

autant	as much
beaucoup	much
peu	not much
tant	so much
trop	too much

ADVERBS OF DEGREE

aussi	as
davantage	still more
moins	less
plus	more
presque	almost

ADVERBS OF MANNER

bien	well
ensemble	together
sans doute	probably
vite	quickly
volontiers	willingly

Adverbs may occur in one or more of these three positions:

Initially:	**Généralement, il arrive à l'heure.**
Post-verbally:	**Il arrive généralement à l'heure.**
Finally:	**Il arrive à l'heure, généralement.**

The favorite position for the second type of adverb is after a first verb:

Il travaille toujours.	He always works.
Il a toujours travaillé.	He has always worked.
Nous allons souvent en ville.	We often go downtown.
Nous sommes souvent allés en ville.	We have often gone downtown.

Verification Drills

■ EXPANSION DRILLS

1. C'est trop cher. (certain)
   Certainement, c'est trop cher.
   Il n'a pas compris. (heureux)
   Charles est insupportable. (vrai)
   Il n'aime rien. (premier)
   C'est un ami de M. Adams. (seul)

2. Ils se sont installés. (*confortable*)
   Ils se sont installés confortablement.
   Ils sont partis. (libre)
   Vous avez bavardé. (long)
   Pouvez-vous faire cela ? (autre)
   Il parle. (rapide)
   Nous voulons travailler. (sérieux)
   Je vais le voir. (prochain)

■ TRANSFORMATION DRILL

Vous leur répondez vraiment ?	*Vous leur avez vraiment répondu ?*
Vous leur répondez aujourd'hui ?	*Vous leur avez répondu aujourd'hui ?*
Vous leur répondez correctement ?	*Vous leur avez répondu correctement ?*
Vous leur répondez déjà ?	*Vous leur avez déjà répondu ?*
Vous leur répondez immédiatement ?	*Vous leur avez répondu immédiatement ?*
Vous leur répondez bien ?	*Vous leur avez bien répondu ?*
Vous leur répondez trop tard ?	*Vous leur avez répondu trop tard ?*
Vous leur répondez ensemble ?	*Vous leur avez répondu ensemble ?*
Vous leur répondez encore ?	*Vous leur avez encore répondu ?*

■ CONTEXTUAL EXPANSION DRILLS

1. Mes parents arrivent. (aujourd'hui)
   Mes parents arrivent aujourd'hui.
   Ils viennent en France. (souvent)
   Ils aiment la France. (beaucoup)
   Ils viennent en été. (généralement)
   Ils descendent au même hôtel. (toujours)
   Leur train arrive. (bientôt)
   Il va entrer en gare. (bientôt)
   Je l'entends. (déjà)
   Il est arrivé. (presque)

2. Mes parents sont partis. (déjà)
   Mes parents sont déjà partis.
   Nous nous sommes amusés. (vraiment)
   Nous nous sommes amusés. (bien)
   Mais je leur ai présenté Philippe. (seulement)
   Philippe leur a plu. (beaucoup)
   Et il les a aimés. (tout de suite)
   Nous sommes sortis ensemble. (quelquefois)
   Et nous avons bavardé. (longuement)
   Nous avons marché dans Paris. (beaucoup)
   Ils avaient visité Versailles. (déjà)
   Mais nous y sommes allés. (encore)

52 Clause relators after *ce*

EXAMPLES **Ce qui** est intéressant, c'est le quartier lui-même.
C'est **ce que** je vais prendre, moi aussi.
Vous comprenez **ce qu**'on vous dit au téléphone, vous?

Presentation Drills

■ PROGRESSIVE SUBSTITUTION DRILLS

1. Je ne sais pas ce qui se passe.
   Je ne sais pas *ce qui a été fait.*
   Il demande ce qui a été fait.
   Il demande *ce qui vous plaît.*
   Nous faisons ce qui vous plaît.
   Nous faisons *ce qui est possible.*
   Dites-moi ce qui est possible.
   Dites-moi *ce qui se passe.*
   Je ne sais pas ce qui se passe.

2. Ce que vous dites est intéressant.
   Ce que vous dites *est vrai.*
   Ce qu'on m'a dit est vrai.
   Ce qu'on m'a dit *va vous amuser.*
   Ce que je fais va vous amuser.
   Ce que je fais *n'est pas difficile.*
   Ce qu'ils font n'est pas difficile.
   Ce qu'ils font *est intéressant.*
   Ce que vous dites est intéressant.

3. Voilà ce dont il voulait parler.
   Voilà *ce dont nous manquons.*
   Il sait ce dont nous manquons.
   Il sait *ce dont vous avez besoin.*
   C'est ce dont vous avez besoin.
   C'est *ce dont il a horreur.*
   Voilà ce dont il a horreur.
   Voilà *ce dont il voulait parler.*

Discussion

The clause relators **que, qui,** and **dont** (Section 48) occur also after invariable **ce,** a pronoun which shows no number or gender differentiation; **ce** refers only to things and is construed grammatically as singular and masculine.

ce que *Noun Verb* **ce que** *Noun Verb*

Je cherche ce que vous voulez.	I'm looking for what you want.
On sait ce qu'il fait.	You know what he does.
C'est ce que je vais prendre.	That's what I'm going to have.

Ce que *Noun Verb* *Verb*

Ce que vous cherchez n'est pas ici.	What you are looking for isn't here.
Ce qu'il écrit est très bon.	What he writes is very good.
Ce que vous faites me plaît.	What you are doing pleases me.

ce qui	*Noun Verb* **ce qui** *Verb*	
	Je sais ce qui arrive.	I know what's happening.
	Nous avons vu ce qui se passait.	We saw what was going on.
	Ce qui *Verb* *Verb*	
	Ce qui est intéressant, c'est le Quartier lui-même.[1]	What is interesting is the Latin Quarter itself.
	Ce qui se passe ne nous concerne pas.	What's going on doesn't concern us.
ce dont	*Noun Verb* **ce dont** *Noun Verb*	
	Je sais ce dont vous parlez.	I know what you are talking about.
	C'est ce dont nous avons besoin.	It's what we need.
	Ce dont *Noun Verb* *Verb*	
	Ce dont vous parlez m'intéresse.	What you're talking about interests me.
	Ce dont ils ont besoin, c'est un téléphone.	What they need is a telephone.

Verification Drills

■ TRANSFORMATION DRILLS

1. On m'a donné quelque chose que je voulais.
   On m'a donné ce que je voulais.
   Il demande quelque chose dont il a besoin.
   Nous lui donnons quelque chose qu'il demande.
   J'ai trouvé quelque chose que vous avez laissé.
   Il fait quelque chose qui lui plaît.
   Nous avons quelque chose qui vous manque.
   C'est quelque chose dont il parlait.

2. Vous avez vu quelque chose.
   Je sais ce que vous avez vu.
   Il a besoin de quelque chose.
   Quelque chose manque.
   Il veut quelque chose.
   Il parle de quelque chose.
   On peut faire quelque chose.
   Il aime quelque chose.
   Vous voulez quelque chose.

3. Est-ce quelque chose que tu veux ?
   Est-ce ce que tu veux ?
   Est-ce quelque chose qui te plaît ?
   Est-ce quelque chose dont tu as besoin ?
   Est-ce quelque chose dont tu as l'habitude ?
   Est-ce quelque chose que tu sais faire ?
   Est-ce quelque chose dont je t'ai parlé ?
   Est-ce quelque chose qui t'amuse ?

[1] When the second verb is a form of **être**, a subject pronoun **ce** precedes it.

1.

PIERRE Allons, réveille-toi, mon vieux, c'est l'heure.
HENRI Non.
PIERRE Tu m'as demandé de te réveiller de bonne heure.
HENRI Pas moi.
PIERRE Si, toi ! Tu voulais faire tes exercices d'anglais.
HENRI Pas maintenant.
PIERRE Allons, lève-toi. Je sais ce que tu as à faire ; cela va te prendre une heure.
HENRI Je ne sais pas comment les faire, de toute façon.
PIERRE Moi non plus, je ne savais pas ; mais j'ai essayé.
HENRI Donne-moi tes exercices.
PIERRE Jamais de la vie.
HENRI Tu es déjà habillé ?
PIERRE Oui, je ne dormais pas, je me suis levé à six heures.
HENRI Tu ne veux pas me montrer tes exercices ?
PIERRE Non ; tu dois les faire toi-même.
HENRI Tu as raison ; je me lève.

2.

HENRI Marcel n'est pas arrivé ?
PHILIPPE Non, je ne l'ai pas vu.
HENRI Qu'est-ce qui se passe ? Il devait me retrouver ici.
PHILIPPE Il a peut-être oublié ?
HENRI Ce n'est pas possible ; je l'ai recontré à midi quand il sortait de sa classe. Il m'a dit qu'il allait venir.
PHILIPPE Il est seulement en retard.
HENRI Oh non, pas lui. Il n'est jamais en retard.
PHILIPPE Vous étiez chez vous cet après-midi ?
HENRI Non, je ne suis pas rentré.
PHILIPPE Il a peut-être essayé de vous téléphoner.
HENRI C'est possible. Ah, j'ai horreur d'attendre.
PHILIPPE A quelle heure devait-il vous retrouver ?
HENRI Six heures et demie.
PHILIPPE Vous n'avez attendu que trois minutes !
HENRI Je le sais bien.
PHILIPPE Tenez, est-ce que ce n'est pas lui, là-bas ?
HENRI Si, c'est lui. Vous restez avec nous ? Nous allons au Sextant.
PHILIPPE Qu'est-ce que c'est que ça ?
HENRI La nouvelle librairie. Ils ont un petit bar, et beaucoup de livres de voyage.
PHILIPPE Avec plaisir.

READING

Charles, l'homme d'affaires

Paul, qui est francophile depuis longtemps, a étudié avec grand intérêt l'histoire de France et la culture française. Il pensait pouvoir y intéresser Charles, mais il faut reconnaître qu'il n'y a pas très bien réussi.° Charles ne s'est pas intéressé à ce que Paul lui a montré, et il ne s'est jamais donné la peine de le cacher.° Les musées l'ont ennuyé,° il a refusé d'aller voir Versailles ; la peinture moderne lui semble affreuse, la peinture ancienne sans intérêt,

réussi: succeeded
de... to conceal it
l'ont... bored him

et il n'aime pas la musique. Il a bien voulu dire° que Paris était une belle ville, mais comme il n'aime pas marcher, il n'a jamais accepté de s'y promener avec Paul.

Il... He condescended to say

Pourtant,° Paul a fini par s'apercevoir° que Charles n'était pas aussi ignorant qu'il le paraissait. Ce qui intéresse Charles Guérard, ce sont les questions économiques. Il peut parler pertinemment° des plans économiques français, de la production du blé,° des effets du Marché commun sur les salaires ouvriers. C'est Charles qui a mené Paul visiter les usines° Renault, et qui lui a appris que ces usines étaient nationalisées, tout comme les chemins de fer, l'électricité, le gaz, le téléphone, les hôpitaux, l'Opéra, et le Théâtre français. Un jour que Paul l'avait traîné° à l'Opéra pour voir les ballets, Charles a passé tout l'entr'acte° à lui expliquer en détail le système de sécurité sociale qui paie 80 pourcent des frais° médicaux de la majorité des Français. Et Paul, partagé° entre l'irritation et l'amusement, ne peut s'empêcher d'admettre qu'il a appris plus de choses de Charles qu'il n'a été capable de lui en enseigner.°

However; to notice
pertinently; wheat
factories
dragged
intermission
expenses
divided
to teach

DIALOGUE

On emmène Charles à la campagne

Philippe, Paul et Charles sont assis sur un banc des Tuileries après une visite au Louvre (1, 2).

CHARLES	Rien ne m'ennuie comme un musée.
PAUL	Vous voulez toujours partir lundi, Charles ?
CHARLES	Certainement. Pourquoi ?
PAUL	Je voulais vous montrer les environs de Paris ; mais nous ne sommes allés nulle part.
PHILIPPE	Il nous reste quatre jours. Si nous faisions un pique-nique ? A Fontainebleau, par exemple (3) ?
CHARLES	J'allais justement le proposer.
PAUL	Oui, il y a de jolis endroits dans la forêt.

Un silence; Paul et Philippe réfléchissent.

PHILIPPE	Il faudra partir de bonne heure, si nous y allons par le train.
PAUL	Tu pourras peut-être emprunter la voiture ?
PHILIPPE	Je n'en sais rien ; peut-être.
CHARLES	Laissez-moi m'occuper de ça ; je louerai une auto.
PHILIPPE	Si c'est à Fontainebleau que nous allons, allons-y avant le week-end. Il y a foule, le dimanche.
CHARLES	Où se trouve cet endroit dont vous parlez ?
PAUL	A une soixantaine de kilomètres de Paris.
PHILIPPE	Cela vous plaira, c'est magnifique.
CHARLES	Et plein de moustiques, probablement.

◀ **Musée de Cluny : le jardin.**

õ nã mɛn ʃarl a la kã paɲ↘

Charles Is Taken to the Country

fi lip pɔl e ʃarl sõ ta si syr œ̃ bã dɛ tɥil ri a prɛ zyn vi zi to luvr↘

Philippe, Paul, and Charles are sitting in the Tuileries after a visit to the Louvre.

rjɛ̃ nə mã nɥi kɔm œ̃ my ze↘

CHARLES Nothing bores me like a museum.

vu vu le tu ʒur par tir lœ̃ di ʃarl↗

PAUL Do you still want to leave Monday, Charles?

sɛr tɛn mã↗ pur kwa→

CHARLES Certainly. Why?

ʒə vu le vu mõ tre le zã vi rõd pa ri↘ mɛ nun sɔm za le nyl par↘

PAUL I wanted to show you the outskirts of Paris, but we haven't gone anyplace at all.

il nu rɛst kat rə ʒur↘ si nu fə zjõ œ̃ pik nik a fõ tɛn blo par ɛg zãpl↘

PHILIPPE We have four days left. How about having a picnic? Say at Fontainebleau?

ʒa le ʒy stə mã lə prɔ po ze↘

CHARLES I was just going to suggest that.

wi↗ il ja də ʒɔ li zã drwa dã la fɔ rɛ↘

PAUL Yes, there are some pretty places in the forest.

œ̃ si lãs↘ pɔl e fi lip re fle ʃis↘

A silence; Paul and Philippe are thinking.

il fo dra par tir də bɔ nœr si nu zi a lõ par lə trɛ̃↘

PHILIPPE We'll have to leave early if we go by train.

ty pu ra pø tɛ trã prœ̃ te la vwa tyr↘

PAUL Perhaps you can borrow the car.

ʒə nã sɛ rjɛ̃↘ pø tɛtr→

PHILIPPE I don't know anything about that; maybe.

lɛ se mwa mɔ ky ped sa↘ ʒə lu re yn o to↘

CHARLES Let me take care of that; I'll rent a car.

si sɛ ta fõ tɛn blo kə nu za lõ↗ a lõ zi a vãl wi kɛnd↘ i li a ful lə di mãʃ↘

PHILIPPE If we're going to Fontainebleau, let's go before the week-end. There's a crowd on Sundays.

us truv sɛt ã drwa dõ vu par le↘

CHARLES Where is this place you're talking about?

a yn swa sã tɛn də ki lɔ mɛt də pa ri↘

PAUL About sixty kilometers from Paris.

sə la vu plɛ ra sɛ ma ɲi fik↘

PHILIPPE You'll like it; it's magnificent.

e plɛ̃d mu stik prɔ bab lə mã↘

CHARLES And full of mosquitoes, probably.

SUPPLEMENTARY VOCABULARY

Ce monument a été construit en 1520.
Cet escalier a été construit en 1520.
Cette cheminée a été construite en 1520.

This monument was built in 1520.
This staircase was built in 1520.
This fireplace was built in 1520.

Ce château date du dix-neuvième siècle.
Ce tableau date du dix-septième siècle.
Cette église date du treizième siècle.

This castle dates from the nineteenth century.
This picture dates from the seventeenth century.
This church dates from the thirteenth century.

Le guide fait visiter toutes les pièces.
Le guide fait visiter la cuisine.
Le guide fait visiter le jardin.

The guide is showing all the rooms.
The guide is showing the kitchen.
The guide is showing the garden.

Nous n'avons pas vu grand'chose.
Nous n'avons pas vu grand'monde.

We didn't see very much.
We didn't see many people.

Regardez le plafond !
Regardez les meubles !
Regardez les arbres !

Look at the ceiling!
Look at the furniture!
Look at the trees!

Amenez vos amis et apportez un maillot de bain.

Bring your friends and bring a bathing suit.

Nous vous emmènerons à la campagne et nous emporterons des sandwichs.

We'll take you out to the country and we'll take along some sandwiches.

Vous nous ramènerez en ville, et vous rapporterez des fleurs.

You'll take us back to town and you'll bring back some flowers.

DIALOGUE NOTES

(1) **Le Jardin des Tuileries** is a large, public, formal garden which includes three museums and dozens of statues along its flowered walks.

(2) **Le Louvre,** formerly the royal palace, is an architectural masterpiece and the richest art museum in the world.

(3) **Fontainebleau,** 55 kilometers southeast of Paris, is the site of a historic chateau, surrounded by a large and beautiful forest.

Vocabulary Drills

1. Rien ne m'ennuie.
Rien ne *vous ennuie.*
Rien ne *vous intéresse.*
Rien ne *m'intéresse.*
Rien ne *m'amuse.*
Rien ne *les amuse.*
Rien ne *les ennuie.*
Rien ne *m'ennuie.*

2. Il nous reste quatre jours.
Il nous faut quatre jours.
Il nous faut *cent francs.*
Il vous reste cent francs.
Il vous reste *un ami.*
Il me faut un ami.
Il me faut *du temps.*
Il nous reste du temps.
Il nous reste *quatre jours.*

3. J'allais justement le proposer.
J'allais justement *y aller.*
Elle allait justement y aller.
Elle allait justement *s'en occuper.*
Ils allaient justement s'en occuper.
Ils allaient justement *louer une auto.*
Nous allions justement louer une auto.
Nous allions justement *le proposer.*
J'allais justement le proposer.

4. Il faudra partir de bonne heure.
Il a fallu partir de bonne heure.
Il a fallu *leur répondre.*
Il faut leur répondre.
Il faut *l'attendre.*
Il fallait l'attendre.
Il fallait *s'occuper du jardin.*
Il faudra s'occuper du jardin.
Il faudra *partir de bonne heure.*

5. Je vais m'occuper de ça.
Ils vont s'occuper de ça.
Ils vont s'occuper *de cette histoire.*
Nous allons nous occuper de cette histoire.
Nous allons nous occuper *d'eux.*
Il faut s'occuper d'eux.
Il faut s'occuper *du jardin.*
Vous vous êtes occupés du jardin.
Vous vous êtes occupés *du chauffage.*
Je vais m'occuper du chauffage.
Je vais m'occuper *de ça.*

6. C'est à une soixantaine de kilomètres.
Nous avons fait une soixantaine de kilomètres.
Nous avons fait *une dizaine de courses.*
Je dois faire une dizaine de courses.
Je dois faire *une quinzaine d'exercices.*
On nous a donné une quinzaine d'exercices.
On nous a donné *une vingtaine de francs.*
Ça doit faire une vingtaine de francs.
Ça doit faire *une douzaine de kilomètres.*
C'est à une douzaine de kilomètres.
C'est à *une soixantaine de kilomètres.*

53 Verbs like *finir*

EXAMPLES

Le cours est **fini.**
Paul et Philippe **réfléchissent.**
Paul **réfléchit.**
Je ne sais pas pourquoi je vous **obéis.**
Veuillez la **remplir.**
Si nous laissions votre ami **choisir?**

Presentation Drills

■ SIMPLE SUBSTITUTION DRILLS

1. *Je finis* de travailler à quatre heures.
(Nous finissons, Elle finit, Elles finissent, Tu finis, Vous finissez, On finit, Ils finissent, Je finis)

2. A quelle heure *finis-tu?*
(finit-il, finissent-ils, finissez-vous, finissent-elles, finit-on, finissons-nous, finis-tu)

■ PROGRESSIVE SUBSTITUTION DRILLS

1. Je ne finis pas ce travail.
Je ne finis pas *la partie.*
Nous ne finissons pas la partie.
Nous ne finissons pas *les exercices.*
Ils ne finissent pas les exercices.
Ils ne finissent pas *la leçon.*
Vous ne finissez pas la leçon.
Vous ne finissez pas *la phrase.*
Elle ne finit pas la phrase.
Elle ne finit pas *ce travail.*
Je ne finis pas ce travail.

2. Il n'a pas fini.
Il n'a pas *réfléchi.*
Vous n'avez pas réfléchi.
Vous n'avez pas *obéi.*
Ils n'ont pas obéi.
Ils n'ont pas *réfléchi.*
Nous n'avons pas réfléchi.
Nous n'avons pas *fini.*
Il n'a pas fini.

■ SIMPLE SUBSTITUTION DRILL

A quoi *réfléchissais-tu ?*
(réfléchissiez-vous, réfléchissait-il, les étudiants réfléchissaient-ils, réfléchissions-nous, réfléchissais-je, réfléchissais-tu)

Discussion

	finir		**finir** *to finish*
nu	finis	õ^z	nous finissons
vu	finis	e^z	vous finissez
il	finis	^{t}	ils finissent
ʒə	fini	^{z}	je finis
ty	fini	^{z}	tu finis
il	fini	^{t}	il finit
Past Participle:	fini		(avoir) fini
Imperfect Stem:	finis-		finiss-

The verb **finir** has two present tense stems, characterized by / -s- / in the plural forms. A large number of verbs pattern like **finir :**

agir	to act	**jouir**	to enjoy
atterrir	to land	**obéir**	to obey
avertir	to notify	**réfléchir**	to reflect
choisir	to choose	**remplir**	to fill

Verification Drills

■ SIMPLE CORRELATION DRILLS

1. *Je* finis de ranger la pièce.
   (Nous, La femme de chambre, Tu, Les employés, Vous, On, Je)
2. Que choisis-*tu ?*
   (nous, on, ces deux personnes, vous, votre ami, tu)

■ CHAIN DRILL

J'étais fatigué, je n'ai pas fini le livre.
Elle était fatiguée, elle __________.
Nous étions fatigués, nous __________.
Ils étaient fatigués, ils __________.
Tu étais fatigué, tu __________.
Vous étiez fatigués, vous __________.
J'étais fatigué, je __________.

■ TRANSFORMATION DRILLS

1. Nous agissons trop vite.
   Nous avons agi trop vite.
   Philippe obéit à son père.
   Vous réfléchissez à leur question.
   Paul choisit une chambre sur la rue.
   Tu remplis la malle.
   Je réfléchis à votre idée.
   Elle obéit immédiatement.
   Nous avertissons l'agent.

2. Je finis de faire la valise.
   Je finissais de faire la valise.
   Nous choisissons les meilleurs hôtels.
   Charles finit sa malle.
   Vous finissez de jouer.
   Les étudiants remplissent le couloir.
   Je ne réfléchis pas.
   Nous n'obéissons jamais.
   Ils n'agissent jamais seuls.
   Vous ne choisissez pas sans réfléchir.

54 The future tense

EXAMPLES

Nous **emporterons** un casse-croûte.
Vous vous **habituerez** à ces détails.
Tu **pourras** peut-être emprunter la voiture ?
Il **faudra** partir de bonne heure.
Maman **sera** contente de vous connaître.

Presentation Drills

■ SIMPLE SUBSTITUTION DRILLS

1. A quelle heure *seras-tu* libre ?
   (serons-nous, sera-t-on, sera-t-il, seront-ils, serez-vous, serai-je, seras-tu)

2. *Je ne parlerai pas* longtemps.
   (Je ne jouerai pas, Nous ne resterons pas, Vous n'attendrez pas, Il ne voyagera pas, Ils ne nageront pas, Ça ne marchera pas, Nous ne dormirons pas, Je ne parlerai pas)

■ PROGRESSIVE SUBSTITUTION DRILLS

1. Nous irons sûrement.
   Nous irons *à Paris.*
   Ils viendront à Paris.
   Ils viendront *immédiatement.*
   Je ferai ça immédiatement.
   Je ferai ça *aujourd'hui.*
   Vous partirez aujourd'hui.
   Vous partirez *seul.*
   Elle finira seule.
   Elle finira *sûrement.*
   Nous irons sûrement.

2. Quand le sauras-tu ?
   Quand *les auras-tu ?*
   Comment les auras-tu ?
   Comment *le saurez-vous ?*
   Quand le saurez-vous ?
   Quand *les aurez-vous ?*
   Comment les aurez-vous ?
   Comment *le saurons-nous ?*
   Quand le saurons-nous ?
   Quand *les aurons-nous ?*
   Comment les aurons-nous ?
   Comment *le sauront-ils ?*
   Quand le sauront-ils ?
   Quand *les auront-ils ?*
   Comment les auront-ils ?
   Comment *le sauras-tu ?*
   Quand le sauras-tu ?

Discussion

Besides the infinitive verb phrase with √**aller** discussed in Section 42, there is a formal future tense in French **(le futur).** The meaning correspondence between these two ways of referring to future time in French are comparable to the English *I'm going to* and *I shall:*

Je vais partir demain.	I'm going to leave tomorrow.
Je partirai demain.	I shall leave tomorrow.

The endings of all future tense forms are:

nu	—õ^{z}	nous	—ons
vu	—e^{z}	vous	—ez
il	—õ^{t}	ils	—ont
ʒə	—e$^{=}$	je	—ai
ty	—a^{z}	tu	—as
il	—a$^{=}$	il	—a

The future tense stems are not predictable from the present tense stems. They may be classified into three groups:

(1) About twenty verbs having special unpredictable future stems:

aller	ir–	ir–
asseoir	asjɛr–	assiér–
avoir	or–	aur–
devoir	dəvr–	devr–
envoyer	ãvɛr–	enverr–
être	sər–	ser–
faire	fər–	fer–
mourir	murr–	mourr–
pouvoir	pur–	pourr–
savoir	sor–	saur–
venir	vjɛ̃dr–	viendr–
voir	vɛr–	verr–
vouloir	vudr–	voudr–
falloir	ilfodra	il faudra
pleuvoir	ilplœvra	il pleuvra

(2) All those verbs whose infinitive form ends in / -e / (written –**er**), except **aller** and **envoyer** (which are noted above), have a future stem in / ər- /:

parler	parlər–	parler–
préférer	prefɛrər–	préférer–
appeler	apɛlər–	appeler–
étudier	etydjər–	étudier–

(3) All other verbs have a future stem identical to the infinitive form:

croire	krwar–	croir–
prendre	prɑ̃dr–	prendr–
dire	dir–	dir–
rire	rir–	rir–
connaître	kɔnɛtr–	connaîtr–
naître	nɛtr–	naîtr–
conduire	kõdɥir–	conduir–
vendre	vɑ̃dr–	vendr–
ouvrir	uvrir–	ouvrir–
finir	finir–	finir–
partir	partir–	partir–

Note that all future stems end in / -r- /.

Verification Drills

■ TRANSFORMATION DRILLS

1. Je viendrai demain.
   Nous viendrons demain.
   Je pourrai venir dans la matinée.
   J'arriverai à neuf heures.
   Je serai à l'heure.
   Je vous attendrai.
   Je vous montrerai quelque chose.

2. A quelle heure téléphoneront-ils ?
   A quelle heure téléphonera-t-il ?
   Quand iront-ils à la gare ?
   Quel train prendront-ils ?
   Auront-ils beaucoup de bagages ?
   Pourront-ils assurer la malle ?
   Sauront-ils comment faire?

3. Tu n'iras pas à la campagne.
   Vous n'irez pas à la campagne.
   Tu n'accompagneras pas tes amis.
   Tu n'emprunteras pas la voiture.
   Tu ne partiras pas de bonne heure.
   Tu ne visiteras pas le château.
   Tu n'apporteras pas de fleurs.

■ CONTEXTUAL TRANSFORMATION DRILLS

1. — Ce soir, nous allons au cinéma.
   — Ce soir, nous irons au cinéma.
   — Quel film voyons-nous ?
   — Vous choisissez le film.
   Nous voyons ce que vous voulez.
   — Est-ce que je vous retrouve au cinéma ?
   — Non, je passe vous chercher à huit heures.
   C'est assez tôt, n'est-ce pas ?
   — Avez-vous votre voiture ?
   — Non, je ne l'ai pas ; mais nous trouvons un taxi.
   — C'est peut-être difficile, à cette heure-là.
   Mais nous n'avons peut-être pas besoin de taxi.
   Nous pouvons aller au cinéma de mon quartier.
   — C'est comme vous voulez.

2\. — Que faites-vous demain, Paul ?
— Que ferez-vous demain, Paul ?
— Ça dépend de Charles.
Il veut peut-être sortir.
— Vous l'accompagnez ?
— Je fais ce que je peux.
J'assiste à mes cours le matin; ensuite, je peux voir Charles.
— Où allez-vous ?
— Nous pouvons visiter Paris.
— Vous lui montrez le Louvre ?
— Non, ça ne l'intéresse pas.
Mais nous faisons un tour, et nous déjeunons quelque part.
Il choisit lui-même.
— Vous l'aidez à choisir.
C'est beaucoup mieux.
— Non, je le laisse décider lui-même.
— Qu'est-ce qu'il choisit, à votre idée ?
— Je vous en parle demain soir.

3\. — Nous allons passer dans votre quartier ce soir.
— Nous passerons dans votre quartier ce soir.
Est-ce que vous allez être chez vous toute la soirée ?
— Oui, je vais sans doute travailler.
Mais mes parents vont sortir vers six heures.
— Où vont-ils aller ?
— Ils vont passer un moment avec mon oncle.
Mais ils vont rentrer de bonne heure.
De toute façon, je vais être à la maison, et je vais être heureux de vous voir.
Vous allez être le bienvenu.
— Nous n'allons pas vous déranger ?
— Pas du tout. Vers quelle heure allez-vous pouvoir venir ?
— Vers sept heures ; nous allons vous parler de nos vacances.

55 Stressable pronouns

EXAMPLES **Moi,** j'y viens quelquefois.
Vous comprenez ce qu'on vous dit au téléphone, **vous ?**

Presentation Drills

■ PROGRESSIVE SUBSTITUTION DRILLS

1\. Vous allez chez vous.
Vous allez *chez eux.*
Nous travaillons chez eux.
Nous travaillons *pour lui.*
Je reste ici pour lui.
Je reste ici *avec elles.*
Il déjeune avec elles.
Il déjeune *avec nous.*
Elles viennent avec nous.
Elles viennent *chez vous.*
Vous allez chez vous.

2\. Moi aussi.
Moi *non plus.*
Lui non plus.
Lui *aussi.*
Vous aussi.
Vous *non plus.*
Toi non plus.
Toi *aussi.*
Eux aussi.
Eux *non plus.*
Nous non plus.
Nous *aussi.*
Moi aussi.

3\. C'est moi qui parle.
C'est moi qui *réponds.*
C'est lui qui répond.
C'est lui qui *travaille.*
Ce sont elles qui travaillent.
Ce sont elles qui *parlent.*
C'est moi qui parle.

4. Cette voiture est à moi.
   Cette voiture est *à nous.*
   La maison est à nous.
   La maison est *à eux.*
   Ces valises sont à eux.
   Ces valises sont *à toi.*
   La clef est à toi.
   La clef est *à moi.*
   Cette voiture est à moi.

Discussion

Personal subject pronouns (Section 2) and personal object pronouns (Sections 28 and 31) occur always and only with verbs; they are never stressed. The stressable personal pronouns **(pronoms toniques)** occur after prepositions and in the other environments listed below:

Subject Pronouns		*Object Pronouns*				*Stressable Pronouns*	
ʒə	je	m/mə	m'/me			mwa	moi
ty	tu	t/tə	t'/te			twa	toi
nuz/nu	nous	nuz/nu	nous			nu^{z}	nous
vuz/vu	vous	vuz/vu	vous			vu^{z}	vous
on/õ	on	s/sə	s'/se			swa	soi
		Noun Phrase Replacers		*Prepositional Phrase Replacers*			
ɛl	elle	l/la	l'/la	lɥi	lui	ɛl	elle
il	il	l/lə	l'/le	lɥi	lui	lɥi	lui
ɛlz/ɛl	elles	lɛz/lɛ	les	lœr	leur	ɛl^{z}	elles
ilz/il	ils	lɛz/lɛ	les	lœr	leur	ø^{z}	eux

Stressable pronouns occur

(1) after prepositions,

La même chose pour moi.
Marchez donc un peu avec moi.
Elle est à moi depuis vingt minutes.

(2) after tie words, such as **et, que,** and **mais,**

Très bien, merci, et vous ?
Elle est plus grande que lui.
Mais eux aussi.

(3) after **c'est,**

C'est moi.
Est-ce lui ?
C'était vous aussi.
C'est nous.

and after **ce sont** for third person plural only,

Ce sont eux.
Ce sont elles.

(4) in isolation,

Moi non plus.
Vous.
Eux aussi.

(5) before a subject pronoun, for emphasis,

Lui, il reste ; moi, je pars.	*He*'s staying; *I*'m leaving.
Vous, vous pouvez le dire.	*You* can say so.

(6) before –**même** *self,*

Moi-même, je l'ai fait.	I myself did it.
On travaille pour soi-même.	One works for oneself.
Nous l'avons vu nous-mêmes.	We saw it ourselves.
C'est le Quartier lui-même.	It's the Latin Quarter itself.

Verification Drills

■ CONTEXTUAL TRANSFORMATION DRILL

Paul habite chez les Chatel.
Paul habite chez eux.
Il va au cours avec Philippe.
Il travaille aussi avec Gisèle.
Il déjeune avec Gisèle et Philippe.
Il rentre sans Philippe.
Il achète un livre pour Jacqueline.
Il déjeune avec les Chatel.
Il est assis entre Madame Chatel et Jacqueline.
Maître Chatel est assis en face de sa femme.

■ QUESTION DRILL

Qui fait ce bruit ? Mon frère et lui ?
Oui, ce sont eux.
Qui a ouvert la fenêtre ? Gisèle ?
Qui a pris mes livres ? Vos sœurs ?
Qui parle ? Michel ?
Qui entre ? Les Chatel ?

■ TRANSFORMATION DRILLS

1. Je vais chercher Charles.
Moi, je vais chercher Charles.
Il est étranger.
Tu es français.
Nous avons nos billets.
Vous voulez une couchette.
Il vient en auto.
Elles vous connaissent.

2. Je vais réparer ça.
Je vais réparer ça moi-même.
Nous faisons tout.
Elle va venir.
Ses sœurs font leurs robes.
Tu dois leur répondre.
Vous me l'avez dit.
Mes parents vous ont vu.
Charles porte sa serviette.
Je viens de le voir.

3. Je suis plus vieux que vous.
   Vous êtes plus vieux que moi.
   Elle est plus jolie que sa mère.
   Il est moins grand que vous.
   Nous sommes plus vieux que toi.
   Ils sont aussi rapides que moi.
   Vous êtes aussi insupportable qu'eux.
   Tu es aussi heureux que nous.

4. Vous allez bien ?
   Et vous, vous allez bien ?
   Il le sait ?
   Qu'est-ce que je fais ?
   Vous l'avez vu ?
   Nous ne partons pas ?
   Ils ont fini ?
   Tu viens aussi ?
   Elles ne veulent pas ?
   Elle va mieux ?

56 Clause relators after prepositions

EXAMPLES Peut-on savoir **à quoi** vous pensez ?
C'est le garagiste **auquel** je l'ai montrée.

Presentation Drills

■ PROGRESSIVE SUBSTITUTION DRILLS

1. Je connais l'homme à qui il parle.
   Je connais l'homme *chez qui il habite.*
   Voici les amis chez qui il habite.
   Voici les amis *avec qui il voyage.*
   Ce n'est pas la personne avec qui il voyage.
   Ce n'est pas la personne *à qui il téléphone.*
   Ce sont les gens à qui il téléphone.
   Ce sont les gens *pour qui il est venu.*
   Je ne vois pas les amis pour qui il est venu.
   Je ne vois pas les amis *à qui il parle.*
   Je connais l'homme à qui il parle.

2. Je connais l'homme auquel il parle.
   Je connais l'homme *chez lequel il habite.*
   Voici l'ami chez lequel il habite.
   Voici l'ami *avec lequel il voyage.*
   Voilà le cousin avec lequel il voyage.
   Voilà le cousin *auquel il téléphone.*
   Ce sont les gens auxquels il téléphone.
   Ce sont les gens *pour lesquels il est venu.*
   Je ne vois pas les amis pour lesquels il est venu.
   Je ne vois pas les amis *auxquels il parle.*
   Je connais l'homme auquel il parle.

3. Est-ce la personne de qui il parlait?
Est-ce la personne dont il parlait?
Est-ce la personne dont *vous vous occupez?*
Est-ce la personne de qui vous vous occupez?
Est-ce la personne de qui *vous avez fait la connaissance?*
Est-ce la personne dont vous avez fait la connaissance?
Est-ce la personne dont *vous avez besoin?*
Est-ce la personne de qui vous avez besoin?
Est-ce la personne de qui *il parlait?*

4. Voici la maison dans laquelle il habitait.
Voici la maison dans laquelle *il est mort.*
Voici l'hôtel dans lequel il est mort.
Voici l'hôtel dans lequel *nous étions.*
Voici le bateau sur lequel nous étions.
Voici le bateau sur lequel *ils sont arrivés.*
Voici les gens avec lesquels ils sont arrivés.
Voici les gens avec lesquels *il habitait.*
Voici la maison dans laquelle il habitait.

Discussion

The clause relators that can occur after prepositions are **qui, quoi,** and **√lequel:**

qui *Noun Verb Preposition* **qui** *Noun Verb*

Je sais avec qui vous parlez.	I know whom you're talking with.
Dites-moi chez qui il va.	Tell me whose place he's going to.
Peut-on savoir à qui vous pensez?	May we know whom you are thinking about?

Noun Preposition **qui** *Noun Verb Verb*

La personne avec qui vous parlez est mon professeur d'anglais.	The person with whom you are talking is my English teacher.
Les personnes chez qui il va travaillent à l'université.	The people to whose place he is going work at the university.
Le professeur à qui vous pensez doit être assez jeune.	The professor you are thinking about must be rather young.

The clause relator **qui** refers only to persons.

quoi *Noun Verb Preposition* **quoi** *Noun Verb*

Je sais avec quoi vous travaillez.	I know what you're working with.
Dites-nous à quoi il s'intéresse.	Tell us what he's interested in.

The clause relator **quoi** refers only to unspecified things.

√**lequel** *Noun Verb Preposition* √**lequel** *Noun Verb*

Je sais avec lequel vous travaillez.
I know which one you're working with.

Dites-moi chez lequel il va.
Tell me whose place he's going to.

Peut-on savoir à laquelle vous pensez ?
May we know which one you are thinking about?

Noun Verb Noun Preposition √**lequel** *Noun Verb*

Je connais la rapidité avec laquelle il travaille.
I know the speed at which he works.

Où est le stylo avec lequel il a signé ?
Where's the pen he signed with?

C'est le journal auquel je pensais.
It's the newspaper I was thinking about.

Noun Preposition √**lequel** *Noun Verb Verb*

La vitesse avec laquelle il travaille est étonnante.
The speed with which he works is astounding.

La compagnie à laquelle vous vous adressez n'a pas de bureaux à Paris.
The company to which you are applying doesn't have offices in Paris.

L'hôtel près duquel vous habitez est ouvert maintenant.
The hotel you live near is now open.

The clause relator √**lequel** refers to people or to things, marking the number and gender of its noun referent as follows:

	SPEECH		WRITING	
	Singular	*Plural*	*Singular*	*Plural*
Fem	lakɛl	lekɛl	laquelle	lesquelles
Masc	lœkɛl		lequel	lesquels

These forms of √**lequel** may occur after any preposition except **à** or **de,** where the following shapes occur:

		SPEECH		WRITING	
		Singular	*Plural*	*Singular*	*Plural*
à	*Fem*	alakɛl	okɛl	à laquelle	auxquelles
	Masc	okɛl		auquel	auxquels
de	*Fem*	dəlakɛl	dekɛl	de laquelle	desquelles
	Masc	dykɛl		duquel	desquels

Verification Drills

■ SUPPLEMENTATION DRILLS

1. Vous parlez à une personne.
   Je connais la personne à laquelle vous parlez.
   Elle habite dans ce quartier.
   Elle habite avec ces gens.
   Elle travaille dans cette librairie.
   Elle travaille avec cet homme.
   Elle est née dans une petite ville.
   Elle est venue ici avec des amis.
   Elle achète ses vêtements dans ce magasin.

2. Il est arrivé dans cette auto.
   Voici l'auto dans laquelle il est arrivé.
   Il l'a garée près de cet arbre.
   Il l'a garée derrière cette voiture.
   Il est entré par cette porte.
   Il l'a ouverte avec cette clef.
   L'argent se trouvait dans ce meuble.
   Il a mis l'argent dans cette serviette.
   Il a voulu sortir par cette porte.
   Il est tombé près de ce fauteuil.
   Nous avons trouvé le sac sous la table.

3. Vous parlez d'un livre.
   Je ne veux pas le livre dont vous parlez.
   Vous pensez à un livre.
   Vous achetez un livre.
   Vous avez entendu parler d'un livre.
   Vous travaillez avec un livre.
   Vous avez envie d'un livre.
   Vous regardez un livre.
   Vous vous intéressez à un livre.
   Vous me recommandez un livre.

4. Il travaille chez Monsieur Bernier.
   Dites-moi chez qui il travaille.
   Il travaille sur cette table.
   Dites-moi sur quoi il travaille.
   Il travaille pour ses enfants.
   Il travaille avec deux employés.
   Il s'intéresse à la politique.
   Il s'intéresse à ces jeunes gens.
   Il vous a parlé d'eux.
   Il vous a parlé de leurs ennuis.
   Vous avez entendu parler de leur accident.
   Vous avez entendu parler de leur père.

■ CONVERSATION EXERCISES

1.

CHARLES Bonjour, Paul ; je vous attendais plus tôt.
PAUL Je suis désolé ; je travaillais, je n'ai pas pensé à regarder l'heure.
CHARLES Est-ce que vous êtes libre maintenant ?
PAUL Tout l'après-midi. Dites-moi ce que vous voulez faire.
CHARLES Moi ? Je ne sais pas. C'est à vous de choisir.
PAUL Vous voulez aller au Louvre ?
CHARLES Non, merci, pas aujourd'hui.
PAUL Si nous allions voir la Sainte-Chapelle ?
CHARLES Qu'est-ce que c'est que ça ? Encore une église ?
PAUL Elle date du treizième siècle.
CHARLES Nous irons un jour de pluie.
PAUL Allons nous asseoir au Café de la Paix. Nous regarderons les gens passer, et nous réfléchirons.
CHARLES C'est cela ; vous aurez bien une idée.

2.

PAUL Pardon, est-ce qu'on peut visiter le château aujourd'hui ?

LE GUIDE Bien sûr, Monsieur. C'est ouvert tous les jours de semaine.

PAUL Mais je suis tout seul, on dirait ?

LE GUIDE Il ne vient jamais grand'monde, en cette saison. Mais je vous ferai visiter, si vous voulez.

PAUL L'escalier est superbe.

LE GUIDE Oui, il est célèbre ; mais il ne date que du seizième siècle, vous savez.

PAUL Le reste du château est plus ancien ?

LE GUIDE Quatorzième.

PAUL Il n'y a pas de meubles du tout ?

LE GUIDE Si, il y en a quelques-uns, vous verrez. Je vais vous montrer la chambre dans laquelle Louis XIII a dormi.

PAUL Louis XIII a dormi ici ?

LE GUIDE On le dit ; moi, vous savez, je n'en sais rien.

PAUL J'aimerais vivre ici.

LE GUIDE Pas moi ; il fait trop froid en hiver.

PAUL Avec deux cheminées dans la pièce ?

LE GUIDE Dans des cheminées comme ça, il faut mettre des arbres ; et ça ne vous empêche pas d'avoir le nez bleu.

PAUL Est-ce que je peux visiter un peu tout seul ?

LE GUIDE Comme il vous plaira. Vous me trouverez au rez-de-chaussée, si vous avez besoin de moi.

READING

Lettre de Paul à son ami Raymond

Mon cher Raymond,

Je ne savais pas, quand je vous ai écrit° la semaine dernière, que j'allais vous récrire si tôt pour vous demander un service.° Il s'agit de° ce Charles Guérard dont je vous parlais dans ma lettre. Il vient de décider d'aller essayer Rome. Je dis « essayer » parce que je suis sûr qu'il n'y sera pas plus heureux qu'à Paris. Après un mois passé avec lui, je me demande s'il peut vraiment se plaire° quelque part, même chez lui.

De toute façon, il veut aller à Rome. Comme il ne connaît pas la ville, et ne parle pas italien, il serait très heureux de pouvoir compter sur° une chambre d'hôtel en arrivant. Pouvez-vous en retenir une à son nom, dans un bon hôtel, de préférence à côté de l'American Express ? C'était ici son monument favori.

wrote
favor
Il... It's about
enjoy himself
compter... to count on

Après quelque hésitation, j'ai décidé de ne pas lui donner votre adresse. Vous pouvez le voir si vous le désirez, mais il est vraiment insupportable, et je ne veux pas vous l'imposer. Il va sans doute protester en Italie contre tout ce qui est italien, comme il protestait en France contre tout ce qui était français. Il doit avoir un ulcère. Vous allez dire que je deviens bien sarcastique — ne m'en veuillez pas,° c'est l'influence de Charles.

ne... don't hold it against me

D'avance, je vous remercie de votre aide. J'espère avoir bientôt de vos nouvelles ; vous me devez une bonne longue lettre, ne l'oubliez pas. Rappelez-moi, je vous prie, au bon souvenir de Mildred. Toutes mes amitiés et mes remerciements.

Paul

RENSEIGNEMENTS
RESERVATION
VENTE DE BILLETS
D'AVION
HOTELS-CHEMIN DE FER
BANQUE-CHANGE
TELEGRAPHE-BAGAGES
DEPARTS
ENREGISTREMENT
FACTURACION

UNIT **15**

DIALOGUE

Charles s'en va

Charles et Paul arrivent à la gare des Invalides (1). Ils entrent dans le hall.

CHARLES Je n'aurais pas dû vous écouter ; j'aurais dû choisir une compagnie américaine.
PAUL Je vous assure que cette ligne est digne de confiance. C'est celle sur laquelle Maître Chatel voyage.
CHARLES Qu'est-ce qu'ils utilisent comme appareils ?
PAUL Les mêmes que la TWA.
CHARLES Savez-vous où il faut donner les bagages ? C'est ici qu'on les fait peser ?
PAUL Non, c'est au comptoir de gauche.
CHARLES Il faut faire la queue, naturellement ; j'aurais dû m'en douter.

Un peu plus tard.

PAUL J'espère que vous vous plairez à Rome.
CHARLES Nous verrons bien. Je me demande ce que j'aurais fait sans vous à Paris.
PAUL Vous vous seriez très bien débrouillé, j'en suis sûr.
CHARLES Non, vous avez été très aimable ; je ne sais comment vous remercier.
PAUL En m'écrivant que vous vous amusez à Rome.
CHARLES Si vous veniez me rejoindre, après vos examens ? Vous passeriez l'été avec moi, au lieu de vous ennuyer ici ?

◀ **Gare des Invalides : l'Aérogare de Paris.**

ʃarl sã va↘

ʃarl e pɔl a riv a la gar dɛ zɛ̃ va lid↘ il zã trə dã lə ɔl↘

ʒə no re pa dy vu ze ku te↘ ʒɔ re dy ʃwa zir yn kõ pa ɲi a me ri kɛn↘
ʒə vu za syr kə sɛt liɲ ɛ diɲ də kõ fjãs↘ sɛ sɛl syr la kɛl mɛ trə ʃa tɛl vwa jaʒ↘
kɛs kil zy ti liz kɔ ma pa rɛj↘
lɛ mɛm kə la te du blə ve a↘
sa ve vu u il fo dɔ ne le ba gaʒ↗ sɛ ti si kõ lɛ fɛ pə ze↗

nõ↗ sɛ to kõ twar də goʃ↘
il fo fɛr la kø na ty rɛl mã↘ ʒɔ re dy mã du te↘

œ̃ pø ply tar↘

ʒɛ spɛr kə vu vu ple re a rɔm↘
nu vɛ rõ bjɛ↘ ʒəm də mãd skə ʒɔ rɛ fɛ sã vu a pa ri↘
vu vu sər je trɛ bjɛ̃ de bru je ʒã sɥi syr↘

nõ vu za ve ze te trɛ zɛ mabl↘ ʒən sɛ kɔ mã vur mɛr sje↘
ã me kri vã kə vu vu za my ze a rɔm↘

si vu və nje mə rə ʒwɛ̃dr a prɛ vo zɛg za mɛ̃↘ vu pa sər je le te a vɛk mwa↗ o ljød vu zã nɥi je i si↘

Charles Goes Away

Charles and Paul arrive at the Invalides station. They enter the large hall.

CHARLES I shouldn't have listened to you. I should have picked an American company.
PAUL I assure you that this line is reliable; it's the one Mr. Chatel travels on.
CHARLES What kind of planes do they use?
PAUL The same as TWA.
CHARLES Do you know where you have to check the luggage? Is it here that you have it weighed?
PAUL No, it's at the left counter.
CHARLES You have to wait in line, of course; I should have expected that.

A little later.

PAUL I hope you'll be happy in Rome.
CHARLES We'll see. I wonder what I would have done without you in Paris.
PAUL You would have managed very well, I'm sure.
CHARLES No, you've been very kind. I don't know how to thank you.
PAUL By writing me that you're having fun in Rome.
CHARLES How about coming to join me after your exams? You could spend the summer with me instead of being bored here.

SUPPLEMENTARY VOCABULARY

A l'aérodrome	*At the Airport*
Est-ce que vous avez confirmé votre départ?	Did you confirm your departure?
Est-ce qu'il a payé un excédent?	Did he pay an excess charge?
Est-ce qu'on a appelé les passagers?	Did they call the passengers?
Le pilote vient de monter à bord.	The pilot has just gone aboard.
L'hôtesse vient de monter à bord.	The stewardess has just gone aboard.
L'avion va décoller.	The plane is going to take off.
L'avion va atterrir.	The plane is going to land.
La Géographie	*Geography*
Nous survolons la terre.	We're flying over land.
Nous survolons l'océan.	We're flying over the ocean.

Quelle est cette étoile ? Quel est ce fleuve ?	What star is that? What river is that?
Les nuages sont épais. Les nuages sont bas.	The clouds are thick. The clouds are low.
On ne voit pas le ciel. On ne voit pas la lune.	You don't see the sky. You don't see the moon.
Il n'y a pas assez d'air. Il n'y a pas assez de lumière. Il n'y a pas assez de feu.	There's not enough air. There's not enough light. There's not enough fire.

DIALOGUE NOTES (1) Airline passengers gather at this centrally located depot where they and their baggage are driven out to the Paris airport at Orly.

Vocabulary Drills

1. Charles s'en va aujourd'hui.
   Charles s'en va *en avion.*
   Ils s'en vont en avion.
   Ils s'en vont *les premiers.*
   Nous nous en allons les premiers.
   Nous nous en allons *sans vous.*
   Elle s'en va sans vous.
   Elle s'en va *toute seule.*
   Je m'en vais toute seule.
   Je m'en vais *aujourd'hui.*
   Charles s'en va aujourd'hui.

2. Je n'aurais pas dû vous écouter.
   Je n'aurais pas dû *prendre l'avion.*
   Nous n'aurions pas du prendre l'avion.
   Nous n'aurions pas dû *confirmer le départ.*
   On n'aurait pas du confirmer le départ.
   On n'aurait pas dû *choisir cette ligne.*
   Vous n'auriez pas dû choisir cette ligne.
   Vous n'auriez pas dû *faire la queue.*
   Il n'aurait pas dû faire la queue.
   Il n'aurait pas dû *vous écouter.*
   Je n'aurais pas dû vous écouter.

3. Qu'est-ce qu'ils utilisent comme appareils ?
   Qu'est-ce qu'ils utilisent *comme avions ?*
   Qu'est-ce que vous utiliserez comme avions ?
   Qu'est-ce que vous utiliserez *comme machine ?*
   Qu'est-ce qu'on utilisait comme machine ?
   Qu'est-ce qu'on utilisait *comme chauffage ?*
   Qu'est-ce que nous utilisons comme chauffage ?
   Qu'est-ce que nous utilisons *comme appareils ?*
   Qu'est-ce qu'ils utilisent comme appareils ?

4. C'est ici qu'on les pèse ?
   C'est ici *qu'on s'adresse ?*
   C'est bien là qu'on s'adresse ?
   C'est bien là *qu'on paye ?*
   C'est à ce comptoir qu'on paye ?
   C'est à ce comptoir *qu'on donne les bagages ?*
   C'est maintenant qu'on donne les bagages ?
   C'est maintenant *qu'on les pèse ?*
   C'est ici qu'on les pèse ?

5. Je me demande ce que j'aurais fait.
   Je me demande *ce qu'il aurait fait.*
   Il se demande ce qu'il aurait fait.
   Il se demande *ce que nous aurions dit.*
   Je me suis demandé ce que nous aurions dit.
   Je me suis demandé *ce que je devais faire.*
   Nous nous demandions ce que je devais faire.
   Nous nous demandions *ce que j'aurais fait.*
   Je me demande ce que j'aurais fait.

6. Venez, au lieu de vous ennuyer.
   Venez, *au lieu de les attendre.*
   Téléphonons-leur, au lieu de les attendre.
   Téléphonons-leur, *au lieu d'écrire.*
   Allons le voir, au lieu d'écrire.
   Allons le voir, *au lieu de les ennuyer.*
   Faites quelque chose, au lieu de les ennuyer.
   Faites quelque chose, *au lieu de vous ennuyer.*
   Venez, au lieu de vous ennuyer.

7. Nous venons de survoler une ville.
Nous venons de *survoler l'océan.*
Vous venez de survoler l'océan.
Vous venez de *survoler un lac.*
Nous venons de survoler un lac.
Nous venons de *survoler un fleuve.*
L'avion vient de survoler un fleuve.
L'avion vient de *survoler des nuages.*
Ils viennent de survoler des nuages.
Ils viennent de *survoler une ville.*
Nous venons de survoler une ville.

57 Verbs like *écrire*

EXAMPLES En m'**écrivant** que vous vous amusez à Rome.
Décrivez-moi son visage.

Presentation Drills

■ PROGRESSIVE SUBSTITUTION DRILLS

1. J'écris à mes parents.
J'écris *à des amis.*
Il écrit à des amis.
Il écrit *à quelqu'un.*
Nous écrivons à quelqu'un.
Nous écrivons *à son père.*
Ils écrivent à son père.
Ils écrivent *à Charles.*
Tu écris à Charles.
Tu écris *à mes parents.*
J'écris à mes parents.

2. Il a écrit quelques phrases.
Il a écrit *plusieurs histoires.*
Vous avez écrit plusieurs histoires.
Vous avez écrit *votre adresse.*
J'ai écrit votre adresse.
J'ai écrit *leur numéro.*
Ils ont écrit leur numéro.
Ils ont écrit *quelques phrases.*
Il a écrit quelques phrases.

3. A qui écrivait-il?
A qui *écriviez-vous?*
Pourquoi écriviez-vous?
Pourquoi *écrivaient-elles?*
Quand écrivaient-elles?
Quand *écrivais-tu?*
Pourquoi écrivais-tu?
Pourquoi *écrivions-nous?*
A qui écrivions-nous?
A qui *écrivait-il?*

■ SIMPLE SUBSTITUTION DRILL

Je n'écrirai que quelques mots.
(Tu n'écriras, Ils n'écriront, Il n'écrira, Vous n'écrirez, On n'écrira, Nous n'écrirons, Je n'écrirai)

Discussion

	ekrir		**écrire** *to write*
nuz	ekriv	$\tilde{o}^{z}$	nous écrivons
vuz	ekriv	e^{z}	vous écrivez
ilz	ekriv	^{t}	ils écrivent
ʒ	ekri	^{z}	j'écris
ty	ekri	^{z}	tu écris
il	ekri	^{t}	il écrit
Past Participle:	ekri(t)		(avoir) écrit
Imperfect Stem:	ekriv–		écriv–
Future Stem:	ekrir–		écrir–

The verb **écrire** has two present tense stems, the plural forms having / -v- /. Other verbs that pattern like **écrire** are:

décrire	to describe
inscrire	to write down

Verification Drills

■ SIMPLE CORRELATION DRILLS

1. Qu'est-ce que *vous* écrivez ?
   (je, nous, on, l'employé, tu, ces gens, vous)
2. *J'*inscris nos noms sur la fiche.
   (Tu, On, Mes parents, Vous, Nous, L'employé, Je)

■ CHAIN DRILL

Nous aimons ce paysage, nous l'avons décrit à des amis.
J'aime ce paysage, je ______________________.
Ils aiment ce paysage, ils ______________________.
Vous aimez ce paysage, vous ______________________.
Tu aimes ce paysage, tu ______________________.
Elle aime ce paysage, elle ______________________.

■ TRANSFORMATION DRILL

J'écris tous les renseignements.
J'écrivais tous les renseignements.
Il inscrit la date.
Nous décrivons le Louvre.
Tu écris des histoires intéressantes.
Vous inscrivez le prix.
Deux personnes écrivent sur le comptoir.
Elle écrit de la main droite.
Vous décrivez votre accident.
J'inscris mon adresse.

■ QUESTION DRILL

Ecrirez-vous à cet homme ?
Non, je ne lui écrirai pas.
Est-ce qu'ils vous écriront ?
Est-ce que vous vous inscrirez pour ce cours ?
Est-ce qu'on l'inscrira ?
Est-ce que nous décrirons tous les monuments ?
Est-ce que vous écrirez cet exercice ?

58 The conditional tense

EXAMPLES

Vous **passeriez** l'été avec moi.
Je **voudrais** un sandwich.
Tu **ferais** mieux de rester piéton.
Je n'**aurais** pas **dû** vous écouter.
Vous vous **seriez** débrouillé.

Presentation Drills

■ SIMPLE SUBSTITUTION DRILLS

1. Qu'est-ce que *vous feriez ?*
(nous pourrions faire, tu choisirais, je devrais dire, elle comprendrait, nous entendrions, vos parents feraient, tu aurais à faire, il serait sans vous, vous feriez)

2. Même sans lui, *nous n'irions pas.*
(vous ne pourriez pas, je ne viendrais pas, on ne ferait rien, nous ne finirions pas, vous ne resteriez pas, nous n'irions pas)

■ PROGRESSIVE SUBSTITUTION DRILL

J'aimerais mieux de la viande.
J'aimerais mieux *attendre ici.*
Nous aimerions mieux attendre ici.
Nous aimerions mieux *autre chose.*
Elle aimerait mieux autre chose.
Elle aimerait mieux *leur parler.*
Ils aimeraient mieux leur parler.
Ils aimeraient mieux *du tabac français.*
Vous aimeriez mieux du tabac français.
Vous aimeriez mieux *de la viande.*
J'aimerais mieux de la viande.

■ SIMPLE SUBSTITUTION DRILL

Sans eux, *nous aurions fini.*
(elle aurait perdu, j'aurais pu travailler, elles auraient été en retard, nous aurions oublié, on aurait attendu, vous auriez gagné, nous serions partis, je serais resté, elle serait venue, vous seriez tombé, nous aurions fini)

Discussion

The conditional tense **(le conditionnel)** corresponds quite closely to the English verb phrase *would* plus infinitive:

Tu ferais mieux de rester piéton.	You would do better to stay a pedestrian.
J'aimerais bien aller déjeuner.	I'd like to go have lunch.
Je voudrais un sandwich.	I'd like a sandwich.

The endings of all conditional tense forms are:

nu —(i)jõ^{z}[1]	nous —ions[2]
vu —(i)je^{z}[1]	vous —iez
il —ɛ^{t}	ils —aient
ʒə —ɛ^{z}	je —ais
ty —ɛ^{z}	tu —ais
il —ɛ^{t}	il —ait

The conditional stem is always identical to the future stem (Section 54).

	Future	*Conditional*	*Future*	*Conditional*
avoir	nuz orõ	nuz orjõ	nous aurons	nous aurions
	vuz ore	vuz orje	vous aurez	vous auriez
	ilz orõ	ilz orɛ	ils auront	ils auraient
	ʒ ore	ʒ orɛ	j'aurai	j'aurais
	ty ora	ty orɛ	tu auras	tu aurais
	il ora	il orɛ	il aura	il aurait
être	nu sərõ	nu sərjõ	nous serons	nous serions
	vu səre	vu sərje	vous serez	vous seriez
	il sərõ	il sərɛ	ils seront	ils seraient
	ʒə səre	ʒə sərɛ	je serai	je serais
	ty səra	ty sərɛ	tu seras	tu serais
	il səra	il sərɛ	il sera	il serait

The past conditional **(le conditionnel antérieur)** is a past participle verb phrase consisting of the conditional forms of the verbs √**avoir** or √**être** and a past participle:

past conditional = conditional of { **avoir** OR **être** } plus past participle

[1] After consonant and / r /, / i / is obligatory; after vowel and / r /, it is optional:

nu vudrijõ	nuz ekrirjõ
nu dəvrijõ	nu finirjõ
nu vjɛ̃drijõ	nu parlərjõ

[2] Note that the written conditional endings are identical to the written imperfect endings (Section 46).

This verb phrase corresponds to the English *would have* plus past participle:

Il voudrait une couchette.	He would like a berth.
Il aurait voulu une couchette.	He would have liked a berth.
Nous le ferions.	We would do it.
Nous l'aurions fait.	We would have done it.
Je partirais aujourd'hui.	I would leave today.
Je serais parti aujourd'hui.	I would have left today.

Verification Drills

■ CONTEXTUAL TRANSFORMATION DRILLS

1. J'aimerais voir votre ami.
   Nous aimerions voir votre ami.
   Je voudrais lui parler.
   Je lui parlerais de Charles.
   Je lui dirais quelque chose.
   Je pourrais le voir demain.
   Je serais heureux de le voir.

2. Pourrait-elle travailler ?
   Pourriez-vous travailler ?
   Aurait-elle le temps ?
   Aimerait-elle travailler ici ?
   Quand voudrait-elle commencer ?
   Quand commencerait-elle ?
   Que ferait-elle ?

3. J'aime voyager.
   J'aimerais voyager.
   Pourquoi ne le faites-vous pas ?
   Il me faut de l'argent.
   Je commence par aller en France.
   Vous partez seul ?
   Mon frère vient avec moi.
   Nous louons une voiture,
   ou nous en achetons une vieille.
   Vous ne restez pas en France ?
   Non, j'aime aller ailleurs.
   Nous descendons vers le Midi,
   et nous allons en Italie.

4. Que ferez-vous ?
   Que feriez-vous ?
   Irez-vous les voir ?
   Vos parents vous aideront-ils ?
   Pourrai-je leur parler ?
   Seront-ils contents de nous voir ?
   Devrons-nous leur écrire d'abord ?
   Y aura-t-il un train dans la matinée ?
   Prendrez-vous des aller et retour ?
   A quelle heure atterrirons-nous ?
   Voudrez-vous demander le prix des places ?
   Qu'est-ce que cela coûtera ?

59 *Si* clauses

EXAMPLES Il faudra partir de bonne heure, **si** nous y allons par le train.
Si c'est le football qui te manque, j'ai un ami qui peut t'aider.

Presentation Drills

■ PROGRESSIVE SUBSTITUTION DRILLS

1. Si Philippe vient, appelez-moi.
   Si Philippe vient, *dites-le-moi.*
   Si vous avez des ennuis, dites-le-moi.
   Si vous avez des ennuis, *écrivez-leur.*
   S'ils ne téléphonent pas, écrivez-leur.
   S'ils ne téléphonent pas, *allons les voir.*
   Si vous avez le temps, allons les voir.
   Si vous avez le temps, *appelez-moi.*
   Si Philippe vient, appelez-moi.

2. S'il fait beau, nous irons à pied.
   S'il fait beau, *il viendra sûrement.*
   Si nous l'appelons, il viendra sûrement.
   Si nous l'appelons, *il sera là dans dix minutes.*
   Si c'est fini, il sera là dans dix minutes.
   Si c'est fini, *on nous le dira.*
   S'il téléphone, on nous le dira.
   S'il téléphone, *il faudra l'attendre.*
   Si l'auto est en panne, il faudra l'attendre.
   Si l'auto est en panne, *nous irons à pied.*
   S'il fait beau, nous irons à pied.

3. Si vous aviez le temps, vous prendriez des vacances.
   Si vous aviez le temps, *vous feriez son travail.*
   S'il était malade, vous feriez son travail.
   S'il était malade, *nous irions le voir.*
   Si nous avions son adresse, nous irions le voir.
   Si nous avions son adresse, *ce serait facile.*
   Si j'avais de l'argent, ce serait facile.
   Si j'avais de l'argent, *nous pourrions partir.*
   Si vous aviez le temps, nous pourrions partir.
   Si vous aviez le temps, *vous prendriez des vacances.*

4. S'il avait été libre, il serait venu.
   S'il avait été libre, *il aurait travaillé.*
   Si nous avions voulu, il aurait travaillé.
   Si nous avions voulu, *vous nous auriez aidé.*
   Si vous aviez pu, vous nous auriez aidé.
   Si vous aviez pu, *vous seriez revenus.*
   S'il avait été moins tard, vous seriez revenus.
   S'il avait été moins tard, *il serait venu.*
   S'il avait été libre, il serait venu.

Discussion

The clause introducer **si** has the following shapes:

/ s / *before* / il /	/ sil /		s'il	s'ils
/ si / *elsewhere*	/ siɛl /		si elle	si elles
	/ siõ /		si on	
	/ sian /		si Anne	

In the pattern

Si *Noun Verb* ↗ *Noun Verb* ↘

Si j'avais l'argent, j'irais en France. If I had the money, I would go to France.

the selection of the verb tense in the **si** clause is determined by the verb tense in the second clause, and vice versa. In other words, if a French speaker says **Si j'avais l'argent** and adds another clause, he is committed to using a conditional tense in that second clause. The selection possibilities are:

(1) **Si** *Noun Verb* (*imperfect*) ↗ *Noun Verb* (*conditional*) ↘

Si j'avais le temps, je le ferais.	If I had the time, I would do it.
Si je pouvais, je partirais aujourd'hui.	If I could, I would leave today.
Si je promettais d'être prudent, mon père me prêterait l'auto.	If I promised to be careful, my father would lend me the car.

(2) **Si** *Noun Verb* (*pluperfect*) ↗ *Noun Verb* (*past conditional*) ↘

Si j'avais eu le temps, je l'aurais fait.	If I had had the time, I would have done it.
Si j'avais pu, je serais parti aujourd'hui.	If I had been able to, I would have left today.
Si j'avais promis d'être prudent, mon père m'aurait prêté l'auto.	If I had promised to be careful, my father would have lent me the car.

(3) (a) **Si** *Noun Verb* (*present*) ↗ *Noun Verb* (*future*) ↘

Si j'ai le temps, je le ferai.	If I have the time, I'll do it.
Si je peux, je partirai aujourd'hui.	If I can, I'll leave today.

(b) **Si** *Noun Verb* (*present*) ↗ *Noun Verb* (*present*) ↘

Si j'ai le temps, je le fais.	If I have the time, I do it.
Si je peux, je pars aujourd'hui.	If I can, I leave today.

(c) **Si** *Noun Verb* (*present*) ↗ *Noun Verb* (*imperative*) ↘

Si vous avez le temps, faites-le.	If you have the time, do it.
Si tu peux, pars aujourd'hui.	If you can, leave today.

Only the imperfect, pluperfect, and present occur after **si** in the above patterns. **Si** here corresponds to the English *if.*

The internal arrangement of the clauses remains the same, even if the order of the clauses is reversed:

Je le ferais, si j'avais le temps.
Je l'aurais fait, si j'avais eu le temps.
Je le ferai, si j'ai le temps.
Je le fais, si j'ai le temps.
Faites-le, si vous avez le temps.

Other patterns involving **si** have different meanings. They include:

(1) **si** as the introducer of only one clause, meaning *how about?:*

Si *Noun Verb* (*imperfect*) ↘

Si nous laissions votre ami choisir?	How about letting your friend come?
Si on y allait?	How about going there?

(2) **si** as the introducer of the second clause in a sentence where the clauses cannot be reversed; here **si** is translatable as *whether* (or *if*):

Noun Verb **si** *Noun Verb*

Je ne sais pas s'il partira demain.	I don't know whether he'll be leaving tomorrow.
Dites-nous si vous pouvez venir.	Tell us whether you can come.
Il me demande si je pourrais lui prêter de l'argent.	He's asking me if I could lend him some money.

(3) **si** directly before the terminals / ↗ ↘ → /, meaning *yes* in reply to a negatively constructed utterance (Section 11):

N'est-il pas venu ?	**Si, le voilà.**
Nous ne sommes pas en retard.	**Mais si !**
Vous n'étudiez pas cet après-midi !	**Si, j'ai un examen demain.**

Verification Drills

■ TRANSFORMATION DRILL

Faisons un tour.
Si nous faisions un tour ?
Allons sur les quais.
Emmenons Jacqueline.
Attendons Philippe.
Restons ici.
Entrons chez ce libraire.
Regardons les livres.
Achetons ce livre.

■ CHAIN DRILLS

1. Si j'avais le temps, j'irais les voir.
   Si vous aviez le temps, vous ____.
   Si tu avais le temps, tu ____.
   S'ils avaient le temps, ils ____.
   Si nous avions le temps, nous ____.
   Si elle avait le temps, elle ____.

2. Si j'avais eu leur numéro, je leur aurais téléphoné.
   Si nous avions eu leur numéro, nous ____.
   S'ils avaient eu leur numéro, ils ____.
   Si tu avais eu leur numéro, tu ____.
   Si vous aviez eu leur numéro, vous ____.
   Si on avait eu leur numéro, on ____.

3. Si j'avais su, je ne serais pas venu.
   Si vous aviez su, vous ____.
   Si tu avais su, tu ____.
   S'ils avaient su, ils ____.
   Si nous avions su, nous ____.
   Si elle avait su, elle ____.

■ TRANSFORMATION DRILLS

1. Il fait beau, allons quelque part.
   S'il fait beau, nous irons quelque part.
   Il pleut, restez chez vous.
   Vous savez quelque chose, téléphonez.
   Vous avez les renseignements, donnez-les-nous.
   Il ne vient pas, rentrons chez nous.
   Il ne les connaît pas, présentons-les.

2. Si vous êtes libre dimanche, nous ferons un pique-nique.
Si vous étiez libre dimanche, nous ferions un pique-nique.
Si mon père veut, nous prendrons l'auto.
Si vous aimez la forêt, nous pourrons y aller.
Si votre ami vient aussi, nous serons très heureux.
S'il fait beau, vous apporterez votre maillot. Nous prendrons les nôtres.
Si vous voulez, nous rentrerons par Fontainebleau.
Si nous n'avons pas l'auto, nous irons à bicyclette.
Naturellement, nous ne pourrons pas aller si loin.

3. Si vous m'écoutiez, nous n'aurions pas de panne.
Si vous m'aviez écouté, nous n'aurions pas eu de panne.
Si nous restions sur la route, nous trouverions un garage.
S'il ne neigeait pas tant, je pourrais marcher un peu.
S'il faisait moins mauvais, j'irais voir plus loin.
Si je rencontrais quelqu'un, je saurais où nous sommes.
Si nous voyions une maison, nous irions demander des renseignements.
Si les gens avaient une auto, ils nous donneraient de l'essence.
Si vous pensiez à l'essence, nous n'aurions pas de panne.

60 Other clause relators

EXAMPLES Je ne sais pas **pourquoi** je vous obéis.
Savez-vous **où** il faut donner les bagages?

Presentation Drills

■ PROGRESSIVE SUBSTITUTION DRILLS

1. Savez-vous où est sa maison?
Savez-vous quelle est sa maison?
Savez-vous quelle est *cette forêt?*
Savez-vous où est cette forêt?
Savez-vous où est *cet homme?*
Savez-vous qui est cet homme?
Savez-vous qui est *l'autre garçon?*
Savez-vous où est l'autre garçon?
Savez-vous où est *l'autre route?*
Savez-vous comment est l'autre route?
Savez-vous comment est *sa maison?*
Savez-vous où est sa maison?

2. Je me demande quand il est venu.
Je me demande pourquoi il est venu.
Je me demande pourquoi *il a fait ça.*
Je me demande comment il a fait ça.
Je me demande comment *il les a trouvés.*
Je me demande où il les a trouvés.
Je me demande où *elle est partie.*
Je me demande quand elle est partie.
Je me demande quand *il est venu.*

■ SIMPLE SUBSTITUTION DRILL

Je sais *où* vous travaillez.
(quand, que, combien, comment, pourquoi, où)

Discussion

In environments other than after nouns (Section 48), **ce** (Section 52), and prepositions (Section 56), the clause relator forms are the same as the question words (Section 19):

qui	*Noun Verb* **qui** *Verb*	
	Je sais qui a fait ce travail.	I know who did this work.
que	*Noun Verb* **que** *Noun Verb*	
	Tu sais bien que je plaisante.	You know very well I'm kidding.
où	*Noun Verb* **où** *Noun Verb*	
	Je sais où vous allez.	I know where you're going.
quand	*Noun Verb* **quand** *Noun Verb*	
	Je sais quand il arrivera.	I know when he'll be arriving.
pourquoi	*Noun Verb* **pourquoi** *Noun Verb*	
	Je ne sais pas pourquoi je vous obéis.	I don't know why I obey you.
comment	*Noun Verb* **comment** *Noun Verb*	
	Je sais comment il travaille.	I know how he works.
combien	*Noun Verb* **combien** *Noun Verb*	
	Je sais combien il travaille.	I know how much he works.
√quel	*Noun Verb* **√quel être** *Noun*	
	Je sais quelle est sa pointure.	I know what his size is.

Verification Drills

■ CONTEXTUAL SUPPLEMENTATION DRILLS

1. Où Charles habite-t-il ?
   Je me demande où Charles habite.
   A-t-il des enfants ?
   Pourquoi est-il venu en France ?
   Est-il vraiment l'ami de M. Adams ?
   Pourquoi M. Adams l'aime-t-il ?
   Connaît-il ses goûts ?
   Depuis quand le connaît-il ?
2. Pourquoi prend-il l'avion ?
   Je ne comprends pas pourquoi il prend l'avion.
   Pourquoi veut-il aller à Rome ?
   Comment peut-on être si insupportable ?
   Comment peut-il avoir des amis ?
   Pourquoi est-il toujours de mauvaise humeur ?
3. Vous ne l'aimez pas.
   Je ne sais pas pourquoi vous ne l'aimez pas.
   Il vous ennuie.
   Personne ne l'aime.
   On ne lui parle pas.
   Il ne parle à personne.
   Il m'aime.
   Il sourit.

4. Quand partira-t-il ?
   Sait-on quand il partira ?
   Où ira-t-il ?
   Qui l'accompagnera ?
   Comment voyagera-t-il ?
   Pourquoi ne partira-t-il pas seul ?
   Quel est son ami ?
   Quand rentrera-t-il ?
   Rentreront-ils ensemble ?

5. Quel est le prix du billet ?
   Dites-moi quel est le prix du billet.
   Quelle est la meilleure place ?
   Quelle est l'autre route ?
   Quel est le nom de la station ?
   Dans quelle direction est l'Opéra ?
   Quel est le numéro de l'autobus ?

6. Quel autobus faut-il prendre ?
   Dites-moi quel autobus il faut prendre.
   Où faut-il descendre ?
   Par quelle rue passe-t-il ?
   Où s'arrête-t-il ?
   Combien de tickets faut-il donner ?
   A quelle station dois-je descendre ?
   De quel côté se trouve l'arrêt ?

■ CONVERSATION EXERCISES

1.

ME CHATEL (au téléphone) Allô, Air-France ? Mademoiselle, quelles sont les heures de départ pour Rome ?

L'EMPLOYEE Il n'y a qu'un départ en ce moment, Monsieur. A onze heures du matin.

ME CHATEL Onze heures ? Cela va très bien. Je voudrais retenir une place pour le 27, si c'est possible.

L'EMPLOYEE A quel nom, Monsieur ?

ME CHATEL Chatel.

L'EMPLOYEE Tout est retenu pour le 27, Monsieur. Mais je peux vous inscrire sur la liste d'attente.

ME CHATEL Est-ce qu'elle est longue ?

L'EMPLOYEE Non, Monsieur.

ME CHATEL Tout est plein aussi pour le 26 ?

L'EMPLOYEE Non, Monsieur ; si vous voulez, je peux vous donner une place.

ME CHATEL Entendu pour le 26. Est-ce qu'il faut confirmer ?

L'EMPLOYEE Oui, Monsieur, naturellement.

ME CHATEL Pourriez vous m'appeler tout de même, s'il y avait une place le 27 ?

L'EMPLOYEE Certainement. Quel est votre numéro de téléphone ?

ME CHATEL Passy 23-46. Merci, Mademoiselle.

2.

ANDRE Pardon, est-ce que cette place est prise ?

ME CHATEL Mais non, je vous en prie.

ANDRE Ouf ! J'ai failli manquer le départ. Quelle foule sur la route ! Je n'avançais pas.

ME CHATEL Tout le monde est à bord ; il est l'heure ; je me demande ce qu'ils attendent pour partir.

ANDRE Cela m'étonnerait qu'on ne décolle pas à l'heure. C'est une bonne ligne.

ME CHATEL Vous voyagez beaucoup ?

ANDRE Oui. Je n'aime pas beaucoup les avions ; je voyagerais par chemin de fer, si je le pouvais ; mais on met vraiment trop de temps.

ME CHATEL Voilà l'hôtesse, je vais lui demander ce qui se passe.

ANDRE Le ciel est bas ; on ne partira peut-être pas.

ME CHATEL Si, l'hôtesse vient de s'arrêter pour répondre à un autre passager. Nous partons.

ANDRE Si j'avais su, je ne me serais pas tant dépêché. Je l'aurais eu tout de même, mon avion.

ME CHATEL Si vous ne vous étiez pas dépêché, il serait parti à l'heure.

Lettre de Charles à Paul

Mon cher Paul,

Je rentre aux Etats-Unis demain matin. Ne m'écrivez donc pas à Rome, car je suis certain qu'on ne ferait pas suivre° la lettre. Je n'ai jamais eu confiance° dans les employés d'hôtel.

ferait... would not forward
trusted

Je vous remercie tout de même de m'avoir trouvé une chambre ici. L'hôtel est très bien situé, presque en face de l'American Express. La place sur laquelle ma fenêtre donne est célèbre, paraît-il, pour son escalier. Je n'ai jamais rien vu de pareil :° les gens viennent s'asseoir et bavarder sur les marches,° et le soir, tous les jeunes gens et les jeunes filles de Rome semblent s'y donner rendez-vous. Révoltant !°

de... like it
steps
Disgusting!

Rome est encore pire° que Paris. Beaucoup de gens ne comprennent pas l'anglais, et ne comprennent pas mieux quand je parle français pour les aider. Je n'ai rien trouvé à faire qu'à aller regarder des églises et des ruines. Partout où je vais, les guides me racontent° en détail l'histoire du monument ; une foule de touristes les écoutent et prennent des photos. J'ai horreur des touristes.

worse
tell

J'ai vu le Forum, qui est en ruines, et le Colisée ; il n'est même pas restauré, toujours ces ruines... ! J'ai fini par aller voir la Chapelle Sixtine, pour faire plaisir à° votre père. Presque toutes les fresques° sont au plafond ; il faudrait se coucher par terre pour bien les voir. Je refuse de me rendre ridicule en public ; j'ai fait demi-tour° dès l'entrée.

faire... to please
frescoes
j'ai... I turned right around

Je n'arrive vraiment pas à comprendre pourquoi vos parents aiment tant l'Europe. Votre père m'a dit qu'il louait une de ces petites voitures françaises pour mieux visiter les villes de province. Quelle idée !

J'espère voir bientôt vos parents et j'aurai plaisir à leur dire combien vous m'avez aidé.

Sincèrement,
Charles

UNIT **16**

DIALOGUE

Paul au théâtre

Paul et Philippe sont allés voir une pièce d'avant-garde (1). Le lendemain, Maître Chatel les interroge sur leur soirée.

ME CHATEL Eh bien, comment l'avez-vous trouvée, cette pièce ?
PAUL Ridicule... bien que Philippe ne veuille pas l'admettre.
PHILIPPE C'est une œuvre remarquable ; je suis sûr qu'on en parlera longtemps.
ME CHATEL Vos opinions sont en effet contradictoires.
PHILIPPE Avant de condamner une pièce, il faudrait que tu essayes de la comprendre.
PAUL J'ai essayé pendant toute la représentation ; je n'ai tout de même rien compris.

Un silence.

ME CHATEL Quel est le titre de ce chef-d'œuvre ?
PHILIPPE *La Peau du chat.*
ME CHATEL Tiens, c'est drôle. De quel chat s'agit-il ?
PAUL Il se peut que Philippe le sache ; moi, je me le demande encore.
PHILIPPE Il ne s'agit pas de chat, mais des remords d'un meurtrier.
PAUL Je suis content que tu aies compris quelque chose : j'ai cru longtemps que les acteurs récitaient l'annuaire.
PHILIPPE La prochaine fois que je t'emmène au théâtre, ce sera à la Comédie-Française (2).
ME CHATEL Cela vaudra beaucoup mieux.

◀ **La Comédie-Française : l'intérieur de la salle.**

pɔl o te atr↘

pɔl e fi lip sõ ta le vwar yn pjɛs da vã gard↘ lə lãd mɛ̃ mɛ trə ʃa tɛl lɛ zɛ̃ te rɔʒ syr lœr swa re↘

ɛ bjɛ̃→ kɔ mã la ve vu tru ve sɛt pjɛs→
ri di kyl↘ bjɛ̃k fi lip nə vœj pa lad mɛtr↘

sɛ tyn œv rə rə mar kabl↘ ʒə sɥi syr kõ nã par lə ra lõ tã↘
vo zɔ pi njõ sõ tã nɛ fɛ kõ tra dik twar↘
a vãd kõ da ne yn pjɛs↗ il fo drɛk ty ɛ sɛjd la kõ prãdr↘
ʒe ɛ sɛ je pã dã tut lar pre zã ta sjõ↘ ʒə ne tud mɛm ri ɛ̃ kõ pri↘

œ̃ si lãs↘

kɛl ɛl ti trə də sə ʃe dœvr↘

la po dy ʃa↘
tjɛ̃↗ sɛ drol↘ də kɛl ʃa sa ʒi til→

il sə pø kə fi lip lə saʃ↘ mwa ʒməl də mã dã kɔr↘
il nə sa ʒi pad ʃa↗ mɛ dɛr mɔr dœ̃ mœr tri je↘
ʒə sɥi kõ tãk ty e kõ pri kɛl kə ʃoz↘ ʒə kry lõ tãk lɛ zak tœr re si tɛ la nɥɛr↘

la prɔ ʃɛn fwa kəʒ tã mɛn o te atr↗ səs ra a la kɔ me di frã sɛz↘
sə la vo dra bo ku mjø↘

Paul at the Theater

Paul and Philippe have gone to see an avant-garde play. The following day, Mr. Chatel asks them about their evening.

MR. CHATEL Well, how did you like the play?
PAUL Ridiculous, although Philippe doesn't want to admit it.
PHILIPPE It's a remarkable work; I'm sure people will be talking about it for a long time.
MR. CHATEL Your opinions certainly conflict.
PHILIPPE Before condemning a play, you should try to understand it.
PAUL I tried throughout the whole performance. Nevertheless, I didn't understand anything.

A silence.

MR. CHATEL What's the title of this masterpiece?
PHILIPPE *The Skin of the Cat.*
MR. CHATEL Well, it's funny. What cat is it all about?
PAUL It's possible that Philippe knows. I'm still wondering.
PHILIPPE It's not about a cat, but about a murderer's remorse.
PAUL I'm glad that you understood something. I thought for a long time that the actors were reciting the telephone book.
PHILIPPE The next time I take you out to the theater, it will be the Comédie-Française.
MR. CHATEL That will be much better.

SUPPLEMENTARY VOCABULARY

Combien valent les fauteuils d'orchestre ?	How much are the orchestra seats?
Combien valent les balcons ?	How much are the balcony seats?
Il n'y a donc pas d'ouvreuse (3) ?	There is no usherette?
Il n'y a donc pas d'entr'acte ?	There is no intermission?
Il n'y a pas d'actualités ?	There is no newsreel?
Vendredi on donnait « Horace » (4).	Friday they were doing *Horace.*
La veille on avait donné « Andromaque ».	The day before they had done *Andromaque.*
De qui est la pièce ?	Who wrote the play?
De qui est ce roman ?	Who wrote that novel?
De qui est la musique ?	Who wrote the music?

C'est un auteur célèbre. — He is a famous author.
C'est un écrivain célèbre. — He is a famous writer.
C'est un peintre célèbre. — He is a famous painter.

Sa femme est une ancienne actrice. — His wife is a former actress.
Sa femme est une ancienne chanteuse. — His wife is a former singer.

Sa dernière pièce était spirituelle. — His latest play was witty.
Le concert précédent était ennuyeux. — The previous concert was boring.
Sa peinture ne valait rien. — His painting was not worth anything.

DIALOGUE NOTES

(1) There are several small theaters in Paris today which offer plays of this type, preserving the tradition, established at the end of the last century, of opportunity to see this kind of intellectual and imaginative theater.

(2) **La Comédie-Française** is the home of the French classical drama. Created in 1680, there are today two theaters, both aided by the government: the **Théâtre Français,** also called **Le Français,** and the **Théâtre National de l'Odéon.**

(3) Almost all theater ushers in France are women. It is customary to tip them when they have shown you to your seat, since this money comprises most, if not all, of their earnings.

(4) **Horace,** a Roman tragedy by Pierre Corneille, and **Andromaque,** a Greek tragedy by Jean Racine, are masterpieces of French theater. Both these plays have been in the repertory of the **Comédie-Française** for almost three hundred years.

Vocabulary Drills

1. Il les interroge sur leur soirée.
   Il les interroge *sur leur travail.*
   Il demande des renseignements sur leur travail.
   Il demande des renseignements *sur cet homme.*
   J'ai appris quelque chose sur cet homme.
   J'ai appris quelque chose *sur cet écrivain.*
   Je ne sais rien sur cet écrivain.
   Je ne sais rien *sur leur soirée.*
   Il les interroge sur leur soirée.

2. Avant de la condamner, comprends-la.
   Avant de la condamner, *réfléchis.*
   Avant de répondre, réfléchis.
   Avant de répondre, *renseigne-toi.*
   Avant de discuter, renseigne-toi.
   Avant de discuter, *essayez de comprendre.*
   Avant de réciter la leçon, essayez de comprendre.
   Avant de réciter la leçon, *comprends-la.*
   Avant de la condamner, comprends-la.

3. Je n'ai tout de même rien compris.
   Je n'ai tout de même *rien fait.*
   Il n'a encore rien fait.
   Il n'a encore *rien répondu.*
   Ils n'ont tout de même rien répondu.
   Ils n'ont tout de même *rien dit.*
   Nous n'avons encore rien dit.
   Nous n'avons encore *rien compris.*
   Je n'ai tout de même rien compris.

4. De quel chat s'agit-il ?
   De qui s'agit-il ?
   De qui *s'agissait-il ?*
   De quelle pièce s'agissait-il ?
   De quelle pièce *s'agit-il ?*
   De quels acteurs s'agit-il ?
   De quels acteurs *s'agissait-il ?*
   De quel chat s'agissait-il ?
   De quel chat *s'agit-il ?*

5. Il ne s'agit pas de vous.
   Il ne s'agit pas *d'argent.*
   Il ne s'agissait pas d'argent.
   Il ne s'agissait pas *de sa femme.*
   Il ne s'agit pas de sa femme.
   Il ne s'agit pas *de comprendre.*
   Il ne s'agissait pas de comprendre.
   Il ne s'agissait pas *de vous.*
   Il ne s'agit pas de vous.

6. J'ai cru qu'ils récitaient l'annuaire.
   J'ai cru *qu'ils discutaient la pièce.*
   Nous avons cru qu'ils discutaient la pièce.
   Nous avons cru *qu'il s'agissait de lui.*
   J'ai cru qu'il s'agissait de lui.
   J'ai cru *que vous aviez fini.*
   Nous avons cru que vous aviez fini.
   Nous avons cru *qu'ils récitaient l'annuaire.*
   J'ai cru qu'ils récitaient l'annuaire.

7. La prochaine fois que je t'emmène, ce sera au Français.
   La prochaine fois que nous sortons, ce sera au Français.
   La prochaine fois que nous sortons, *tu choisiras.*
   La prochaine fois que nous allons au cinéma, tu choisiras.
   La prochaine fois que nous allons au cinéma, *allons-y le soir.*
   La prochaine fois qu'on donne une pièce, allons-y le soir.
   La prochaine fois qu'on donne une pièce, *arrive à l'heure.*
   La prochaine fois que je t'emmène, arrive à l'heure.
   La prochaine fois que je t'emmène, *ce sera au Français.*

8. C'était la veille de Noël.
   C'était le lendemain de Noël.
   C'était le lendemain *de son arrivée.*
   C'était le jour de son arrivée.
   C'était le jour *de votre accident.*
   C'était la veille de votre accident.
   C'était la veille *de mon départ.*
   C'était le lendemain de mon départ.
   C'était le lendemain *du pique-nique.*
   C'était le jour du pique-nique.
   C'était le jour *de l'examen.*
   C'était la veille de l'examen.
   C'était la veille *de Noël.*

61 Verbs like *mettre*

EXAMPLES

Mettez une couverture de plus.
Ils se **mettent** à marcher vers la sortie.
Il **met** cinq heures pour aller à Bordeaux.
Permettez-moi de vous présenter Paul Adams.

Presentation Drills

■ PROGRESSIVE SUBSTITUTION DRILL

Je mets un manteau.
Je mets *des gants.*
Elle met des gants.
Elle met *un chapeau.*
Vous mettez un chapeau.
Vous mettez *des chaussures.*
Ils mettent des chaussures.
Ils mettent *de vieux vêtements.*
Nous mettons de vieux vêtements.
Nous mettons *un manteau.*
Je mets un manteau.

■ SIMPLE SUBSTITUTION DRILLS

1. Où *as-tu mis* l'annuaire?
   (avez-vous mis, a-t-on mis, ai-je mis, avons-nous mis, ont-ils mis, a-t-il mis, as-tu mis)

2. *Il mettait* la voiture au garage.
   (Nous mettions, Je mettais, Elle mettait, Vous mettiez, Mes parents mettaient, On mettait, Il mettait)

3. *Mettrais-tu* des gants?
   (Mettriez-vous, Mettrait-elle, Mettrions-nous, Mettrait-on, Mettrais-je, Mettrais-tu)

■ PROGRESSIVE SUBSTITUTION DRILL

Je ne mettrai pas de chapeau.
Je ne mettrai pas *de fleurs sur la table.*
Nous ne mettrons pas de fleurs sur la table.
Nous ne mettrons pas *ça dans la malle.*
On ne mettra pas ça dans la malle.
On ne mettra pas *cette couverture sur le lit.*
Vous ne mettrez pas cette couverture sur le lit.
Vous ne mettrez pas *de chapeau.*
Je ne mettrai pas de chapeau.

Discussion

	mɛtr		**mettre** *to put, to put on*
nu	mɛt	õ^{z}	nous mettons
vu	mɛt	e^{z}	vous mettez
il	mɛt	^{t}	ils mettent
ʒə	mɛ	^{z}	je mets
ty	mɛ	^{z}	tu mets
il	mɛ	=	il met
Past Participle:	mi(z)		(avoir) mis
Imperfect Stem:	mɛt–		mett–
Future/Conditional Stem:	mɛtr–		mettr–

The verb **mettre** has two present tense stems; the plural forms have / -t- /. Other verbs that pattern like **mettre** include:

permettre	to permit
promettre	to promise
omettre	to omit
remettre	to put back
admettre	to admit

Verification Drills

■ SIMPLE CORRELATION DRILLS

1. *Je* mets le chat dehors.
   (Nous, Tu, Les enfants, Vous, On, Ma sœur, Je)

2. *Je* ne lui permets pas de sortir.
   (Nous, Tu, Ses parents, Vous, On, Son père, Je)

3. Pourquoi ai-*je* permis cela ?
   (nous, tu, ses parents, vous, on, je)

■ CHAIN DRILLS

1. J'ai un nouveau manteau, je le mettrai.
   Nous avons un nouveau manteau, nous __.
   Elle a un nouveau manteau, elle ______.
   Vous avez un nouveau manteau, vous __.
   Ils ont un nouveau manteau, ils ______.
   Tu as un nouveau manteau, tu ______.

2. Si j'avais un costume noir, je le mettrais.
   Si nous avions un costume noir, nous ____.
   Si elle avait un costume noir, elle ______.
   S'ils avaient un costume noir, ils ______.
   Si vous aviez un costume noir, vous ____.
   Si tu avais un costume noir, tu ______.

■ TRANSFORMATION DRILLS

1. Je ne mets pas l'adresse.
   Je n'ai pas mis l'adresse.
   Il ne promet rien.
   Nous ne mettons pas de cravate.
   Vos parents ne me permettent pas de vous voir.
   Vous promettez de faire un effort.
   Elles mettent leur chapeau.
   On ne met pas de sucre dans mon café.
   Je ne promets pas de rester.
   On ne lui permet pas de voir cette pièce.

2. Permet-on de fumer ?
   Permettait-on de fumer ?
   Met-elle du rouge ?
   Promettons-nous de les rejoindre ?
   Leur permettez-vous de sortir ?
   Mettent-ils tout par terre ?
   Leur permettons-nous de rentrer si tard ?
   Où mettez-vous vos affaires ?

62 The subjunctive tense

EXAMPLE Ridicule... bien que Philippe ne **veuille** pas l'admettre.

Presentation Drills

■ SIMPLE SUBSTITUTION DRILLS

1. Elle est venue pour que *nous l'aidions.*
   (je l'aide, on l'aide, vous l'aidiez, ses amis l'aident, tu l'aides, nous l'aidions)

2. Il travaillait, en attendant que *tu viennes.*
   (vous veniez, ses camarades viennent, mon ami vienne, je vienne, nous venions, tu viennes)

3. Il ne fait rien sans que *tu fasses* la même chose.
   (nous fassions, les autres fassent, je fasse, son frère fasse, vous fassiez, tu fasses)

■ PROGRESSIVE SUBSTITUTION DRILLS

1. Il me plaît, bien qu'il soit insupportable.
   Il me plaît, *bien qu'il ne le sache pas.*
   Nous l'avons vu, bien qu'il ne le sache pas.
   Nous l'avons vu, *bien qu'il ne veuille pas en convenir.*
   Il les connaît, bien qu'il ne veuille pas en convenir.
   Il les connaît, *bien qu'il ne parle jamais d'eux.*
   Il va les voir, bien qu'il ne parle jamais d'eux.
   Il va les voir, *bien qu'il pleuve.*
   Je l'accompagnerai, bien qu'il pleuve.
   Je l'accompagnerai, *bien qu'il soit insupportable.*
   Il me plaît, bien qu'il soit insupportable.

2. Nous sommes arrivés avant qu'il n'ait fini.
   Nous sommes arrivés *avant qu'il ne soit rentré.*
   Je suis parti avant qu'il ne soit rentré.
   Je suis parti *avant que vous n'ayez répondu.*
   Ils sont sortis avant que vous n'ayez répondu.
   Ils sont sortis *avant que je n'aie dit non.*
   Vous avez tout fait avant que je n'aie dit non.
   Vous avez tout fait *avant qu'il n'ait fini.*
   Nous sommes arrivés avant qu'il n'ait fini.

■ SIMPLE SUBSTITUTION DRILLS

1. Nous sortirons ce soir, à moins que *vous n'ayez pas le temps.*
   (je n'aie pas, elle n'ait pas, nous n'ayons pas, tu n'aies pas, vous n'ayez pas)

2. Nous sortirons ce soir, à moins que *vous n'ayez* du travail.
   (je n'aie, elle n'ait, nous n'ayons, tu n'aies, vous n'ayez)

Discussion

The subjunctive tense endings are:

nu	—jõ^z	nous	—ions
vu	—je^z	vous	—iez
il	— t	ils	—ent
ʒə	— =	je	—e
ty	— =	tu	—es
il	— =	il	—e

Most subjunctive tense stems are predictable from the **ils** form of the present tense:

		Present	*Subjunctive Stem*	
parler	il	parl	parl–	parl–
finir	il	finis	finis–	finiss–
conduire	il	kõdɥiz	kõdɥiz–	conduis–
partir	il	part	part–	part–
dormir	il	dɔrm	dɔrm–	dorm–
vendre	il	vãd	vãd–	vend–
écrire	ilz	ekriv	ekriv–	écriv–
craindre	il	krɛɲ	krɛɲ–	craign–
étudier	ilz	etydi	etydi–	étudi–
dire	il	diz	diz–	dis–

A few verbs have an unpredictable subjunctive stem:

faire	fas–	fass–
pouvoir	pɥis–	puiss–
savoir	saʃ–	sach–
falloir	il faj	il faille
pleuvoir	il plœv	il pleuve

The forms for **avoir** and **être** are:

avoir	ɛ–			
	nuz	ɛ	jõ^{z}	nous ayons
	vuz	ɛ	je^{z}	vous ayez
	ilz	ɛ	^{t}	ils aient
	ʒ	ɛ	=	j'aie
	ty	ɛ	^{z}	tu aies
	il	ɛ	^{t}	il ait
être	swa–			
	nu	swa	jo^{z}	nous soyons
	vu	swa	je^{z}	vous soyez
	il	swa	^{t}	ils soient
	ʒə	swa	^{z}	je sois
	ty	swa	^{z}	tu sois
	il	swa	^{t}	il soit

The plural subjunctive forms all have linking / ^{z} / and / ^{t} /, but the five forms / ty ɛ^{z} il ɛ^{t} ʒə swa^{z} ty swa^{z} il swa^{t} / are the only *singular* linking subjunctive forms in the language.

A few other verbs have two subjunctive stems; one stem for **nous** and **vous** subjunctive endings, the other for the other subjunctive forms:

aller	nuz	al	jõ^z	nous allions
	vuz	al	je^z	vous alliez
	ilz	aj		ils aillent
	ʒ	aj		j'aille
	ty	aj		tu ailles
	il	aj		il aille
vouloir	nu	vul	jõ^z	nous voulions
	vu	vul	je^z	vous vouliez
	il	vœj		ils veuillent
	ʒə	vœj		je veuille
	ty	vœj		tu veuilles
	il	vœj		il veuille
venir	nu	vən	jõ^z	nous venions
	vu	vən	je^z	vous veniez
	il	vjɛn		ils viennent
	ʒə	vjɛn		je vienne
	ty	vjɛn		tu viennes
	il	vjɛn		il vienne
prendre	nu	prən	jõ^z	nous prenions
	vu	prən	je^z	vous preniez
	il	prɛn		ils prennent
	ʒə	prɛn		je prenne
	ty	prɛn		tu prennes
	il	prɛn		il prenne
devoir	nu	dəv	jõ^z	nous devions
	vu	dəv	je^z	vous deviez
	il	dwav		ils doivent
	ʒə	dwav		je doive
	ty	dwav		tu doives
	il	dwav		il doive

The corresponding past participle verb phrase is the past subjunctive, which consists of the subjunctive tense of √**avoir** or √**être** followed by a past participle. The past subjunctive contrasts with the subjunctive as follows:

Je suis content qu'il parte demain.	I'm happy he will be leaving tomorrow.
Je suis content qu'il parte maintenant.	I'm happy he's leaving right now.
Je suis content qu'il soit parti.	I'm happy he has left.

The past subjunctive marks past time; the subjunctive tense may refer to present or future time.

The subjunctive tense and the past subjunctive occur

(1) in a limited number of fixed formulas, including several proverbs and sayings:

Ainsi soit-il !	Amen!
Vive la France !	Long live France!
Dieu vous bénisse !	God bless you!

(2) after **que** and other clause relators (Sections 66 and 70).

(3) after the following conjunctions and conjunctival constructions:

afin que	**afin qu'il le fasse**	in order for him to do it
pour que	**pour qu'il le fasse**	in order for him to do it
bien que	**bien qu'il le fasse**	although he does it
quoique	**quoiqu'il le fasse**	although he does it
en attendant que	**en attendant qu'il le fasse**	while waiting until he does it
jusqu'à ce que	**jusqu'à ce qu'il le fasse**	until he does it
pourvu que	**pourvu qu'il le fasse**	provided he does it
non que	**non qu'il le fasse**	not that he does it
sans que	**sans qu'il le fasse**	without his doing it
quoi que	**quoi qu'il fasse**	whatever he does
où que	**où qu'il le fasse**	wherever he does it
Que	**Qu'il le fasse !**	Let him do it!

With the following conjunctions, a particle **ne** occurs before the verb:

à moins que	**à moins qu'il ne le fasse**	unless he does it
avant que	**avant qu'il ne le fasse**	before he does it

The **ne** is not negative, as seen by the following contrast:

à moins qu'il ne veuille le faire	unless he wants to do it
à moins qu'il ne veuille pas le faire	unless he doesn't want to do it

Verification Drills

■ SIMPLE CORRELATION DRILLS

1. Ils sont descendus sans que *nous* les entendions.
   (tu, on, je, leurs parents, l'employé, vous, nous)
2. Elle va répéter, pour que *vous* compreniez bien.
   (tu, tout le monde, je, tous les étudiants, nous, vous)
3. Il dort en attendant que *nous* ayons fini.
   (tu, on, vous, sa sœur, ses amis, je, nous)

■ TRANSFORMATION DRILL

Restez au lit, vous irez mieux.
Restez au lit jusqu'à ce que vous alliez mieux.
Travaillons, il arrivera.
Nous resterons, vous partirez.
Nous resterons, tout le monde sera parti.
Répétez cette phrase, vous la saurez bien.
Nous l'aiderons, il pourra continuer seul.
Je vais l'ennuyer, il m'emmènera.
Marchons, nous trouverons un taxi.

■ CORRELATION DRILL

Nous irons au cinéma, à moins que *vous n'ayez du travail.*
(il fait trop mauvais, mes parents ne veulent pas, vous ne pouvez pas, vous voulez finir votre livre, ils ont besoin de moi, je ne peux pas, il est trop tard, mes amis arrivent, le film est mauvais, le film n'est pas intéressant, vous aimez mieux rester ici)

■ CHAIN DRILL

Je vous donnerai le livre, bien que je ne l'aie pas fini.
Nous vous donnerons le livre, bien que nous ______.
Il vous donnera le livre, bien qu'il ______.
Elles vous donneront le livre, bien qu'elles ______.
Vous me donnerez le livre, bien que vous ______.
Tu me donneras le livre, bien que tu ______.

63 Nominalized possessives

EXAMPLES Où achètes-tu *les tiennes?*
La mode est un peu différente de *la nôtre.*

Presentation Drills

■ SIMPLE SUBSTITUTION DRILLS

1. J'ai perdu ma clef, je voudrais *la vôtre.*
(la tienne, la sienne, la leur, la vôtre)
2. Il n'a pas ses valises, il a *les miennes.*
(les tiennes, les nôtres, les vôtres, les leurs, les miennes)

■ PROGRESSIVE SUBSTITUTION DRILL

J'ai mon billet et il a le sien.
J'ai mon billet *et vous avez le vôtre.*
Nous avons notre livre et vous avez le vôtre.
Nous avons notre livre *et elle a le sien.*
Il a son argent et elle a le sien.
Il a son argent *et nous avons le nôtre.*
Elle a son déjeuner et nous avons le nôtre.
Elle a son déjeuner *et il a le sien.*
J'ai mon billet et il a le sien.

Discussion

Nominalized possessive forms replace noun phrases marked by possessive noun markers:

C'est sa fille.	**C'est la sienne.**
Avez-vous votre taxi?	**Avez-vous le vôtre?**
Mon hôtel est excellent.	**Le mien est excellent.**
Avec nos amis?	**Avec les nôtres?**

	Singular		Plural	Singular	Plural
ours	*Fem*	lanotr	lenotr	la nôtre	les nôtres
	Masc	lənotr		le nôtre	
yours	*Fem*	lavotr	levotr	la vôtre	les vôtres
	Masc	ləvotr		le vôtre	
theirs	*Fem*	lalœr	lelœr	la leur	les leurs
	Masc	ləlœr		le leur	
my	*Fem*	lamjɛn	lemjɛn	la mienne	les miennes
	Masc	ləmjɛ̃	lemjɛ̃	le mien	les miens
yours	*Fem*	latjɛn	letjɛn	la tienne	les tiennes
	Masc	lətjɛ̃	letjɛ̃	le tien	les tiens
his,	*Fem*	lasjɛn	lesjɛn	la sienne	les siennes
hers	*Masc*	ləsjɛ̃	lesjɛ̃	le sien	les siens

These forms are nouns, always marked by √**le.** The combinations √**au** and √**du** occur:

J'ai parlé à mes amis; elle a parlé aux siens. — I spoke to my friends; she spoke to hers.

J'ai parlé de mon accident; elle a parlé du sien. — I spoke about my accident; she spoke about hers.

Like the possessive noun markers (Section 14), the nominalized possessives show the gender and number of the object referred to and not those of the person:

Voilà sa maison. — There's his house. OR There's her house.

Voilà la sienne. — There's his. OR There's hers.

A similar construction, which does distinguish the sex of the third person possessor, is the prepositional phrase à plus stressable pronoun:

C'est à elle.	It's hers.
C'est à lui.	It's his.
C'est à eux.	It's theirs.
C'est à elles.	It's theirs.

Verification Drills

■ CHAIN DRILL

Vous avez vos bagages, je n'ai pas les miens.
J'ai ma valise, vous n'avez pas ______.
Il prend ses gants, vous ne prenez pas ______.
Il a son livre, je n'ai pas ______.
Ils ont leurs billets, nous n'avons pas ______.
Nous aimons notre chambre, ils n'aiment pas ______.
Vous avez votre serviette, elle n'a pas ______.
Elle a ses clefs, je n'ai pas ______.
Nous avons trouvé nos places, ils n'ont pas trouvé ______.

■ TRANSFORMATION DRILLS

1. Je voudrais votre stylo.
   Je voudrais le vôtre.
   Je voudrais les cigarettes de Michel.
   Je voudrais son briquet.
   A-t-il sa montre?
   Ma montre n'est pas à l'heure.
   Vous n'avez donc pas vos affaires?
   Non, j'ai oublié mon stylo, et j'ai fumé mes cigarettes.
   C'est pourquoi je demande les affaires de mes amis.

2. Ce billet est à moi.
   Ce billet est le mien.
   Ces affaires sont à Gisèle.
   Cet argent est à vous.
   Cette place est à vous.
   Cette serviette est à Paul.
   Ce fauteuil est à eux.
   Ces clefs sont à elles deux.
   Ce costume est à lui.
   Ces bagages sont à toi.

64 Other negators

EXAMPLES Il **n**'y a **jamais** de place à cette heure-ci.
Ça **ne** fait **rien.**
Il **n**'est **que** neuf heures et demie.

Presentation Drills

■ PROGRESSIVE SUBSTITUTION DRILLS

1. Je ne travaille pas le matin.
   Je ne travaille *jamais* le matin.
   Je ne travaille jamais *le lundi.*
   Je ne travaille *plus* le lundi.
   Je ne travaille plus *le soir.*
   Je ne travaille *que* le soir.
   Je ne travaille que *le matin.*
   Je ne travaille *pas* le matin.

2. Je ne viendrai pas et eux non plus.
   Je ne viendrai pas *et lui non plus.*
   Nous ne comprenons pas et lui non plus.
   Nous ne comprenons pas *et vous non plus.*
   Elles ne veulent pas et vous non plus.
   Elles ne veulent pas *et moi non plus.*
   Tu ne parles pas et moi non plus.
   Tu ne parles pas *et eux non plus.*
   Je ne viendrai pas et eux non plus.

3. Je ne veux aucun renseignement.
   Je ne veux *aucun médicament.*
   Il n'a acheté aucun médicament.
   Il n'a acheté *aucune carte.*
   Nous n'avons aucune carte.
   Nous n'avons *aucun ami.*
   Il ne veut aucun ami.
   Il ne veut *aucune couverture.*
   On ne nous a donné aucune couverture.
   On ne nous a donné *aucun renseignement.*
   Je ne veux aucun renseignement.

4. Je n'en ai aucun.
   Je n'en ai *aucune.*
   Nous n'en connaissons aucune.
   Nous n'en connaissons *aucun.*
   Ils n'en ont fait aucun.
   Ils n'en ont fait *aucune.*
   Vous n'en demandez aucune.
   Vous n'en demandez *aucun.*
   Je n'en ai aucun.

■ SIMPLE SUBSTITUTION DRILLS

1. Nous n'aimons *aucun de ses frères.*
   (aucun de ses livres, aucune de vos amies, aucun de vos romans, aucune de ces pièces, aucun de ces auteurs, aucun de ses frères)

2. Je n'ai rien *vu.*
   (compris, entendu, dit, su, fait, demandé, vu)

3. *Il n'aime* personne.
   (Vous n'attendez, Je n'ai trouvé, Ils n'ont vu, Elle ne remercie, Je ne connais, Il n'aime)

■ PROGRESSIVE SUBSTITUTION DRILL

Je ne veux rien d'autre.
Je ne veux *personne d'autre.*
Il ne connaît personne d'autre.
Il ne connaît *rien d'autre.*
Tu ne vois rien d'autre.
Tu ne vois *personne d'autre.*
On ne trouve personne d'autre.
On ne trouve *rien d'autre.*
Je ne veux rien d'autre.

Discussion

Verb negators

Besides the verb negator **ne... pas** (Section 8), two other verb negators are frequently found:

ne... jamais	never
ne... plus	no more, no longer

(1) They may occur before an infinitive:

Il espère ne jamais partir.	He hopes never to leave.
Nous sommes heureux de ne plus travailler.	We're happy not to be working any longer.

The position of the verb negators may make differences in meaning:

Nous ne sommes plus heureux de travailler.	We're no longer happy to be working.
Il n'essaie jamais d'être à l'heure.	He never tries to be on time.
Il essaie de ne jamais être à l'heure.	He tries never to be on time.

(2) They may occur without **ne** when no verb occurs in the utterance
(a) before a noun, with automatic invariable **de :**

Plus d'examens.	No more tests.
Jamais d'examens.	Never any tests.

(b) before other forms without **de :**

Plus aujourd'hui.	No longer today.
Jamais seul.	Never alone.

(3) The form **jamais** may occur in isolation and has a negative meaning:

Jamais !	Never!

(4) Both **plus** and **jamais** may occur directly after a first verb; the order of these units makes no difference in meaning:

Il ne parle jamais plus.
Il ne parle plus jamais. — He never talks anymore.

(5) **Non plus** shows negative agreement; it is the "opposite" of **aussi :**

Nous y allons cet après-midi. — We're going there this afternoon.
Nous aussi. — We are, too.

Nous n'y allons pas cet après-midi. — We're not going there this afternoon.
Nous non plus. — We're not either.

Noun negators

The noun negator **ne... √aucun** marks gender, but not number, of the noun it negates:

Fem	okyn	aucune	*no* —
Masc	okœ̃	aucun	

It occurs as follows:

(1) before a singular noun:

Il n'a lu aucun livre. — He hasn't read a single book.
Je n'ai vu aucune pièce. — I haven't seen a single play.

(2) before a prepositional phrase beginning with **de :**

Ils n'ont réparé aucune de mes montres. — They haven't fixed any of my watches.
Elle n'habite aucune des maisons par ici. — She doesn't live in any of the houses around here.

(3) in final position, with obligatory **en** before the verb:

Je n'en veux aucun. — I don't want any of them.
Il n'en ont réparé aucune. — He hasn't fixed any of them.

(4) with no verb in the utterance:

Y a-t-il un espoir ? Aucun. — Is there any hope? None.
Qui l'a vu ? Aucun de nous. — Who saw him? None of us.

The negator **ne... que,** *only* occurs

(1) before a noun phrase:

Il n'est que neuf heures et demie. — It's only 9:30.
Il n'a que trois valises. — He has only three suitcases.

(2) before a prepositional phrase:

Je ne pense qu'à mon départ. — I think only about my departure.
Il ne part qu'après les examens. — He's not leaving until after the exams.

(3) before the infinitive in an infinitive verb phrase:

Il ne veut que s'amuser.	He wants only to have a good time.
Nous n'avons qu'à attendre ailleurs.	We have only to wait elsewhere.

When the infinitive verb phrase includes a preposition (Section 71), the **que** negator precedes the preposition.

Negative pronouns

The negative pronouns are:

ne... rien	nothing
ne... personne[1]	nobody

These occur in four environments:

(1) before a verb, as subject:

Negative pronoun **ne** *Verb*

Rien ne m'ennuie comme un musée.	Nothing bores me like a museum.
Personne ne viendra.	No one will come.

(2) after a verb, as object:

Noun **ne** *Verb* *Negative pronoun*

Vous n'aviez rien d'autre ?	You didn't have anything else?
Vous n'aviez personne d'autre ?	You didn't have anyone else?

Note the difference in word order in past participle and infinitive verb phrases:

Il n'a rien.	He has nothing.
Il n'a rien vu.	He has seen nothing.
Il ne veut rien voir.	He wants to see nothing.
Il n'a personne.	He has no one.
Il n'a vu personne.	He has seen no one.
Il ne veut voir personne.	He wants to see no one.

(3) after a preposition:

Il ne parle de rien.	He doesn't talk about anything.
Il ne parle de personne.	He doesn't talk about anyone.

(4) without a verb; in this case there is no **ne :**

Qui avez-vous vu ? Personne.
Qu'avez-vous vu ? Rien.

The negative pronouns may be followed by a masculine singular adjective in the frame **de** + adjective:

rien de beau	nothing beautiful
personne d'intéressant	no one interesting

[1] Do not confuse **ne... personne** with **une personne,** *a person.*

Verification Drills

■ TRANSFORMATION DRILL

J'ai un frère.
Je n'ai qu'un frère.
Nous avons deux classes.
Il est six heures.
Nous voulons deux cafés.
J'ai pris cent francs.
Il a plu en octobre.
Ils sont restés deux heures.
Nous avons demandé leurs numéros.
Ils ont laissé cette adresse.

■ SIMPLE CORRELATION DRILLS

1. Nous ne les voyons pas le dimanche.
(jamais, que, plus, pas)

2. Ils ont des amis.
(pas, jamais, pas encore, plus, jamais plus, plus jamais)

■ QUESTION DRILL

Avez-vous des frères?
Non, je n'en ai aucun.
Ont-ils des serviettes?
Connaissez-vous des villes françaises?
A-t-il plusieurs billets?
Voulez-vous plusieurs places?
A-t-il acheté des médicaments?
Avez-vous vu des livres?
Ont-ils emporté des cartes?
A-t-il deux voitures?

■ CONTEXTUAL QUESTION DRILL

Est-ce que Charles aime quelque chose?
Non, il n'aime rien.
Est-ce qu'il aime quelqu'un?
Est-ce qu'il s'intéresse à quelque chose?
Est-ce qu'il regarde quelque chose?
Est-ce qu'il s'intéresse à quelqu'un?
Est-ce qu'il a envie de quelque chose?
Est-ce qu'il plaît à quelqu'un?

■ TRANSFORMATION DRILLS

1. Elle écrit à quelqu'un.
Elle n'écrit à personne.
Quelqu'un lui écrit.
Elle dit quelque chose.
Elle a dit quelque chose.
Quelqu'un lui dit quelque chose.
Elle a répondu quelque chose.
Quelqu'un l'entend.
Il y a quelqu'un avec elle.
Elle a vu quelqu'un.
Elle a entendu quelque chose.

2. J'ai quelque chose à dire.
Je n'ai rien à dire.
Je veux faire quelque chose.
Je veux voir quelqu'un.
J'ai quelque chose à faire.
J'ai quelqu'un à voir.
Je veux dire quelque chose à quelqu'un.
Je veux donner quelque chose à quelqu'un.

■ QUESTION DRILL

Avez-vous vu quelqu'un ?
  Non, je n'ai vu personne.
Avez-vous entendu quelque chose ?
Avez-vous aperçu quelqu'un ?
Vous a-t-il demandé quelque chose ?
Vous a-t-il demandé quelqu'un ?
Vous a-t-il promis quelque chose ?
A-t-il appelé quelqu'un ?

■ CONTEXTUAL RESPONSE DRILL

Je n'aime pas cette ville.
  Moi non plus.
J'aime mieux Nice.
Je n'aime pas la foule.
Je n'aime pas le climat.
Mais je trouve Nice jolie.
J'irai cet été.
Je n'y resterai pas tout l'été.
J'irai à Cannes.

■ CONVERSATION EXERCISES

1.

ANDRE J'ai envie de sortir ce soir. Qu'est-ce qu'on donne de bien en ce moment ?
HENRI Comme pièce, ou comme film ?
ANDRE Comme pièce. Je n'en ai vu aucune, cet hiver.
HENRI Il y en a une que tout le monde va voir. Voyons, quel est le titre ?
ANDRE C'est une pièce française ?
HENRI Oui, euh... à moins qu'elle ne soit anglaise. C'est ça, c'est une pièce anglaise.
ANDRE De qui est-ce ?
HENRI L'auteur s'appelle... euh... oh, vous le connaissez, il écrivait des romans autrefois.
ANDRE Je ne vois pas qui vous voulez dire.
HENRI Mais si, c'est un homme très grand ; il a eu cinq femmes...
ANDRE Nous n'en sortirons jamais. Est-ce que vous pouvez me recommander un film ?
HENRI Certainement. Voyons, comment s'appelle...
ANDRE Asseyez-vous donc, Henri. Nous allons rester ici et nous bavarderons ; je sortirai une autre fois.

2.

ODILE Vous avez l'air fatiguée, ce matin.
MME CHATEL Oui, je n'ai pas assez dormi. Nous sommes encore sortis hier soir.
ODILE Encore ? Mais vous sortez presque tous les soirs, depuis une semaine.
MME CHATEL Oui, nous avons des cousins de Bordeaux. Ils avaient promis de venir nous voir cet hiver...
ODILE Et ils sont venus !
MME CHATEL Ils sont arrivés le 12. Le soir, nous les avons emmenés au Français pour qu'ils voient « Andromaque » ; c'était la dernière représentation. Le lendemain...
ODILE Qu'est-ce que vous avez fait le lendemain ?
MME CHATEL J'ai oublié. Nous sommes allés au Lido, je crois... à moins que nous ne soyons allés au Moulin-Rouge, et au Lido le lendemain, Oh, je ne sais plus.
ODILE Enfin, vous êtes allés partout ?
MME CHATEL Partout. On ne peut leur parler de rien sans qu'ils veuillent y aller immédiatement.

Le Marché aux Puces

Paul aime beaucoup sa mère ; il lui écrit régulièrement, et, depuis qu'il est en France, il lui a envoyé° autant de cadeaux° qu'il le pouvait. Et pour Noël, il a décidé d'aller lui chercher, aux Puces,[1] quelque chose qui sorte vraiment de l'ordinaire.

sent; gifts

Philippe et Gisèle, amis dévoués, et surtout curieux, l'accompagnent. Tous les trois sont habillés aussi misérablement que possible ; ils espèrent avoir l'air assez pauvre pour faire une affaire,° bien que Philippe assure qu'on ne fait plus d'affaires aux Puces.

faire... to get a bargain

Après quatre heures de marche dans les allées du marché, les trois amis vont se reposer en mangeant des frites° dans un bistro. Il est deux heures de l'après-midi. Le cadeau de Madame Adams n'est pas encore trouvé, mais Gisèle a acheté une carte de la Chine, datée de 1693, et un objet étrange, en métal jaune, dont elle espère faire une lampe. Bien qu'il n'ait rien acheté, Philippe a remarqué un instrument de musique indien ; Paul se demande si sa mère aimerait le samovar qu'il a admiré en passant, ou un casque de pompier,° ou une ombrelle° de dentelle° verte.

French fries

casque... fireman's helmet; parasol; lace

Il y a de tout, au Marché aux Puces. Dans les baraques,° sur des tables, ou même par terre. Il y a aussi un monde fou.° A six heures, Paul et ses camarades, fourbus,° décident de rentrer chez eux. Gisèle, en plus de ses premiers achats, a une longue pipe allemande pour son père. Philippe a son instrument de musique et un petit buste de Ciceron. Paul n'a rien, mais il a pris une décision : il va envoyer à sa mère une bouteille de son parfum favori.

shacks

un... a crowd

exhausted

---

[1] At the Flea Market: at the Paris city limits, a motley collection of stores, stalls, and piles of treasures and junk for sale and barter.

UNIT **17**

DIALOGUE

Paul est malade

Philippe, prêt à aller prendre son petit déjeuner, frappe à la porte de Paul. N'obtenant pas de réponse, il pousse la porte, qui était entr'ouverte.

PHILIPPE Cher Monsieur Adams, je crains que vous ne soyez en retard. Paul? Ça ne va pas?

PAUL Non, je me sens mal dès que je suis debout; et puis je crois que j'ai de la fièvre.

PHILIPPE Dans ce cas-là, il vaudrait mieux que tu restes au lit.

PAUL Je devais aller danser ce soir.

PHILIPPE Je sortirai Gisèle à ta place. Je ferais n'importe quoi pour un ami.

PAUL Je ne suis pas d'humeur à plaisanter.

PHILIPPE Quel caractère! Tu me rappelles Charles.

Il se dirige vers la porte.

PAUL Puisque tu veux te rendre utile, tu pourrais appeler un médecin.

PHILIPPE Quelle que soit ta maladie, elle rend bien désagréable.

PAUL Il va falloir que j'aille téléphoner moi-même.

PHILIPPE Ne fais pas l'idiot, recouche-toi.

PAUL Excuse-moi, tu veux (1). J'ai si mal à la tête...

PHILIPPE J'appelle notre médecin; il nous soigne tous depuis vingt ans.

PAUL Pourvu que je n'en aie pas pour longtemps.

PHILIPPE Nous le saurons bientôt. Essaie de dormir jusqu'à ce que le médecin vienne.

◀ **Une concierge.**

pɔl ɛ ma lad↘

fi lip↗ prɛ a a le prɑ̃d sɔ̃p ti de ʒœ ne↗ frap a la pɔrt də pɔl↘ nɔ̃b tə nɑ̃ pa də re pɔ̃s↗ il pus la pɔrt↗ ki e tɛ tɑ̃ tru vɛrt↘

ʃɛr mə sjø a dɑ̃↗ ʒə krɛ̃ kə vun swa je zɑ̃r tar↘ pɔl↗ san va pa↗
nɔ̃↗ ʒəm sɑ̃ mal dɛ kəʒ sɥid bu↘ e pɥi ʒə krwa kə ʒed la fjɛvr↘
dɑ̃s ka la↗ il vo drɛ mjøk ty rɛst o li↘

ʒdə vɛ a le dɑ̃ se sə swar↘

ʒə sɔr ti re ʒi zɛl a ta plas↗ ʒəf rɛ nɛ̃ pɔr tə kwa pu rœ̃ na mi↘
ʒən sɥi pa dy mœr a ple zɑ̃ te↘
kɛl ka rak tɛr↘ tym ra pɛl ʃarl↘

il sə di riʒ vɛr la pɔrt↘

pɥis kə ty vø tə rɑ̃ dry til↗ ty pu rɛ ap le œ̃ med sɛ̃↘
kɛl kə swa ta ma la di↗ ɛl rɑ̃ bjɛ̃ de za gre abl↘

il va fal war kə ʒaj te le fɔ ne mwa mɛm↘
nə fɛ pa li djo rə kuʃ twa↘
eks kyz mwa ty vø↗ ʒe si mal a la tɛt→

ʒa pɛl nɔ trə med sɛ̃↘ il nu swaɲ tus də pɥi vɛ̃ tɑ̃↘
pur vy kəʒ nɑ̃ ne pa pur lɔ̃ tɑ̃↘
nul so rɔ̃ bjɛ̃ to↘ ɛ sɛjd dɔr mir ʒys ka skəl med sɛ̃ vjɛn↘

Paul Is Ill

Philippe, ready to go to breakfast, knocks on Paul's door. Getting no reply, he pushes the door, which was ajar.

PHILIPPE Dear Mr. Adams, I fear that you are late. Paul? Aren't you well?
PAUL No, I feel faint as soon as I stand up; and besides, I think I have a fever.
PHILIPPE In that case, it would be better for you to stay in bed.
PAUL I was supposed to go out dancing tonight.
PHILIPPE I'll take Gisèle out in your place. I'd do anything for a friend.
PAUL I'm not in the mood for joking.
PHILIPPE What a temper! You remind me of Charles.

He heads for the door.

PAUL Since you want to make yourself useful, you could call a doctor.
PHILIPPE Whatever your sickness may be, it makes you quite unpleasant.
PAUL I'll have to go call myself.
PHILIPPE Don't be a fool; get back into bed.
PAUL Pardon me, won't you. I have such a headache . . .
PHILIPPE I'll call our doctor. He's been taking care of all of us for twenty years.
PAUL I only hope this won't be a long illness.
PHILIPPE We'll know soon. Try to sleep until the doctor comes.

SUPPLEMENTARY VOCABULARY

La Santé	*Health*
Est-il enrhumé ?	Does he have a cold?
Non, il a la grippe.	No, he has the flu.
A-t-il un rhume ?	Does he have a cold?
Non, il est grippé.	No, he has the flu.
Je doute que ce soit grave.	I doubt that it is serious.
Je doute que ce soit contagieux.	I doubt that it is contagious.
Je doute qu'il soit guéri.	I doubt that he is cured.

Est-ce que cela vous fait mal?	Does it hurt?
Est-ce que je vous fais mal?	Am I hurting you?
Est-ce que vous souffrez beaucoup?	Are you suffering much?
Elle a une maladie de cœur.	She has a heart condition.
Elle a une maladie de peau.	She has a skin disease.
Le médecin laisse une ordonnance.	The doctor leaves a prescription.
Il ordonne le repos.	He prescribes rest.
Un cachet deux fois par jour (2).	A tablet twice a day.
Une pilule après chaque repas.	A pill after each meal.
Une cuillerée avant chaque repas (3).	A spoonful before each meal.
Une cuillerée à café toutes les quatre heures.	A teaspoonful every four hours.

DIALOGUE NOTES

(1) **Excusez-moi** (or **pardon**) is used for a social error; **pardonnez-moi** is reserved for an offense.

(2) **Un cachet** is a powder enclosed in a large gelatin capsule; **une pilule** is compressed.

(3) Some quantity measures are made by adding / –e /, written **–ée,** to certain nouns; the **–ée** form is always feminine:

une cuiller	**une cuillerée**	a spoonful
une bouche	**une bouchée**	a mouthful

Vocabulary Drills

1. Je me sens mal.
   Il se sent mal.
   Il se sent *fatigué.*
   Nous nous sentons fatigués.
   Nous nous sentons *mieux.*
   Vous vous sentez mieux.
   Vous vous sentez *perdus.*
   Je me sens perdu.
   Je me sens *mal.*

2. Dès que je suis debout, je me sens mal.
   Dès que je suis debout, *je travaille.*
   Dès qu'il arrive, je travaille.
   Dès qu'il arrive, *tout va mieux.*
   Dès que je me lève, tout va mieux.
   Dès que je me lève, *j'ai de la fièvre.*
   Dès que je marche, j'ai de la fièvre.
   Dès que je marche, *je me sens mal.*
   Dès que je suis debout, je me sens mal.

3. Je sortirai Gisèle à ta place.
   Je sortirai Gisèle *à la place de Paul.*
   Je me mets à la place de Paul.
   Je me mets *à votre place.*
   Il peut faire ça à votre place.
   Il peut faire ça *à ma place.*
   Elle répondra à ma place.
   Elle répondra *à ta place.*
   Je sortirai Gisèle à ta place.

4. Vous répondez n'importe quoi.
   Vous répondez *n'importe comment.*
   Nous irions n'importe comment.
   Nous irions *n'importe où.*
   Je déjeune n'importe où.
   Je déjeune *n'importe quand.*
   Venez n'importe quand.
   Venez *n'importe comment.*
   Il répond n'importe comment.
   Il répond *n'importe quoi.*
   Vous répondez n'importe quoi.

5. Tu me rappelles Charles.
Tu me rappelles *quelqu'un.*
Vous me rappelez quelqu'un.
Vous me rappelez *un de mes amis.*
Il me rappelle un de mes amis.
Il me rappelle *son père.*
Ça me rappelle son père.
Ça me rappelle *Charles.*
Tu me rappelles Charles.

6. Pourvu que je n'en aie pas pour longtemps.
Pourvu que *ça ne soit pas grave.*
Pourvu que *tout aille bien.*
Pourvu que *le médecin vienne.*
Pourvu qu'*il ne se perde pas.*
Pourvu qu'*on ne le sache pas.*
Pourvu que *ça ne fasse pas mal.*
Pourvu que *je n'en aie pas pour longtemps.*

7. Prenez un cachet deux fois par jour.
Téléphonez deux fois par jour.
Téléphonez *une fois par semaine.*
Ecrivez une fois par semaine.
Ecrivez *une fois par mois.*
Il vient une fois par mois.
Il vient *plusieurs fois par an.*
Nous les voyons plusieurs fois par an.
Nous les voyons *deux fois par jour.*
Prenez un cachet deux fois par jour.

8. Une cuillerée toutes les quatre heures.
Une cuillerée *toutes les deux heures.*
Je viendrai toutes les deux heures.
Je viendrai *tous les trois jours.*
Nous y allons tous les trois jours.
Nous y allons *tous les deux mois.*
Ils téléphonent tous les deux mois.
Ils téléphonent *toutes les trois semaines.*
Il vient toutes les trois semaines.
Il vient *toutes les quatre heures.*
Une cuillerée toutes les quatre heures.

65 Verbs like *craindre*

EXAMPLES Je **crains** que vous ne soyez en retard.
Eteignez en sortant.

Presentation Drills

■ PROGRESSIVE SUBSTITUTION DRILLS

1. Je crains le froid.
Je crains *la pluie.*
Elle craint la pluie.
Elle craint *le feu.*
Nous craignons le feu.
Nous craignons *un accident.*
Ils craignent un accident.
Ils craignent *son retour.*
Vous craignez son retour.
Vous craignez *le froid.*
Je crains le froid.

2. Il a craint de nous déranger.
Il a craint *d'être ridicule.*
J'ai craint d'être ridicule.
J'ai craint *de les réveiller.*
Nous avons craint de les réveiller.
Nous avons craint *de l'ennuyer.*
Ils ont craint de l'ennuyer.
Ils ont craint *de ne pas pouvoir.*
Vous avez craint de ne pas pouvoir.
Vous avez craint *de ne pas savoir.*
Tu as craint de ne pas savoir.
Tu as craint *de nous déranger.*
Il a craint de nous déranger.

■ SIMPLE SUBSTITUTION DRILLS

1. *Craignait-il* quelque chose?
   (Craignais-tu, Craigniez-vous, Craint-on, Craignent-ils, Craignions-nous, craignait-il)
2. *Il ne craindra* plus rien.
   (Nous ne craindrons, Je ne craindrai, Elle ne craindra, Elles ne craindront, Tu ne craindras, Vous ne craindrez, Ils ne craindront, Il ne craindra)
3. Pourquoi *craindrait-il* de le voir?
   (craindrions-nous, craindrais-je, craindrait-elle, craindrais-tu, craindraient-elles, craindriez-vous, craindrait-il)

Discussion

krɛ̃dr	**craindre** *to fear*
nu krɛɲ õ[z]	nous craignons
vu krɛɲ e[z]	vous craignez
il krɛɲ [t]	ils craignent
ʒə krɛ̃ [z]	je crains
ty krɛ̃ [z]	tu crains
il krɛ̃ [t]	il craint
Past Participle: krɛ̃(t)	(avoir) craint
Imperfect Stem: krɛɲ–	craign–
Subjunctive Stem: krɛɲ–	craign–
Future/Conditional Stem: krɛ̃dr–	craindr–

The verb **craindre** has two present tense spoken stems, the plural stem having an oral vowel followed by a nasal consonant, the singular stem having a final nasal vowel. The verbs **éteindre** *to extinguish* and **se plaindre** *to complain* pattern like **craindre.**

Verification Drills

■ SIMPLE CORRELATION DRILLS

1. *Je* crains d'avoir été trop loin.
   (Nous, Tu, On, Charles, Mes parents, Vous, Je)
2. *Je* ne me plains jamais.
   (Nous, Tu, On, Mme Chatel, Mes parents, Vous, Je)
3. Avez-*vous* éteint toutes les lampes?
   (nous, on, la femme de chambre, les employés, je, vous)

■ TRANSFORMATION DRILL

Eteins-tu le feu?
Eteindras-tu le feu?
De quoi se plaignent-ils?
Craint-on de les recevoir?
A qui vous plaignez-vous?
Est-ce que j'éteins tout?
Nous plaignons-nous?
Eteignez-vous la lampe?
Se plaint-il toujours?

■ CHAIN DRILLS

1. J'ai téléphoné, je craignais des ennuis.
   Nous avons téléphoné, nous ________.
   Il a téléphoné, il ________.
   Vous avez téléphoné, vous ________.
   Elles ont téléphoné, elles ________.
   On a téléphoné, on ________.
   Tu as téléphoné, tu ________.

2. Si j'avais mal, je me plaindrais.
   Si tu avais mal, tu ________.
   Si vous aviez mal, vous ________.
   Si elle avait mal, elle ________.
   Si nous avions mal, nous ________.
   Si elles avaient mal, elles ________.

■ TRANSFORMATION DRILL

J'ai craint de les rencontrer.
J'aurais craint de les rencontrer.
Nous avons éteint partout.
Tu t'es beaucoup plaint.
Vous avez craint le pire.
J'ai éteint votre lampe.
Tous les passagers se sont plaints de l'hôtesse.
Il a craint de vous faire mal.

66 Automatic subjunctive after *que*

EXAMPLES

Il faudrait que tu **essayes** de la comprendre.
Il se peut que Philippe le **sache.**
Je suis content que tu **aies compris** quelque chose.
Je crains que vous ne **soyez** en retard.
Il vaudrait mieux que tu **restes** au lit.
Il va falloir que j'**aille** téléphoner moi-même.
Je doute que ce **soit** grave.

Presentation Drills

■ PROGRESSIVE SUBSTITUTION DRILLS

1. Il vaut mieux que tu restes au lit.
   Il vaut mieux *que vous attendiez.*
   J'aime mieux que vous attendiez.
   J'aime mieux *qu'elle choisisse.*
   Il vaut mieux qu'elle choisisse.
   Il vaut mieux *que nous téléphonions.*
   J'aime mieux que nous téléphonions.
   J'aime mieux *qu'elle travaille.*
   Ils aiment mieux qu'elle travaille.
   Ils aiment mieux *que tu restes au lit.*
   Il vaut mieux que tu restes au lit.

2. Il faudrait que vous sachiez son opinion.
Il faudrait *que nous ayons* son opinion.
Il faudrait que nous ayons *une ordonnance.*
Il faudrait *qu'il fasse* une ordonnance.
Il faudrait qu'il fasse *réparer ce pneu.*
Il faudrait *qu'ils puissent* réparer ce pneu.
Il faudrait qu'ils puissent *le voir.*
Il faudrait *que j'aille* le voir.
Il faudrait que j'aille *la soigner.*
Il faudrait *qu'on puisse* la soigner.
Il faudrait qu'on puisse *le faire.*
Il faudrait *que vous sachiez* le faire.
Il faudrait que vous sachiez *son opinion.*

3. Il est possible que Paul soit malade.
Il est possible *que Philippe connaisse un médecin.*
Il se peut que Philippe connaisse un médecin.
Il se peut *que ce soit dimanche.*
Il est heureux que ce soit dimanche.
Il est heureux *qu'il ne veuille pas sortir.*
Il se peut qu'il ne veuille pas sortir.
Il se peut *que Paul soit malade.*
Il est possible que Paul soit malade.

4. Je suis heureux qu'il soit parti.
Je suis heureux *que vous soyez venus.*
Nous sommes contents que vous soyez venus.
Nous sommes contents *que ce soit fini.*
Elle est ennuyée que ce soit fini.
Elle est ennuyée *que nous soyons sortis.*
Il est furieux que nous soyons sortis.
Il est furieux *que vous soyez restés.*
Nous sommes désolés que vous soyez restés.
Nous sommes désolés *qu'il soit parti.*
Je suis heureux qu'il soit parti.

Discussion

The subjunctive occurs most frequently in the following pattern:

Noun Verb **que** *Noun Verb*
Je veux qu'il parte.

The subjunctive does not occur in every pattern involving **que** after a verb:

Je sais qu'il part.

As may be seen above, the subjunctive does not occur after **sais** but does after **veux.** The subjunctive occurs automatically for all speakers of French in the second clause when the first clause contains a form of one of the following verbs or verbal constructions:

aimer	**J'aimerais qu'il parte.**	I'd like him to leave.
désirer	**Je désire qu'il parte.**	I want him to leave.
douter	**Je doute qu'il parte.**	I doubt that he'll leave.
préférer	**Je préfère qu'il parte.**	I prefer him to leave.
regretter	**Je regrette qu'il parte.**	I'm sorry he's leaving.
craindre	**Je crains qu'il ne parte.**	I fear he'll leave.
exiger	**J'exige qu'il parte.**	I require him to leave.
permettre	**Je permets qu'il parte.**	I allow him to leave.
vouloir	**Je veux qu'il parte.**	I want him to leave.

être content	**Je suis content qu'il parte.**	I'm glad he's leaving.
être heureux	**Je suis heureux qu'il parte.**	I'm happy he's leaving.
être satisfait	**Je suis satisfait qu'il parte.**	I'm glad he's leaving.
être surpris	**Je suis surpris qu'il parte.**	I'm surprised he's leaving.

and after the following impersonal verb constructions:

il faut	**Il faut qu'il parte.**	He must leave.
il se peut	**Il se peut qu'il parte.**	It's possible that he's leaving.
il suffit	**Il suffit qu'il parte.**	It's enough that he's leaving.
il vaut mieux	**Il vaut mieux qu'il parte.**	It's better that he leave.
il est dommage	**Il est dommage qu'il parte.**	It's too bad that he's leaving.
il est bon	**Il est bon qu'il parte.**	It's good that he's leaving.
il est désirable	**Il est désirable qu'il parte.**	It's desirable that he's leaving.
il est douteux	**Il est douteux qu'il parte.**	It's doubtful that he's leaving.
il est essentiel	**Il est essentiel qu'il parte.**	It's essential that he leave.
il est étonnant	**Il est étonnant qu'il parte.**	It's surprising that he's leaving.
il est faux	**Il est faux qu'il parte.**	It's not true that he's leaving.
il est heureux	**Il est heureux qu'il parte.**	It's fortunate that he's leaving.
il est malheureux	**Il est malheureux qu'il parte.**	It's unfortunate that he's leaving.
il est important	**Il est important qu'il parte.**	It's important that he's leaving.
il est impossible	**Il est impossible qu'il parte.**	It's impossible for him to leave.
il est indispensable	**Il est indispensable qu'il parte.**	It's indispensable that he leave.
il est nécessaire	**Il est nécessaire qu'il parte.**	It's necessary that he leave.
il est possible	**Il est possible qu'il parte.**	It's possible that he's leaving.
il est préférable	**Il est préférable qu'il parte.**	It's preferable that he leave.
il est regrettable	**Il est regrettable qu'il parte.**	It's regrettable that he's leaving.
il est temps	**Il est temps qu'il parte.**	It's time for him to leave.
il est utile	**Il est utile qu'il parte.**	It's useful for him to leave.

The subjects of two non-subjunctive clauses may contain the same first or second person subject pronoun; no corresponding subjunctive pattern exists for these persons:

FIRST PERSON	**Je sais que je pars.** **Nous savons que nous partons.**	**Je veux partir.** **Nous voulons partir.**
SECOND PERSON	**Tu sais que tu pars.** **Vous savez que vous partez.**	**Tu veux partir.** **Vous voulez partir.**

With the same third person pronouns in both clauses, there is a subjunctive pattern with a difference in reference:

THIRD PERSON	**Il sait qu'il part.**	*A* knows that *A* is leaving. OR *A* knows that *B* is leaving.
	Il veut qu'il parte.	*A* wants *B* to leave.
	Il veut partir.	*A* wants to leave.

All the occurrences described above are predictable, that is, no speaker of French ever has a choice between the subjunctive and some other tense. If he begins a sentence with **Il faut que,** for example, we can predict that no matter what clause follows, its verb will automatically be subjunctive.

Verification Drills

■ SIMPLE CORRELATION DRILLS

1. Il faut que *tu* marches davantage.
   (nous, je, ces garçons, votre mère, vous, tu)

2. Il se peut que *tu* les connaisses.
   (nous, on, je, vous, Charles, les Chatel, tu)

3. Il est dommage que *vous* ne puissiez pas venir.
   (je, ses parents, tu, son camarade, nous, on, vous)

4. Il regrette que *vous* ne vouliez pas.
   (je, ses parents, tu, son camarade, nous, on, vous)

5. Il est possible qu'*ils* soient tombés.
   (nous, tu, les enfants, je, vous, votre ami, ils)

■ CONTEXTUAL SUPPLEMENTATION DRILLS

1. Tu viens avec moi.
   J'aime mieux que tu viennes avec moi.
   Nous faisons un tour.
   Nous visitons la ville.
   Le guide vient avec nous.
   Il sait ce qui nous plaît.
   Il nous montre ce qui est intéressant.
   Il nous dit ce que nous lui devons.
   Nous ne discutons pas.
   Il s'en va.

2. Vous rappelez vers midi.
   Il vaut mieux que vous rappeliez vers midi.
   Je vous donne mon numéro.
   Vos amis ne le savent pas.
   Vous téléphonez de la poste.
   Vous y allez seul.
   Nous ne parlons pas trop.
   On ne vous voit pas ensemble.

3. Le train est arrivé.
   J'attends que le train soit arrivé.
   Les voyageurs sont descendus.
   Mon ami parle au porteur.
   Le porteur prend les bagages.
   Nous sommes sortis de la gare.
   Nous avons trouvé un taxi.
   Nous sommes arrivés.
   Il a fini de se plaindre.

4. Je pars.
   Paul veut que je parte.
   Charles part.
   Paul part.
   Charles va à Rome.
   Paul va à Rome.
   Nous allons tous à Rome.
   Nous arrivons avant la nuit.
   Paul arrive avant la nuit.
   Paul se couche tôt.
   Charles se couche tôt.

5. J'attends mes amis.
   J'aime mieux attendre mes amis.
   Je m'assieds à cette table.
   Nous déjeunons ensemble.
   Ils choisissent leur menu.
   Je prends de la soupe.
   Ils prennent du vin.
   Je prends de l'eau.
   Je mange peu.
   Ils mangent ce qu'ils veulent.

■ CONTEXTUAL TRANSFORMATION DRILL

J'ai pris des vacances, je vais en Italie.
J'ai pris des vacances pour aller en Italie.
Mon frère m'a ennuyé, je l'emmène.
Mon père m'a prêté de l'argent, j'ai acheté une auto.
Nous l'avons achetée d'occasion, elle a coûté moins cher.
Nous sommes partis en hiver, nous avons eu moins chaud.
Nous avions écrit à un hôtel, nous avions retenu deux chambres.
Nous sommes allés à Florence, nous avons vu les musées.
Puis nous sommes allés à Rome, mon frère a pu voir ses amis.
Je vous ai écrit, vous avez su ce que je faisais.

67 Indefinite pronouns

EXAMPLES

Ce n'est pas le moment, **on** dirait.
A **quelqu'un** que je devais voir ce matin.
Il a perdu **quelque chose.**
Je ferais **n'importe quoi.**

Presentation Drills

■ PROGRESSIVE SUBSTITUTION DRILLS

1. On m'a dit son nom.
On m'a dit *leur adresse.*
Quelqu'un m'a dit leur adresse.
Quelqu'un m'a dit *qu'il pleuvait.*
On m'a dit qu'il pleuvait.
On m'a dit *d'attendre.*
Quelqu'un m'a dit d'attendre.
Quelqu'un m'a dit *son nom.*
On m'a dit son nom.

2. Je voudrais parler à quelqu'un.
Je voudrais parler *de quelque chose.*
Nous voulions parler de quelque chose.
Nous voulions parler *de quelqu'un.*
Ça dépend de quelqu'un.
Ça dépend *de quelque chose.*
Vous parliez de quelque chose.
Vous parliez *à quelqu'un.*
Je voudrais parler à quelqu'un.

■ SIMPLE SUBSTITUTION DRILLS

1. N'importe qui *peut faire cela.*
(peut entrer ici, vous le dira, peut essayer, vous renseignera, peut faire cela)

2. *Je lui dirai* n'importe quoi.
(Donnez-moi, Ecrivez, Vous achetez, Nous ne voulons pas, Il promet, Je lui dirai)

Discussion

Pronouns are forms which may occur as subjects and objects of a verb and as objects of a preposition. There are several pronouns in French that share a feature of indefiniteness:

Subject	*Object of Verb*	*Object of Prep*	
	kɛlkœ̃		quelqu'un
	kɛlkəʃoz		quelque chose
	otrəʃoz		autre chose
	nɛ̃pɔrtəki		n'importe qui
	nɛ̃pɔrtəkwa		n'importe quoi
ɔn/õ	sə	swa	on se soi

Quelqu'un refers only to people; **quelque chose** and **autre chose** refer only to things.

Like the negative pronouns (Section 64), **quelqu'un** and **quelque chose** may be followed by an adjective in the frame—**de** plus adjective:

quelqu'un d'autre	someone else
quelque chose d'autre	something else

N'importe qui refers only to people, **n'importe quoi** only to things. Note also:

n'importe quand	no matter when
n'importe comment	no matter how
n'importe où	no matter where

On refers only to people, is not replaceable by a marked noun, and occurs only as a subject form. In careful speech, **on** (or its elegant variant **l'on**) is translatable as *one;* in everyday French, **on** occurs as a replacement for other subject pronouns, corresponding to a variety of English constructions:

On ne dit pas ça par ici.
- One doesn't say that around here.
- You don't say that around here.
- They don't say that around here.
- People don't say that around here.
- That isn't said around here.

Verification Drills

■ QUESTION DRILLS

1. Qui cherchez-vous ?
   Quelqu'un.
   Que faites-vous ?
   Que lui donnez-vous ?
   Qui a téléphoné ?
   Que vous a-t-il dit ?
   A qui écrivez-vous ?
   De quoi lui parlez-vous ?
   Avec qui sortez-vous ?

2. Qu'est-ce que vous voulez ?
   N'importe quoi.
   Qui va faire cela ?
   A qui voulez-vous parler ?
   De quoi allez-vous parler ?
   Qui va nous renseigner ?
   A qui faut-il s'adresser ?
   Que faut-il dire ?
   Que dois-je faire ?
   Qui peut vous aider ?
   Que veulent-ils ?

■ TRANSFORMATION DRILLS

1. Qu'est-ce que les gens font le dimanche?
   Qu'est-ce qu'on fait le dimanche?
   Ils vont à l'église?
   Ils sortent?
   Ils restent chez eux?
   Ils vont voir un match de football?
   Ils travaillent peut-être?
   Ils font ce qu'ils veulent.

2. J'ai vu une personne que je connais.
   J'ai vu quelqu'un que je connais.
   C'est une personne que j'aime beaucoup.
   Ce n'est pas une personne célèbre.
   Nous avons rencontré une personne intéressante aujourd'hui.
   Elle nous a dit une chose intéressante.
   Charles parlait à une autre personne.
   Il ne s'intéresse pas souvent à une personne.
   Surtout si c'est une personne qu'il ne connaît pas.

3. Donnez-moi quelque chose d'autre.
   Donnez-moi autre chose.
   On m'a dit quelque chose d'autre.
   Savez-vous quelque chose d'autre?
   A-t-il apporté quelque chose d'autre?
   Je voulais quelque chose d'autre.

4. Je ne parlerai pas à cet homme.
   Je parlerai à quelqu'un d'autre.
   Je ne parlerai pas de cette histoire.
   Je ne parlerai pas de lui.
   Ça ne dépend pas de lui.
   Ça ne dépend pas de ça.
   On ne m'a pas dit la même chose.
   Ce n'est pas lui.
   Ne me donnez pas ça.
   Ne l'appelez pas.

68 Gender-marking past participles

EXAMPLES Un des porteurs les a sans doute **prises.**
Il les a **mises** sur son chariot.
Il pousse la porte, qui était **entr'ouverte.**

Presentation Drills

■ PROGRESSIVE SUBSTITUTION DRILL

Voilà une affaire faite.
Voilà une affaire *finie.*
Voilà *une leçon* finie.
Voilà une leçon *apprise.*
Voilà *une phrase* apprise.
Voilà une phrase *écrite.*
Voilà *l'adresse* écrite.
Voilà l'adresse *promise.*
Voilà *la carte* promise.
Voilà la carte *perdue.*
Voilà *la valise* perdue.
Voilà la valise *faite.*
Voilà *une affaire* faite.

■ SIMPLE SUBSTITUTION DRILLS

1. J'ai *compris* la même chose.
   (demandé, appris, écrit, fait, promis, vu, mis, donné, compris)

2. Son adresse, il l'a *promise.*
   (donnée, écrite, mise ici, laissée, promise)

Discussion

Most past participle forms (Section 34) are invariable in speech, but have four written forms:

SPEECH		WRITING		
			Singular	*Plural*
parler	parle	*Fem*	parlée	parlées
		Masc	parlé	parlés
avoir	y	*Fem*	eue	eues
		Masc	eu	eus
finir	fini	*Fem*	finie	finies
		Masc	fini	finis

A small number of past participles have two spoken forms, marking feminine gender in speech by / –t / or / –z /:

/ –t /	**ouvrir**	*Fem*	uvɛrt	ouverte	ouvertes
		Masc	uvɛr	ouvert	ouverts
	conduire	*Fem*	kõdɥit	conduite	conduites
		Masc	kõdɥi	conduit	conduits
	traduire	*Fem*	tradɥit	traduite	traduites
		Masc	tradɥi	traduit	traduits
	écrire	*Fem*	ekrit	écrite	écrites
		Masc	ekri	écrit	écrits
	craindre	*Fem*	krɛ̃t	crainte	craintes
		Masc	krɛ̃	craint	craints
	éteindre	*Fem*	etɛ̃t	éteinte	éteintes
		Masc	etɛ̃	éteint	éteints
	mourir	*Fem*	mɔrt	morte	mortes
		Masc	mɔr	mort	morts
	dire	*Fem*	dit	dite	dites
		Masc	di	dit	dits
	faire	*Fem*	fɛt	faite	faites
		Masc	fɛ	fait	faits

Past participles in spoken / -z / have only three written forms:

/ -z /	**mettre**	*Fem*	miz	mise	mises
		Masc	mi	mis	mis
	permettre	*Fem*	pɛrmiz	permise	permises
		Masc	pɛrmi	permis	permis
	promettre	*Fem*	prɔmiz	promise	promises
		Masc	prɔmi	promis	promis
	asseoir	*Fem*	asiz	assise	assises
		Masc	asi	assis	assis
	prendre	*Fem*	priz	prise	prises
		Masc	pri	pris	pris
	apprendre	*Fem*	apriz	apprise	apprises
		Masc	apri	appris	appris
	comprendre	*Fem*	kõpriz	comprise	comprises
		Masc	kõpri	compris	compris

Past participles mark gender in speech, and both gender and number in writing, when they occur in the following positions:

(1) *Noun* *Object Pronoun* √**avoir** *Past Participle*

Les pièces? **Il les a traduites.**
Voici sa lettre. **Il l'a écrite lui-même.**

(2) *Noun* **que** *Noun* √**avoir** *Past Participle*

la leçon qu'il a apprise
la porte que nous avons ouverte

(3) *Marker* *Noun* *Past Participle*

une chose faite
une personne morte
une femme assise

(4) *Noun* √**être** *Past Participle*

La chose est dite.
Cette lumière est éteinte.
Votre idée sera comprise.

Note in patterns (3) and (4) above that these past participle slots may also be filled by adjectives.

Verification Drills

■ RESPONSE DRILL

Ouvrez la porte !
Elle est ouverte.
Apprenez cette phrase !
Mettez vos chaussures !
Eteignez votre allumette !
Ecrivez votre adresse !
Faites une carte de France !
Entr'ouvrez la fenêtre !

■ CONTEXTUAL QUESTION DRILL

Avez-vous appris le français ?
Oui, je l'ai appris.
Avez-vous compris ma question ?
Avez-vous appris le français en France ?
Avez-vous passé plusieurs années en France ?
Vous avez écrit une pièce en français, n'est-ce pas ?
Avez-vous écrit cette pièce à Paris ?
Est-ce que les Français ont aimé votre pièce ?
Est-ce qu'ils ont compris votre pièce ?
Est-ce qu'ils ont compris le sujet ?

■ DICTATION

Paul a emmené Gisèle au théâtre. Il a pris deux bonnes places, à l'orchestre. Gisèle était assise derrière une jeune femme qui portait un grand chapeau. Mais heureusement, elle a enlevé son chapeau dès que les lumières se sont éteintes. Paul et Gisèle se sont bien amusés, mais Paul n'a pas compris toute la pièce. Gisèle dit qu'il l'aurait comprise s'il avait essayé. La représentation finie, Paul a mené Gisèle jusqu'à sa porte. Gisèle a cherché sa clef, mais elle ne l'a pas trouvée ; elle ne savait plus où elle l'avait mise, mais elle pensait bien l'avoir prise avant de sortir. Heureusement, Paul a eu l'idée de pousser la porte, et il a trouvé qu'elle n'était pas fermée à clef. Elle était même entr'ouverte. Paul et Gisèle se sont quittés en prenant rendez-vous pour le lendemain ; Gisèle est montée chez ses parents et Paul est rentré chez les Chatel en taxi.

■ CONVERSATION EXERCISES

1.

ANDRE Bonjour Robert, comment allez-vous ? Vous avez l'air fatigué.
M. MARTIN Ce n'est rien ; j'ai un peu de grippe.
ANDRE Qu'est-ce que vous venez faire ici ? Vous devriez être au lit.
M. MARTIN Oui, je vais rentrer me coucher ; mais il faut d'abord que je finisse ça.
ANDRE Dans l'état où vous êtes, je ne crois pas que vous puissiez faire grand'chose.
M. MARTIN Il faut tout de même que j'essaye.
ANDRE Vous devriez voir un médecin.
M. MARTIN Je suis passé voir le mien avant de venir.
ANDRE Qu'est-ce qu'il vous a ordonné ?
M. MARTIN J'ai des pilules à prendre ; et il m'a recommandé le repos, bien entendu.
ANDRE Allons, mettez votre manteau et venez avec moi.
M. MARTIN Qu'est-ce que vous allez faire ?
ANDRE Vous mener chez vous ; et je ne veux pas que vous remettiez les pieds ici avant d'être tout à fait guéri.

2.

ODILE Que devient Monique, on ne la voit plus ?

MME CHATEL Elle s'est cassé la jambe aux sports d'hiver ; vous ne le saviez pas ?

ODILE Non. Quelqu'un m'avait bien dit qu'elle allait faire du ski. Mais je ne savais rien de plus.

MME CHATEL Je vais la voir demain, pour lui porter plusieurs choses que je lui ai promises. Voulez-vous m'accompagner ?

ODILE Certainement. Est-ce qu'elle souffre beaucoup ?

MME CHATEL Non, plus maintenant ; mais je crains qu'elle n'en ait pour longtemps.

ODILE Elle doit s'ennuyer.

MME CHATEL Pas trop, elle a beaucoup d'amis. Voulez-vous que nous allions chez elle vers trois heures ? A moins que vous aimiez mieux y aller dans la matinée ?

ODILE Non, trois heures, c'est très bien. Il faut que j'aille au cours le matin.

READING

La Concierge

Il y a à Paris toutes sortes d'immeubles,° vieux, modernes, élégants, pauvres, bohèmes, bourgeois... tous ont pourtant une chose en commun : la concierge.

La concierge est une personne extrêmement importante. D'abord, elle est responsable du chauffage, du nettoyage, de l'entretien de l'immeuble ; elle touche° le loyer° et reçoit les plaintes des locataires.° Elle fait bien plus, cependant. Bon ou mauvais, elle est l'ange gardien du bâtiment et de ses habitants.

Elle habite une pièce du rez-de-chaussée, près de la porte d'entrée, et de son repaire,° elle voit tout ce qui se passe. Elle voit qui entre et qui sort, et elle a le droit de demander aux visiteurs où ils vont, s'ils lui semblent suspects. Certains affirment qu'elle n'a pas ce droit, mais, de toute façon, elle le prend. S'ils rentrent après minuit, les locataires eux-mêmes doivent dire leur nom en passant devant sa loge.°

La concierge sait tout ce que font ses locataires, ou presque ; ils ont souvent l'impression qu'elle sait ce qu'ils pensent. Elle reçoit leur courrier, leurs paquets, leurs visiteurs, s'ils sont absents. C'est le téléphone de sa loge qu'ils utilisent s'ils n'en ont pas chez eux. Elle rend beaucoup de petits services (toujours récompensés), sert à l'occasion de « baby-sitter ». Elle parle beaucoup — aux

toutes... all kinds of...

collects; rent

tenants

lair

concierge's room

locataires, aux commerçants,° aux autres concierges ; et elle est toujours traitée° avec respect et précaution. — shopkeepers; treated

Si vous vous promenez dans Paris, les soirs d'été, vous pourrez voir les concierges, assises sur une chaise devant « leur » immeuble, tricotant,° lisant le journal ou caressant leur chat, tout en surveillant° la rue, comme de bons chiens de garde. — knitting; watching

403
404
PEUGEOT
PRÉCONISE EXCLUSIVEMENT
LES LUBRIFIANTS
Esso
CRAPOUILLOT
MAD
LIFE
LA PAIX
PIAF encore
AMOUREUSE

UNIT **18**

DIALOGUE

Les Nouvelles

Philippe est en train de regarder une émission de télévision, quand Jacqueline entre et lui donne un journal (1).

JACQUELINE	Je te rends ton journal. Il commence à aller trop loin, je trouve.
PHILIPPE	Qu'est-ce que tu veux dire ?
JACQUELINE	Est-ce que tu as lu cet article-là ?
PHILIPPE	Oui, je l'ai lu ; pourquoi ?
JACQUELINE	Penses-tu que des journalistes aient le droit de parler du Président de la République comme celui-là le fait ?
PHILIPPE	Je pense qu'ils ont le droit d'exprimer sincèrement leur opinion.
JACQUELINE	Ne me fais pas rire. Il n'y a personne qui soit sincère dans ce journal.
	Madame Chatel, entendant le bruit, vient voir ce qui se passe.
MME CHATEL	Etes-vous encore en train de vous disputer ?
PHILIPPE	Jacqueline est contre la liberté de la presse : il faut bien que je la défende.
JACQUELINE	Oh, quelle sottise ! Je dis seulement que la critique n'a pas besoin d'être injurieuse.
MME CHATEL	Je suis d'accord en principe, bien que je n'aie pas lu l'article en question.
PHILIPPE	Granger est un homme intelligent, très au courant... Il s'exprime peut-être un peu vivement, mais...
JACQUELINE	Tu vois, tu finis par admettre qu'il va trop loin.
PHILIPPE	Je n'ai rien dit de pareil.
MME CHATEL	Lequel de vous deux voulait regarder le journal parlé ?

◀ **Un kiosque à journaux.**

lɛ nu vɛl↘

fi lip ɛ tã trɛ̃ drə gar de yn e mi sjɔ̃d te le vi zjɔ̃↗ kã ʒak lin ãtr e lɥi dɔn œ̃ ʒur nal↘

ʒtə rã tɔ̃ ʒur nal↘ il kɔ mãs a a le tro lwɛ̃ʒ truv↘
kɛs kə ty vø dir→
ɛs kə ty a ly sɛ tar ti klə la↗
wi ʒə le ly↗ pur kwa→
pãs tyk dɛ ʒur na list ɛl drwad par le dy pre zi dãd la re py blik kɔm sə lɥi lal fɛ↗

ʒə pãs kil zɔ̃ lə drwa dɛks pri me sɛ̃ sɛr mã lœr ɔ pi njɔ̃↗
nəm fɛ pa rir↘ il ni a pɛr sɔn ki swa sɛ̃ sɛr dãs ʒur nal↘

ma dam ʃa tɛl ã tã dãl brɥi vjɛ̃ vwar skis pas↘

ɛt vu zã kɔr ã trɛ̃d vu dis py te↗
ʒak lin ɛ kɔ̃tr la li bɛr ted la prɛs↘ il fo bjɛ̃ keʒ la de fãd↘
o→kɛl sɔ tiz↘ ʒə di sœl mãk la kri tik na pa bə zwɛ̃ dɛ trɛ̃ ʒyr jøz↘
ʒə sɥi da kɔr ã prɛ̃ sip↘ bjɛ̃k ʒə ne pa ly lar ti klã kɛs tjɔ̃↘
grã ʒe ɛ tœ̃ nɔm ɛ̃ te li zã→ trɛ zo ku rã↘ il sɛks prim pø tɛ trœ̃ pø viv mã me→

ty vwa↘ ty fi ni par ad mɛt kil va tro lwɛ̃↘

ʒne rjɛ̃ did pa rɛj↘
lə kɛl də vu dø vu lɛr gar del ʒur nal par le↗

The News

Philippe is watching a television broadcast, when Jacqueline comes in and hands him a newspaper.

JACQUELINE I'm returning your paper; it's beginning to go too far, I think.
PHILIPPE What do you mean?
JACQUELINE Did you read that article?
PHILIPPE Yes, I read it. Why?
JACQUELINE Do you think that journalists have the right to talk about the President of the Republic as that one does?
PHILIPPE I think that they have the right to express their opinion sincerely.
JACQUELINE Don't make me laugh. There isn't anyone in that paper who is sincere.

Mrs. Chatel, hearing the noise, comes to see what is going on.

MRS. CHATEL Are you two arguing again?
PHILIPPE Jacqueline is against freedom of the press. I have to defend it.
JACQUELINE Oh, how silly! I'm only saying that criticism doesn't have to be insulting.
MRS. CHATEL I agree in principle, although I haven't read the article in question.
PHILIPPE Granger is an intelligent man, well-informed. He expresses himself rather sharply, perhaps, but . . .
JACQUELINE You see, you end up admitting that he goes too far.
PHILIPPE I said nothing of the kind.
MRS. CHATEL Which of you two wanted to watch the newscast?

SUPPLEMENTARY VOCABULARY

Je suis abonné à cette revue.	I have a subscription to this magazine.
Elle paraît tous les quinze jours (2).	It's published every other week.
Voici le dernier numéro.	Here is the latest issue.
Je ne lis pas la publicité.	I don't read the advertising.
Je ne lis pas les petites annonces.	I don't read the classified ads.
Je ne lis pas les faits-divers.	I don't read the news items.
Nous écoutons la T.S.F. (3)	We are listening to the radio.
Nous écoutons les informations.	We are listening to the news bulletin.
Nous écoutons le discours du premier ministre.	We are listening to the premier's speech.

Puis-je déchirer cette page?	May I tear off this page?
Puis-je jeter ce papier?	May I throw this paper away?
Puis-je me servir de cette feuille?	May I use this sheet of paper?
Dites-leur les nouvelles.	Tell them the news.
Dites-leur la vérité.	Tell them the truth.
Ses dessins ne valent rien.	His cartoons are worthless.
Ses photos ne valent rien.	His photos are worthless.

DIALOGUE NOTES

(1) A few nouns have spoken and/or written plural shapes that are different from their singular shapes:

le journal	/ʒurnal/	**les journaux**	/ʒurno/	newspaper(s)
le cheval	/ʃəval/	**les chevaux**	/ʃəvo/	horse(s)
l'œil	/œj/	**les yeux**	/jø/	eye(s)
le travail	/travaj/	**les travaux**	/travo/	work
un œuf	/œf/	**les œufs**	/ø/	egg(s)
le ciel	/sjɛl/	**les cieux**	/sjø/	heaven(s)

(2) One- and two-week periods of time are often counted in this way, although **toutes les semaines** and **toutes les deux semaines** mean the same thing as **tous les huit jours** and **tous les quinze jours,** respectively.

(3) **T.S.F.** /te ɛs ɛf/ is a spoken word and the written abbreviation for **télégraphie sans fil.**

Vocabulary Drills

1. Quelle sottise!
   Quelle *semaine!*
   Quelle *journée!*
   Quelle *idée!*
   Quelle *question!*
   Quelle *émission!*
   Quelle *sottise!*

2. Il faut bien que je la défende.
   Il faudra bien que je la défende.
   Il faudra bien *qu'elle admette son âge.*
   Il a bien fallu qu'elle admette son âge.
   Il a bien fallu *que j'en fasse autant.*
   Il fallait bien que j'en fasse autant.
   Il fallait bien *qu'il dise la vérité.*
   Il faut bien qu'il dise la vérité.
   Il faut bien *que je la défende.*

3. Il est au courant des nouvelles.
   Il est au courant *de tout.*
   Nous sommes au courant de tout.
   Nous sommes au courant *de vos ennuis.*
   Je suis au courant de vos ennuis.
   Je suis au courant *de cette histoire.*
   Vous êtes au courant de cette histoire.
   Vous êtes au courant *des nouvelles.*
   Il est au courant des nouvelles.

4. Je n'ai rien dit de pareil.
   Je n'ai rien dit *de nouveau.*
   Ils n'ont rien dit de nouveau.
   Ils n'ont rien dit *d'injurieux.*
   Nous ne disons rien d'injurieux.
   Nous ne disons rien *d'autre.*
   Ils ne font rien d'autre.
   Ils ne font rien *de pareil.*
   Je n'ai rien dit de pareil.

5. Lequel de vous deux voulait regarder le journal parlé ?
   Lequel de vous deux *fait tant de bruit?*
   Lequel de vous trois fait tant de bruit ?
   Lequel de vous trois *est abonné?*
   Lequel de nous deux est abonné ?
   Lequel de nous deux *dit la vérité?*
   Lequel d'entre eux dit la vérité ?
   Lequel d'entre eux *a déchiré la page?*
   Lequel d'entre vous a déchiré la page ?
   Lequel d'entre vous *voulait regarder le journal parlé?*
   Lequel de vous deux voulait regarder le journal parlé ?

69 Verbs like *conduire*

EXAMPLES
Il apprend à **conduire.**
Tu as **lu** cet article-là.
Est-ce que ça vous **plaît ?**
Ce monument a été **construit** en 1520.

Presentation Drills

■ PROGRESSIVE SUBSTITUTION DRILLS

1. Je conduis lentement.
   Je conduis *un camion.*
   Il conduit un camion.
   Il conduit *trop vite.*
   Vous conduisez trop vite.
   Vous conduisez *mal.*
   Ils conduisent mal.
   Ils conduisent *jusqu'à Paris.*
   Nous conduisons jusqu'à Paris.
   Nous conduisons *notre auto.*
   Tu conduis notre auto.
   Tu conduis *lentement.*
   Je conduis lentement.

2. Est-ce que vous avez conduit longtemps ?
   Est-ce que vous avez conduit *en ville?*
   Est-ce qu'il a conduit en ville ?
   Est-ce qu'il a conduit *trop lentement?*
   Est-ce que j'ai conduit trop lentement ?
   Est-ce que j'ai conduit *trop vite?*
   Est-ce que nous avons conduit trop vite ?
   Est-ce que nous avons conduit *assez vite?*
   Est-ce qu'ils ont conduit assez vite ?
   Est-ce qu'ils ont conduit *souvent?*
   Est-ce que vous avez conduit souvent ?
   Est-ce que vous avez conduit *longtemps?*

■ SIMPLE SUBSTITUTION DRILLS

1. *Conduis-tu* depuis longtemps ?
   (Conduisez-vous, Conduit-il, Est-ce que je conduis, Conduit-elle, Conduisent-ils, Conduisons-nous, Conduis-tu)

2. *Il ne conduisait pas* la voiture.
   (Nous ne conduisions pas, Tu ne conduisais pas, Je ne conduisais pas, Paul ne conduisait pas, Mes parents ne conduisaient pas, Vous ne conduisiez pas, Il ne conduisait pas)

3. *Je conduirai* jusqu'à la nuit.
   (Il conduira, Nous conduirons, Ils conduiront, On conduira, Vous conduirez, Je conduirai)

Discussion

	kõdɥir		**conduire** *to conduct, to drive*
nu	kõdɥiz	$õ^z$	nous conduisons
vu	kõdɥiz	e^z	vous conduisez
il	kõdɥiz	^{t}	ils conduisent
ʒə	kõdɥi	^{z}	je conduis
ty	kõdɥi	^{z}	tu conduis
il	kõdɥi	^{t}	il conduit
Past Participle:	kõdɥi(t)		(avoir) conduit
Imperfect Stem:	kõdɥiz–		conduis–
Subjunctive Stem:	kõdɥiz–		conduis–
Future/Conditional Stem:	kõdɥir–		conduir–

The verb **conduire** has two spoken present tense stems, characterized by / -z- / in the plural forms. Other verbs that pattern like **conduire** include:

construire to construct; to build
traduire to translate

The verbs **lire** *to read,* **plaire** *to please,* and **taire** *to be silent* are like **conduire** also; these verbs differ, however, in their past participle forms, having / -y /:

Past Participle	ly	lu
	ply	plu
	ty	tu

Verification Drills

■ SIMPLE CORRELATION DRILLS

1. *Je* conduis une vieille voiture.
(Tu, Nous, Charles, Nos amis, Vous, Le guide, Je)
2. *Je* traduis du français en anglais.
(Tu, Nous, Charles, Nos amis, Vous, Le guide, Je)
3. Lis-*tu* quelque chose d'intéressant?
(vous, Charles, nous, on, ces jeunes gens, Gisèle, tu)
4. *Je* ne lui plais pas.
(Ça, Vous, Le musée, Les piques-niques, Nous, L'église, Tu, Je)

■ QUESTION DRILL

Avez-vous lu ce livre?
Oui, je l'ai lu.
L'avez-vous lu en français?
Votre frère l'a-t-il traduit?
L'a-t-il traduit avec vous?
L'avez-vous traduit ensemble?
Vos parents ont-ils lu le livre?
Le livre leur a-t-il plu?

■ TRANSFORMATION DRILLS

1. Il ne lit pas très bien.
   Il ne lisait pas très bien.
   Nous ne conduisons pas souvent.
   Vous plaisez beaucoup à mes parents.
   Elle ne traduit pas en italien.
   Je ne lis pas cette page.
   Ça ne me plaît pas.
   Nous lisons les mêmes livres.
   Mes voisins ne conduisent que le dimanche.
   Le médecin se tait.

2. Tu ne lui plais pas.
   Tu ne lui as pas plu.
   Nous ne traduisons pas son discours.
   Votre père ne conduit pas sa nouvelle voiture.
   Je ne lis pas cette lettre.
   Vous ne traduisez pas toute la page.
   Ses amis ne me plaisent pas.

3. Jusqu'où conduisez-vous ?
   Jusqu'où conduirez-vous ?
   Lis-tu ça aujourd'hui ?
   Paul traduit-il cet article ?
   Est-ce que je conduis ?
   La promenade vous plaît-elle ?
   Lisons-nous toute la page ?
   Vos camarades conduisent-ils ?

■ SUPPLEMENTATION DRILL

Je conduis jusqu'à Paris.
Il veut que je conduise jusqu'à Paris.
Vous traduisez ça tout de suite.
Nous lisons son roman.
On lui construit un château.
Ses étudiants lisent cet article.

70 Other cases of subjunctive occurrence

EXAMPLES Penses-tu que des journalistes **aient** le droit de parler du Président de la République comme celui-là le fait ?
Il n'y a personne qui **soit** sincère dans ce journal.

Presentation Drills

■ PROGRESSIVE SUBSTITUTION DRILLS

1. Je ne crois pas qu'il puisse venir.
   Je ne crois pas *qu'il vous connaisse.*
   Je ne pense pas qu'il vous connaisse.
   Je ne pense pas *que nous y allions.*
   Ils ne croient pas que nous y allions.
   Ils ne croient pas *qu'elle guérisse.*
   Nous ne pensons pas qu'elle guérisse.
   Nous ne pensons pas *qu'il puisse venir.*
   Je ne crois pas qu'il puisse venir.

2. Croyez-vous qu'elle vienne ?
   Croyez-vous *qu'ils aient compris ?*
   Pensez-vous qu'ils aient compris ?
   Pensez-vous *qu'il fasse beau ?*
   Est-il certain qu'il fasse beau ?
   Est-il certain *qu'il guérisse ?*
   Pense-t-on qu'il guérisse ?
   Pense-t-on *qu'elle vienne ?*
   Croyez-vous qu'elle vienne ?

3. C'est le seul hôtel que je connaisse.
   C'est le seul hôtel *que nous ayons trouvé.*
   C'est le premier restaurant que nous ayons trouvé.
   C'est le premier restaurant *qui soit ouvert.*
   C'est le seul magasin qui soit ouvert.

C'est le seul magasin *que nous aimions.*
C'est la seule pièce que nous aimions.
C'est la seule pièce *que je connaisse.*
C'est le seul hôtel que je connaisse.

4. Je voudrais quelqu'un qui sache l'anglais.
Je voudrais quelqu'un *qui puisse traduire ça.*
Il faudrait quelqu'un qui puisse traduire ça.
Il faudrait quelqu'un *qui connaisse la ville.*
Nous cherchons un guide qui connaisse la ville.
Nous cherchons un guide *qui puisse nous accompagner.*
Je ne connais personne qui puisse nous accompagner.
Je ne connais personne *qui sache l'anglais.*
Je voudrais quelqu'un qui sache l'anglais.

Discussion

All the cases of subjunctive occurrence cited in Sections 62 and 66 are predictable: that is, the use of the subjunctive tense forms, as illustrated, is automatic: no French speaker ever has any choice and there is no possibility of ambiguity of any kind.

There are several cases of subjunctive tense selection, however, where French speakers *do* have a choice between a subjunctive tense form and a non-subjunctive tense form (present, future, conditional, imperfect, or their corresponding past participle verb phrases). In some of the cases below there may be a difference in meaning; in others, the difference appears to be social. In all the cases below, it is best for an American to use the subjunctive:

(1) After **que,** when the verbs listed below occur in the first clause and are constructed negatively and/or interrogatively:

croire	**Croyez-vous qu'il soit malade?**
espérer	**Espère-t-on qu'il vienne?**
penser	**Je ne pense pas que cela soit vrai.**
trouver	**Ne trouvez-vous pas qu'il ait tort?**

(2) After **que,** when the impersonal constructions below occur in the preceding clause and are constructed negatively and/or interrogatively:

certain	**Il n'est pas certain que Paul l'ait fait.**
évident	**N'est-il pas évident qu'elle doive lui répondre?**
probable	**Il n'est pas probable qu'il nous attende encore.**
sûr	**Est-il sûr que tu partes?**
vrai	**Est-il vrai qu'il arrive demain?**

(3) After **que,** when the noun phrase directly preceding it is constructed superlatively (Section 39):

C'est le meilleur ami qu'il ait.
Voilà l'homme le plus agréable que je connaisse.

(4) After **que** or **qui,** when the noun that immediately precedes it is preceded in turn by one of the the following pre-nominal adjectives:

seul	**C'est le seul ami qu'il ait.**
unique	**C'est l'unique ami que nous ayons.**
√**premier**	**Vous êtes la première personne qui se soit présentée.**
√**dernier**	**Je suis le dernier homme qui puisse le faire.**

(5) After **que** or **qui,** when the noun that directly precedes it is marked by an $\sqrt{\textbf{un}}$, $\sqrt{3}$, or $\sqrt{\textbf{plusieurs}}$ noun marker, and the verb preceding that noun is one of the following:

chercher — **Nous cherchons un employé qui soit honnête.**
demander — **On demande plusieurs personnes qui sachent le français.**
désirer — **Je désire trois livres que le malade puisse lire.**

(6) After **que, qui,** or **où,** when the noun that directly precedes it is marked by an $\sqrt{\textbf{un}}$, $\sqrt{3}$, or $\sqrt{\textbf{plusieurs}}$ noun marker, and the verb preceding that noun is one of the following, constructed negatively and/or interrogatively:

connaître — **Connaissez-vous un endroit où nous puissions travailler?**
vouloir — **Voulez-vous un appartement qui soit près de l'université?**

(7) After **qui,** when the noun that directly precedes it is marked by **de** and the impersonal verb is constructed negatively:

Il n'y a pas d'étudiant qui comprenne le subjonctif.
Il n'existe pas de maison qui soit à vendre.

(8) After **que** or **qui,** when the noun position is occupied by one of the following pronouns, and the verb preceding it is constructed negatively and/or interrogatively:

ne... personne — **Je ne connais personne qui puisse le faire.**
ne... rien — **Il n'y a rien que tu puisses dire.**
quelqu'un — **Y a-t-il quelqu'un qui sache le faire?**
quelque chose — **Y a-t-il quelque chose que nous puissions faire?**

Verification Drills

■ CONTEXTUAL TRANSFORMATION DRILLS

1. Je crois que nous partirons cet été.
Je ne crois pas que nous partions cet été.
Je crois que nous irons en vacances.
Je crois que mon père aura des vacances.
Je crois qu'il voudra aller dans le Midi.
Je crois que nous pouvons y aller.
Je crois que la région nous plaira.

2. Je suis sûr qu'il a écrit cet article.
Je ne suis pas sur qu'il ait écrit cet article.
Il est certain qu'il fait partie de ce journal.
Je crois qu'il est suisse.
Il est vrai qu'il est au courant.
Je suis certain qu'il connaît bien la question.
Il est probable qu'il dit ce qu'il pense.

■ SUPPLEMENTATION DRILLS

1. Il est difficile de traduire cet article.
Croyez-vous qu'il soit difficile de traduire cet article?
Ça prendra plusieurs heures.
Votre ami peut le traduire.
Il le finira ce matin.
Il a le temps.
C'est possible.

2. Personne ne connaît la route.
Je ne trouve personne qui connaisse la route.
Personne ne peut me renseigner.
Pas un seul agent ne sait où c'est.
Pas un seul taxi ne veut s'arrêter.
Personne ne comprend mon français.

■ CONTEXTUAL EXPANSION DRILL

C'est la maison que je peux vous montrer. (seul)
C'est la seule maison que je puisse vous montrer.
C'est la maison qui est libre en ce moment. (seul)
Vous êtes la personne qui la visitez. (premier)
C'est la maison qui est à vendre dans cette rue. (unique)
Est-ce le prix que vous voulez payer? (plus haut)

71 Infinitive verb phrases with prepositions

EXAMPLES

Permettez-moi **de** vous présenter Paul Adams.
Tu as envie **de** voir un musée?
Maman sera contente **de** vous connaître.
Paul et Gisèle sont en train **de** boire leur café.
Paul continue **à** regarder autour de lui.
Je commence **à** manquer d'exercice.
Où avez-vous appris **à** nager?
Vous n'avez qu'**à** suivre ce porteur.

Presentation Drills

■ PROGRESSIVE SUBSTITUTION DRILLS

1. Vous avez promis de les aider.
Vous avez promis *de l'emmener.*
Ils ont décidé de l'emmener.
Ils ont décidé *de rester.*
Nous essaierons de rester.
Nous essaierons *de les renseigner.*
Je viens de les renseigner.
Je viens *de les aider.*
Vous avez promis de les aider.

2. J'ai envie de lire cet article.
J'ai envie *de rencontrer vos amis.*
Nous sommes heureux de rencontrer vos amis.
Nous sommes heureux *de vous voir.*
Il a l'intention de vous voir.
Il a l'intention *de leur parler.*
J'ai besoin de leur parler.
J'ai besoin *de lire cet article.*
J'ai envie de lire cet article.

3. Il commence à conduire.
Il apprend à conduire.
Il apprend *à tout faire.*
Nous arrivons à tout faire.
Nous arrivons *à traverser.*
Il est prêt à traverser.
Il est prêt *à descendre.*
Nous l'aidons à descendre.
Nous l'aidons *à les ranger.*
Il commence à les ranger.
Il commence *à comprendre.*

4. Il a fini par se présenter.
Il a commencé par se présenter.
Il a commencé *par dire son nom.*
Il finira par dire son nom.
Il finira *par donner son adresse.*
Nous commencerons par donner son adresse.
Nous commencerons *par écouter.*
Il a fini par écouter.
Il a fini *par se présenter.*

Discussion

Infinitive verb phrases are of four types:

(1) Those requiring no preposition between the first verb and the infinitive; several of these were presented in Section 42.

A longer list includes:

aimer	**faillir**	**savoir**
aller	**faire**	**venir**
devoir	**falloir**	**vouloir**
emmener	**laisser**	
entendre	**pouvoir**	

(2) Those having the possibility of the preposition **par**; there are very few verbs in this group; this construction corresponds to the English *by —ing:*

commencer par	**Elle commence par dire bonjour.**	She begins by saying hello.
finir par	**Elle finit par dire au revoir.**	She ends up by saying good-bye.

(3) Those requiring the preposition **de**; the largest group, these include:

avoir envie de	**être difficile de**	**être temps de**
avoir l'intention de	**être en train de**	**oublier de**
décider de	**être heureux de**	**permettre de**
demander de	**être loin de**	**promettre de**
essayer de	**faire bien de**	**venir de**
être content de	**faire exprès de**	

(4) Those requiring the preposition **à**; a large group, including:

aider à	**avoir à**	**être d'humeur à**
apprendre à	**commencer à**	**être prêt à**
arriver à	**continuer à**	**penser à**

Verification Drills

■ COMPLETION DRILLS

1. Je vais commencer.
   Je vais commencer par lire l'article.
   Nous avons fini.
   Je commencerai.
   Il doit commencer.
   J'ai fini.
   Commençons.
   Elle finira.
   Vous avez commencé.

2. J'avais décidé.
   J'avais décidé de parler.
   Nous étions prêts.
   Il était temps.
   Vous feriez mieux.
   Je ne suis pas d'humeur.
   On m'empêche.
   Il a l'habitude.
   A-t-il pensé?

3. Vous essayez.
   Vous essayez de parler.
   Il est en train.
   Essayons.
   Ont-ils oublié?
   Je n'arrive jamais.
   Elle a l'intention.
   Je lui demande.
   Est-ce qu'on lui permet.

72 Demonstrative pronouns

EXAMPLES

J'aime beaucoup **celles** que tu portes.
Oh, **ceux**-là.
C'est **celle** sur laquelle Maître Chatel voyage.
Oui, **ça** vaudrait mieux.
Cela viendra.

Presentation Drills

■ SIMPLE SUBSTITUTION DRILL

Celles-ci sont meilleures.
(Celles de ce journal, Celles que vous avez, Ceux que vous avez, Ceux de l'autre magasin, Ceux-là, Celles-ci)

■ PROGRESSIVE SUBSTITUTION DRILLS

1. Donnez-moi celle-ci.
   Donnez-moi *celle-là.*
   Je voudrais celle-là.
   Je voudrais *celui-là.*
   J'ai pris celui-là.
   J'ai pris *celui-ci.*
   Nous voulons celui-ci.
   Nous voulons *ceux-ci.*
   Je veux ceux-ci.
   Je veux *ceux-là.*
   Montrez-moi ceux-là.
   Montrez-moi *celle-ci.*
   Donnez-moi celle-ci.

2. Combien vaut celle-ci ?
   Combien vaut *celle de droite ?*
   Combien valent celles de droite ?
   Combien valent *ceux de nylon ?*
   Combien coûtent ceux de nylon ?
   Combien coûte *celui que vous montrez ?*
   Combien vaut celui que vous montrez ?
   Combien vaut *celle de gauche ?*
   Combien valent celles de gauche ?
   Combien valent *ceux qu'il a ?*
   Combien coûtent ceux qu'il a ?
   Combien coûte *celle-ci ?*
   Combien vaut celle-ci ?

3. Prends ce que tu veux.
   Prends *ceux que tu veux.*
   Voilà ceux que tu veux.
   Voilà *ce que j'ai.*
   Je vous donne ce que j'ai.
   Je vous donne *ceux que j'ai.*
   J'aime ceux que j'ai.
   J'aime *ceux qu'il a.*
   Voici ceux qu'il a.
   Voici *ce qu'il a.*
   Prends ce qu'il a.
   Prends *ce que tu veux.*

Discussion

The members of this set of third person pronouns show number and gender:

	Singular	*Plural*	*Singular*	*Plural*
Fem	sɛl	sɛl	celle	celles
Masc	səlɥi	sø	celui	ceux

The demonstrative pronouns are noun substitutes, occurring as subjects and objects of verbs and as objects of prepositions. Their position of occurrence is restricted, however; they must be followed directly by:

(1) a clause relator: **qui, que,** or **dont**
... celles qui me font rire
... ceux que vous voyez
... celui dont vous connaissez le nom

(2) a preposition:
... celle sur laquelle il voyage
... celui de mon père
... celles de droite

(3) the suffixes **-ci** *here,* or **-là** *there:*
... ceux-là sont plus jolis
... celui-ci
... celle-là

Parallel to the demonstrative pronouns are the forms **ceci** *this* and **cela** *that,* which do not show number and gender; they are grammatically masculine and singular and they do not refer to any specific noun.

The indeterminate pronouns occur in the pronoun environments: (1) before a verb, as subject; (2) after a verb, as object; and (3) after a preposition:

cela	**Cela ne durera pas.**	That won't last.
	Il me faudra cela demain.	I'll have to have that tomorrow.
	Qu'est-ce que vous allez faire de cela?	What are you going to do with that?
ceci	**Ceci ne durera pas.**	This won't last.
	Il me faudra ceci demain.	I'll have to have this tomorrow.
	Qu'est-ce que vous allez faire de ceci?	What are you going to do with this?
ça	**Ça ne durera pas.**	That won't last.
	Il me faudra ça demain.	I'll have to have that tomorrow.
	Qu'est-ce que vous allez faire de ça?	What are you going to do with that?

Ça is considered less elegant by some Frenchmen; it does not appear in formal writing. In speech, **ça** is substitutable for **cela** and **ceci.**

For English speakers learning French there is a potential confusion between the demonstrative pronoun form **ceux** and other pronoun forms that occur in the same environments:

Ceux-là marchent.	Those there are working.
Cela marche.	It works.
J'ai vu ceux-là.	I saw those.
J'ai vu cela.	I saw that.
Que ferons-nous de ceux-ci ?	What shall we do with these?
Que ferons-nous de ceci ?	What shall we do with this?
Ceux que vous voyez.	Those you see.
Ce que vous voyez.	What you see.
Ceux dont nous parlions.	Those we were talking about.
Ce dont nous parlions.	What we were talking about.

Verification Drills

■ CHAIN DRILL

Voilà ma clef, où est celle de Charles ?
Voilà mon ticket, où est ________ ?
Voilà mes bagages, où sont ________ ?
Voilà mon manteau, où est ________ ?
Voilà ma valise, où est ________ ?
Voilà mes cigarettes, où sont ________ ?
Voilà mes gants, où sont ________ ?
Voilà mon argent, où est ________ ?

■ TRANSFORMATION DRILL

Voici la ligne que Me Chatel préfère.
Voici celle que Me Chatel préfère.
Voici les appareils que Me Chatel préfère.
Voici le pilote que Me Chatel préfère.
Voici les bagages que Me Chatel préfère.
Voici la compagnie que Me Chatel préfère.
Voici l'avion que Me Chatel préfère.
Voici les journaux que Me Chatel préfère.
Voici les valises que Me Chatel préfère.

■ QUESTION DRILLS

1. Voulez-vous ceci ?
   Non, je veux cela.
   Voulez-vous celui-ci ?
   Voulez-vous cette table-ci ?
   Voulez-vous ce garçon-là ?
   Celui-là ?
   Voulez-vous qu'il apporte cela ?

2. Vous voulez acheter cette lampe-là ?
   Non, je veux acheter cette lampe-ci.
   Celle-ci ?
   Vous prenez aussi ces verres-ci ?
   Ceci est à vous ?
   Ces paquets-ci sont à vous ?
   Vous avez acheté tout ceci ?

CONTEXTUAL TRANSFORMATION DRILLS

1. Charles aime ce tableau-là.
   Charles aime celui-là.
   Paul aime mieux le tableau qui est à côté.
   Mais ce n'est pas le tableau que Charles veut.
   Paul regarde tous les tableaux du magasin.
   Charles ne veut regarder que ce tableau-ci.
   Les tableaux des autres peintres ne l'intéressent pas.
   Le tableau de droite n'est pas mal.
   Le tableau dont Paul parle est le meilleur.
   C'est le tableau de Picasso.
   Mais ce n'est pas le tableau que Charles achète.

2. Montrez-moi ces chaussures-là, s'il vous plaît.
   Montrez-moi celles-là, s'il vous plaît.
   La chaussure de droite est trop petite.
   J'aime les chaussures que ma voisine essaye.
   Ces chaussures-là, combien valent-elles ?
   Non, pas ces chaussures-ci.
   Les chaussures qui sont sur le fauteuil.
   Non, ce n'est pas la voisine dont je parlais.
   Je parlais de ma voisine de gauche.

TRANSFORMATION DRILL

Donnez-moi ces deux livres.
Donnez-moi ce livre-ci et ce livre-là.
Donnez-moi ces deux cartes.
Je veux ces deux numéros.
Je veux ces bagages.
Je prends ces deux robes.
J'ai fini ces deux exercices.

CONVERSATION EXERCISES

1.

PIERRE D'où venez-vous donc ?
HENRI De la librairie.
PIERRE Je vois que vous avez trouvé quelque chose d'intéressant.
HENRI Oui, c'est un livre que Marc m'a recommandé. Regardez.
PIERRE Je n'ai rien lu de cet écrivain-là. Mais on commence à parler beaucoup de lui, il me semble.
HENRI Oui ; j'ai lu son premier livre, il n'était pas mal.
PIERRE Quel était le titre ? Je l'ai su, mais je n'arrive pas à m'en souvenir.
HENRI *Le Long Voyage.*
PIERRE C'est cela. J'aimerais bien vous l'emprunter, si vous l'avez.
HENRI Bien sûr ; tout de suite si vous avez le temps.
PIERRE J'ai tout mon temps ; je vous promets de vous le rendre dans une semaine.
HENRI Ce n'est pas le meilleur livre que j'aie jamais lu ; mais vous verrez, il est drôle. Il vous amusera.

2.

ANDRE Donnez-moi un journal du soir. N'importe lequel.
LE VENDEUR Je ne les ai pas encore reçus.
ANDRE A quelle heure arrivent-ils donc ?
LE VENDEUR Ça dépend. Mais en général le camion vient vers cette heure-ci.
ANDRE Le voilà, votre camion...
LE VENDEUR Qu'est-ce que vous voulez ?
ANDRE *Le Soleil de Nice.*
LE VENDEUR Celui-là, je ne le prends plus.
ANDRE C'est le journal le plus intéressant de la région.
LE VENDEUR C'est bien possible, mais vous êtes le seul qui le demandiez.
ANDRE Ce sont les petites annonces qui m'intéressent.
LE VENDEUR Il y en a beaucoup dans celui-ci. Vous n'avez qu'à regarder à la dernière page.
ANDRE Oui, je les vois, merci. Pouvez-vous me dire où je trouverai *Le Soleil de Nice ?*
LE VENDEUR Je ne pense pas que vous le trouviez facilement, Monsieur. Mais vous pouvez demander au kiosque de la gare, si vous y tenez.

Le Futur retraité

Monsieur Courtin, le père de Gisèle, est fonctionnaire.° Bien qu'il ait travaillé près de trente ans dans le même Ministère, il n'est jamais monté très haut. Mais il a gagné sa vie,° modestement et régulièrement, et il a réussi à faire quelques économies.°

Dans quelques années, il prendra sa retraite.° Il recevra du gouvernement une pension mensuelle,° jusqu'à la fin de sa vie, ainsi que sa pension de blessé de guerre.° La sécurité sociale continuera à payer quatre cinquièmes de ses frais de médecin et d'hôpital, si nécessaire. Tout cela, il l'espère, lui permettra de vivre sans souci.°

Monsieur Courtin vient d'acheter la maison dans laquelle il vivra° quand il sera retraité. Il aurait aimé rester près de Paris, dans la banlieue;° mais les maisons y sont trop chères pour ses économies, et il a dû se contenter d'une maison de campagne à environ deux cent cinquante kilomètres de Paris.

Monsieur et Madame Courtin aiment beaucoup leur maison, bien qu'elle ne soit ni grande, ni moderne, ni même très jolie. Mais elle a un beau jardin, entouré de murs de pierre.° En attendant de pouvoir y vivre, ils sont allés y passer l'été, comme ils espèrent le faire dorénavant° tous les ans. Les enfants s'y sont un peu ennuyés, bien qu'ils aient pu nager dans la rivière et explorer la région à bicyclette. Monsieur Courtin cultive des légumes, Madame Courtin fait des conserves° et apprend à s'occuper des rosiers. Tous deux sont rentrés à regret° à Paris. Ils ont hâte° de quitter leur appartement et leur désagréable concierge.

civil servant

a... made a living

faire... doing some saving

il... he'll retire

monthly

blessé... disabled veteran

sans... without concern

will live

suburbs

murs... stone walls

from now on

preserves

à... regretfully; **Ils...** They can hardly wait to

TÉLÉPHONE

UNIT **19**

DIALOGUE

Philippe n'a pas de chance

Chez les Chatel. Le téléphone sonne ; Paul, qui est seul dans l'appartement, va répondre.

PAUL	Jasmin 54-10 (1).
LA VOIX DE PHILIPPE	Allô, qui est à l'appareil (2) ? C'est toi, Paul ?
PAUL	Oui, c'est moi. Parle plus fort, je t'entends à peine.
PHILIPPE	Est-ce que Papa est rentré ?
PAUL	Qu'est-ce que tu dis ?
PHILIPPE	Je te demande si Papa est là. Je téléphone de Saint-Germain, j'ai des ennuis (3).
PAUL	Qu'est-ce qui t'arrive ? Qu'est-ce que tu fais à Saint-Germain ?
PHILIPPE	J'ai été tamponné par un camion en revenant de chez Michel.
PAUL	Tamponné par quoi ?
PHILIPPE	Par un camion. Il m'a accroché en essayant de me doubler.
PAUL	Les dégats sont graves ?
PHILIPPE	L'aile gauche arrière est bien abîmée. Peux-tu avertir mon père ?
PAUL	Bien sûr ; que veux-tu que je lui dise ? Tu ramènes la voiture ?
PHILIPPE	Oui ; dis-lui que je la conduis tout de suite chez son garagiste.
PAUL	Entendu. Pour une fois qu'il te la prête, mon pauvre vieux, quelle guigne !

◀ **Une cabine téléphonique.**

fi lip na pad ʃãs ↘

ʃe le ʃa tɛl ↘ lə te le fɔn sən ↘ pɔl ↗ ki ɛ sœl dã la par tə mã va re pɔ̃dr ↘

ʒaz mɛ̃ sɛ̃ kãt kat rə dis ↗
a lo ↗ ki ɛ ta la pa rɛj ↗ sɛ twa pɔl ↗

wi sɛ mwa ↗ parl ply fɔr ʒtã tã a pɛn ↘

ɛs kə pa pa ɛ rã tre ↗
kɛs kə ty di ↗
ʒtə də mãd si pa pa ɛ la ↘ ʒə te le fɔn de sɛ̃ ʒɛr mɛ̃ ʒe dɛ zã nɥi ↘

kɛs ki ta riv ↘ kɛs kə ty fɛ a sɛ̃ ʒɛr mɛ̃ ↘

ʒe e te tã pɔ ne par œ̃ ka mjɔ̃ ã rəv nã də ʃe mi ʃɛl ↘
tã pɔ ne par kwa ↗
par œ̃ ka mjɔ̃ ↘ il ma a krɔ ʃe ã nɛ sɛ jãd mə du ble ↘
le de ga sɔ̃ grav ↗
lɛl goʃ ar jɛr ɛ bjɛ̃ na bi me ↘ pø ty a vɛr tir mɔ̃ pɛr ↗
bjɛ̃ syr ↘ kə vø ty kəʒ lɥi diz ↘ ty ra mɛn la vwa tyr ↗
wi ↘ di lɥi kəʒ la kɔ̃ dɥi tut sɥit ʃe sɔ̃ ga ra ʒist ↘
ã tã dy ↗ pur yn fwa kil tə la prɛt mɔ̃ pov vjø kɛl giɲ ↘

Philippe Has Bad Luck

At the Chatel home. The telephone rings; Paul, who is alone in the apartment, goes to answer.

PAUL Jasmin 5410.
THE VOICE OF PHILIPPE Hello? Who is this? Is that you, Paul?
PAUL Yes, it's me. Talk louder; I can hardly hear you.
PHILIPPE Has Dad come home?
PAUL What are you saying?
PHILIPPE I'm asking you if Dad is there. I'm calling from Saint-Germain. I've got problems.
PAUL What's happened to you? What are you doing in Saint-Germain?
PHILIPPE I was hit by a truck while coming back from Michel's.
PAUL Hit by what?
PHILIPPE By a truck. He hit me while trying to pass me.
PAUL Is there serious damage?
PHILIPPE The left rear fender is badly damaged. Can you notify my father?
PAUL Of course. What do you want me to tell him? Are you bringing the car back?
PHILIPPE Yes. Tell him that I'm driving it immediately to his garage man.
PAUL All right. The one time he finally lets you use the car—Poor Philippe! What a bad break!

SUPPLEMENTARY VOCABULARY

Les P.T.T. (4)	*Mail, Telephone, and Telegraph Service*
Allô, quel numéro demandez-vous?	Hello, what number do you want?
Allô, c'est de la part de qui?	Hello, who is speaking?
Allô, c'est à quel sujet?	Hello, what is it about?
Où se trouvent les cabines téléphoniques?	Where are the telephone booths?
Où se trouve la boîte aux lettres?	Where is the mail box?
Où se trouve la Poste Restante?	Where is the General Delivery?
Où peut-on acheter des timbres?	Where can I buy stamps?
Où peut-on toucher un mandat?	Where can I cash a money order?
Où peut-on prendre son courrier?	Where can I collect my mail?

Je veux envoyer un télégramme. Je veux envoyer un paquet recommandé. Je veux envoyer un colis.	I want to send a telegram. I want to send a registered parcel. I want to send a parcel.
A quel guichet faut-il s'adresser ? A quel employé faut-il s'adresser ? A quel bureau faut-il s'adresser ?	At what window do you have to apply? To which clerk do you have to apply? At which office do you have to apply?
La ligne est occupée. La ligne n'est pas libre. La ligne est en dérangement.	The line is busy. The line is not free. The line is out of order.
Ne coupez pas ! Ne quittez pas ! Ne raccrochez pas !	Don't cut us off! Just a moment, please! Don't hang up!

DIALOGUE NOTES

(1) Paris telephone numbers consist of an exchange **(le central),** the first three letters of which are dialed, and four digits, which are read as pairs of numbers.

(2) **Allô** is used only as a telephone greeting, not as an in-person greeting.

(3) **Saint-Germain-en-Laye,** a small town near Paris, is the birthplace of Louis XIV and of Claude Debussy.

(4) The French postal system includes the government-owned telegraph and telephone facilities as well as the mail service. **P.T.T.** stands for **postes, télégraphes et téléphones.**

Vocabulary Drills

1. Je t'entends à peine.
   Je les connais à peine.
   Vous mangez à peine.
   Nous leur parlons à peine.
   Il pleut à peine.
   Je le reconnais à peine.
   Je t'entends à peine.

2. A peine arrivé, il a téléphoné.
   A peine arrivés, *nous nous sommes disputés.*
   A peine ensemble, nous nous sommes disputés.
   A peine ensemble, *ils se disputent.*
   A peine seuls, ils se disputent.
   A peine seuls, *nous en avons parlé.*
   A peine sortis de la pièce, nous en avons parlé.
   A peine sorti de la pièce, *il a téléphoné.*
   A peine arrivé, il a téléphoné.

3. Je te demande si papa est là.
   Je te demande *si tu vas bien.*
   Il nous demande si tu vas bien.
   Il nous demande *où tu habites.*
   Il veut savoir où tu habites.
   Il veut savoir *quand tu viendras.*
   Il ne dit pas quand tu viendras.
   Il ne dit pas *si les dégats sont graves.*
   Dites-moi si les dégats sont graves.
   Dites-moi *si papa est là.*
   Je te demande si papa est là.

4. Je téléphone de Saint-Germain.
   Je téléphone *des Etats-Unis.*
   Il nous écrit des Etats-Unis.
   Il nous écrit *de là-bas.*
   Il va l'envoyer de là-bas.
   Il va l'envoyer *d'où il est.*
   Il nous appelle d'où il est.
   Il nous appelle *du magasin.*
   On l'apporte du magasin.
   On l'apporte *de Saint-Germain.*
   Je téléphone de Saint-Germain.

5. En quoi puis-je te rendre service ?
   En quoi *puis-je t'aider ?*
   Comment puis-je t'aider ?
   Comment *pouvons-nous leur être utiles ?*
   En quoi pouvons-nous leur être utiles ?
   En quoi *peut-il se rendre utile ?*
   Comment peut-il se rendre utile ?
   Comment *puis-je te rendre service ?*
   En quoi puis-je te rendre service ?

6. Pour une fois qu'il te la prête, quelle guigne !
   Pour une fois qu'il te la prête, *tu n'as pas de chance !*
   Pour une fois que nous sortons, tu n'as pas de chance !
   Pour une fois que nous sortons, *il faut qu'il pleuve !*
   Pour une fois qu'ils font un pique-nique, il faut qu'il pleuve !
   Pour une fois qu'ils font un pique-nique, *elle est malade !*
   Pour une fois qu'elle voyage, elle est malade !
   Pour une fois qu'elle voyage, *quelle guigne !*
   Pour une fois qu'il te la prête, quelle guigne !

7. C'est de la part de son père.
   C'est au sujet de son père.
   C'est au sujet *du médecin.*
   C'est de la part du médecin.
   C'est de la part *de vos voisins.*
   C'est au sujet de vos voisins.
   C'est au sujet *de cet homme.*
   C'est de la part de cet homme.
   C'est de la part *de son père.*

73 The verb *dire*

EXAMPLES

Dites-moi, est-ce que vous aimez le cinéma ?
Je **dis** seulement que la critique n'a pas besoin d'être injurieuse.
Vous comprenez ce qu'on vous **dit** au téléphone, vous ?
Ce n'est pas le moment, on **dirait.**
C'est le vendeur qui te l'**a dit ?**
Qu'est-ce que vous voulez **dire ?**

Presentation Drills

■ PROGRESSIVE SUBSTITUTION DRILLS

1. Je dis qu'il est trop tard.
   Je dis *qu'il va pleuvoir.*
   Ils disent qu'il va pleuvoir.
   Ils disent *que c'est fini.*
   Vous dites que c'est fini.
   Vous dites *qu'il ramène la voiture.*
   Elle dit qu'il ramène la voiture.
   Elle dit *que nous sommes malades.*
   Nous disons que nous sommes malades.
   Nous disons *qu'il nous a accroché.*
   Tu dis qu'il nous a accroché.
   Tu dis *qu'il est trop tard.*
   Je dis qu'il est trop tard.

2. Il dira son nom.
   Il dira *pourquoi.*
   Je dirai pourquoi.
   Je dirai *la même chose.*
   Nous dirons la même chose.
   Nous dirons *comment.*
   Ils diront comment.
   Ils diront *tout.*
   Vous direz tout.
   Vous direz *l'heure du départ.*
   Tu diras l'heure du départ.
   Tu diras *son nom.*
   Il dira son nom.

3. Je n'aurais pas dit ça.
   Je n'aurais pas *dit mieux.*
   Vous n'auriez pas dit mieux.
   Vous n'auriez pas *dit autrement.*
   Elles n'auraient pas dit autrement.
   Elles n'auraient pas *dit davantage.*
   Nous n'aurions pas dit davantage.
   Nous n'aurions pas *dit ça.*
   Je n'aurais pas dit ça.

■ SIMPLE SUBSTITUTION DRILLS

1. Qu'est-ce que *vous avez dit?*
   (il a dit, nous avons dit, elles ont dit, elle a dit, j'ai dit, tu as dit, vous avez dit)

2. *Tu ne disais* rien.
   (Elle ne disait, Je ne disais, Nous ne disions, Vous ne disiez, On ne disait, Mes parents ne disaient, Tu ne disais)

3. Pourquoi *dirais-tu* le contraire?
   (dirais-je, diriez-vous, dirait-elle, dirions-nous, les autres diraient-ils, dirais-tu)

4. Il faudra *qu'il dise* la vérité.
   (que nous disions, que tu dises, que je dise, que vous disiez, qu'on dise, qu'il dise)

Discussion

	dir			**dire** *to say*
nu	diz	õ^{z}		nous disons
vu	dit	z		vous dites
il	diz	t		ils disent
ʒə	di	z		je dis
ty	di	z		tu dis
il	di	t		il dit
Past Participle:			di(t)	(avoir) dit
Imperfect Stem:			diz–	dis–
Subjunctive Stem:			diz–	dis–
Future/Conditional Stem:			dir–	dir–

The verb **dire** has three spoken present tense stems; the form **vous dites** is one of the three unpredictable **vous** forms in French:

vous êtes
vous faites
vous dites

Otherwise **dire** has the same forms as **conduire** (Section 69).

Dire occurs in some patterns where **parler** never occurs and vice versa:

Pattern	**dire**	**parler**
# *Subject Verb* #	—	Il parle.
# *Subject Verb Noun* #	Il dit son nom.	—
# *Subject Verb Noun (language name)* #	—	Il parle (le) français.
# *Subject Verb* **de** *Noun* #	—	Il parle de Georges.
# *Subject Verb* **à** *Noun* #	—	Il parle à Georges.
# *Subject Verb* **à** *Noun* **de** *Infinitive*	Il dit à Georges de venir.	—
# *Subject Verb Clause relator Subject Verb*	Il dit qu'il part.	—

Verification Drills

■ SIMPLE CORRELATION DRILLS

1. *Je* dis que c'est de sa faute.
   (Nous, Le journaliste, Mes parents, On, Vous, Je)

2. *Je* ne dis pas tout.
   (Nous, On, Les journaux, Vous, Votre père, Tu, Je)

3. Pourquoi as-*tu* dit cela ?
   (vous, Paul, je, nous, ces gens, Gisèle, tu)

■ CONTEXTUAL EXPANSION DRILL

... de ses enfants
Elle parle de ses enfants.
... leurs noms
Elle dit leurs noms.
... Jean est le plus vieux
Elle dit que Jean est le plus vieux.
... à Jean de venir
... de nous à Jean
... que nous sommes des amis
... des autres enfants
... aussi de nos enfants
... que nous en avons trois
... où ils sont
... de leurs classes
... qu'ils travaillent bien
... à Jean d'appeler ses sœurs
... des deux petites
... pourquoi elles sont à la maison aujourd'hui
... elles sont malades
... des vacances
... où elle ira

■ CONTEXTUAL QUESTION DRILL

Avez-vous parlé à Philippe ?
Oui, je lui ai parlé.
Lui avez-vous parlé de ma lettre ?
Lui avez-vous dit où j'étais ?
Lui avez-vous parlé de mes ennuis ?
Lui avez-vous dit que j'étais furieux ?
En a-t-il parlé à son père ?
Lui a-t-il dit pourquoi ?

74 Infinitive and present participle constructions

EXAMPLES

En **descendant** le boulevard.
Jacqueline, **passant** boulevard Saint-Michel, aperçoit Paul.
N'**obtenant** pas de réponse, il pousse la porte.
J'ai été tamponné par un camion en **revenant** de chez Michel.
Il m'a accroché en **essayant** de me doubler.

Presentation Drills

■ PROGRESSIVE SUBSTITUTION DRILLS

1. Je vais réfléchir avant de répondre.
   Je vais réfléchir *avant de signer.*
   Je veux lire avant de signer.
   Je veux lire *avant d'éteindre.*
   Nous regarderons partout avant d'éteindre.
   Nous regarderons partout *avant d'appeler.*
   Ils ont attendu avant d'appeler.
   Ils ont attendu *avant de répondre.*
   Je vais réfléchir avant de répondre.

2. Après avoir réfléchi, il a accepté.
   Après avoir réfléchi, *nous avons dit oui.*
   Après avoir tout examiné, nous avons dit oui.
   Après avoir tout examiné, *il est parti.*
   Après avoir déjeuné, il est parti.
   Après avoir déjeuné, *elles sont sorties.*
   Après avoir lu, elles sont sorties.
   Après avoir lu, *il a accepté.*
   Après avoir réfléchi, il a accepté.

3. Je vous ai vu en arrivant.
   Je vous ai vu *en passant.*
   Nous l'avons appelé en passant.
   Nous l'avons appelé *en sortant.*
   Il a éteint en sortant.
   Il a éteint *en entrant.*
   Vous avez parlé en entrant.
   Vous avez parlé *en arrivant.*
   Je vous ai vu en arrivant.

4. Paul, voulant l'aider, est tombé.
   Paul, voulant l'aider, *s'est fait mal.*
   Paul, réparant la machine, s'est fait mal.
   Paul, réparant la machine, *réfléchissait.*
   Paul, marchant lentement, réfléchissait.
   Paul, marchant lentement, *regardait le jardin.*
   Paul, se promenant, regardait le jardin.
   Paul, se promenant, *est tombé.*
   Paul, voulant l'aider, est tombé.

Discussion

The infinitive is the name form of a verb; it is the form under which the other written forms are given in a dictionary. The infinitive occurs frequently after the preposition **avant de**:

Avant de partir, nous déjeunerons.	Before leaving we'll have lunch.
J'ai plusieurs choses à faire avant de rentrer.	I have several things to do before going home.

After the one preposition **après,** the corresponding past participle verb phrase form occurs:

Après avoir déjeuné, nous partirons.	After having eaten, we'll leave.
Après être rentré, j'ai eu plusieurs choses à faire.	After having gotten home, I had several things to do.

The present participle form has the ending / ã /, written **ant.** The verb **avoir** has a special present participle stem / ɛj– /, written **ay– ; savoir** has a special stem / saʃ– /, written **sach– ;** all other verbs have the same stem as the imperfect tense stem (Section 46):

parlant
allant
faisant
étant
venant

The present participle form occurs:

(1) after the one preposition **en :**

En passant, Jacqueline l'aperçoit.
Il arrive, en poussant sa moto.

(2) initially and medially, as an equivalent of **qui** plus the verb:

Jacqueline, en passant, l'aperçoit.
Jacqueline, qui passe, l'aperçoit.
Paul, entrant, m'a dit bonjour.
Paul, qui entrait, m'a dit bonjour.

(3) as a post-nominal adjective; in this position the present participle marks gender in speech with / –t /, and both gender and number in writing with **–e** and **–s :**

la semaine suivante
le mois suivant
des hommes charmants
des femmes charmantes

The corresponding past participle verb phrase occurs also:

Ayant vu le médecin, il se sent mieux.	Having seen the doctor, he feels better.
Etant parti trop tard, il l'a manqué.	Having left too late, he missed it.

Verification Drills

■ TRANSFORMATION DRILLS

1. Je veux travailler et sortir.
   Je veux travailler avant de sortir.
   Nous allons finir ce travail et bavarder.
   Il écrira sa lettre et viendra.
   Réfléchissez et répondez.
   Lisons un peu et allons déjeuner.
   Il est venu et a su la nouvelle.
   Je lui ai téléphoné et je suis venu.
   Je veux l'essayer et l'acheter.
   Frappez et entrez.

2. Voilà une pièce qui m'amuse.
   Voilà une pièce amusante.
   Il fait un travail qui le fatigue.
   C'est un journal qui m'intéresse.
   Voilà un exemple qui frappe.
   Le jour qui suit est un lundi.
   Qui est cette jeune fille qui sourit ?

■ CONTEXTUAL TRANSFORMATION DRILLS

1. Il m'a déposé et il est rentré chez lui.
   Après m'avoir déposé, il est rentré chez lui.
   J'ai ouvert la porte et je suis entré.
   J'ai allumé et je l'ai vu.
   Je lui ai parlé et je suis sorti.
   J'aurai sa réponse et je vous téléphonerai.
   Ils vendront leur maison et ils partiront.
   Il s'est levé et il a déjeuné.
   Il s'est baigné et il s'est rasé.
   Il s'est habillé et il a écrit trois lettres.
   Il est descendu et il m'a parlé.

2. Quand je suis parti, j'ai fermé la porte à clef.
   En partant, j'ai fermé la porte à clef.
   Pendant que je marchais, j'ai réfléchi.
   Quand je suis passé devant la librairie, j'ai pensé à son livre.
   Quand je suis entré, j'ai vu le livre.
   Quand je l'ai acheté, je pensais à l'auteur.
   Quand je voyageais, un jour, je l'ai rencontré.
   Pendant que nous bavardions, il m'a parlé de ce livre.

75 Interrogative pronouns

EXAMPLES

Qui est Gisèle ?
Que veux-tu faire, Paul ?
A **quoi** avez-vous assisté ?
De **qui** est la pièce ?
Qu'est-ce qu'il y a à voir ?
Qu'est-ce qui se passe ?

Presentation Drills

■ SIMPLE SUBSTITUTION DRILLS

1. Qu'est-ce que *vous faites ?*
   (vous voulez, il fera, on va lire, nous répondrons, ils vont faire, il a entendu, vous avez apporté, vous faites)

2. Que *faites-vous ?*
   (voulez-vous, fera-t-il, va-t-on lire, répondrons-nous, vont-ils faire, a-t-il entendu, avez-vous apporté, faites-vous)

3. Qui est-ce que *vous avez vu ?*
   (nous attendons, vous demandez, il veut, je dois voir, vous cherchez, tu as trouvé, je demanderai, vous avez vu)

4. Qui *avez-vous vu ?*
   (attendons-nous, demandez-vous, veut-il, dois-je voir, cherchez-vous, as-tu trouvé, demanderai-je, avez-vous vu)

■ PROGRESSIVE SUBSTITUTION DRILLS

1. Qui est là ?
   Qui est-ce qui est là ?
   Qui est-ce qui *dit ça ?*
   Qui dit ça ?
   Qui *a répondu ?*
   Qui est-ce qui a répondu ?
   Qui est-ce qui *n'entend pas ?*
   Qui n'entend pas ?
   Qui *veut essayer ?*
   Qui est-ce qui veut essayer ?
   Qui est-ce qui *m'appelle ?*
   Qui m'appelle ?
   Qui *est là ?*

2. Chez qui allez-vous ?
Avec qui allez-vous ?
Avec qui *parlez-vous ?*
De qui parlez-vous ?
De qui *l'avez-vous obtenu ?*
Pour qui l'avez-vous obtenu ?
Pour qui *est-ce ?*
A qui est-ce ?
A qui *le portez-vous ?*
Chez qui le portez-vous ?
Chez qui *allez-vous ?*

3. A qui est-ce que tu parles ?
A qui est-ce que *tu penses ?*
A quoi est-ce que tu penses ?
A quoi est-ce que *vous jouez ?*
Avec qui est-ce que vous jouez ?
Avec qui est-ce que *vous faites ça ?*
Avec quoi est-ce que vous faites ça ?
Avec quoi est-ce que *nous le mettons ?*
Dans quoi est-ce que nous le mettons ?
Dans quoi est-ce que *tu l'as laissé ?*
Chez qui est-ce que tu l'as laissé ?
Chez qui est-ce que *tu parles ?*
A qui est-ce que tu parles ?

4. Qu'est-ce qui marche ?
Qui est-ce qui marche ?
Qui est-ce qui *arrive ?*
Qu'est-ce qui arrive ?
Qu'est-ce qui *vous ennuie ?*
Qui est-ce qui vous ennuie ?
Qui est-ce qui *le dérange ?*
Qu'est-ce qui le dérange ?
Qu'est-ce qui *marche ?*

Discussion

The forms **qui** and **que** have been explained as question words (Section 19) when initial in the utterance, and as clause relators (Sections 48, 52, 56) when they occur between two clauses. Both these functions are combined in the interrogative pronouns

Question word	*Verb-Noun*	*Clause relator*	*Noun*	*Verb*	
Qu'	est-ce	que	vous	regardez ?	*What are you looking at?*
Qui	est-ce	que	vous	regardez ?	*Whom are you looking at?*
Qui	est-ce	qui	vous	regarde ?	*Who is looking at you?*

where the first **qui / que** element refers to persons or things (as do the question words) and the second **qui / que** element refers to the subject or object of the verb in the following clause (as do the clause relators):

	Question word			
PERSONS	Qui	*Verb?*	Qui arrive ce soir ?	*Who is coming this evening?*
	Qui	*Verb-Noun?*	Qui voyez-vous ?	*Whom do you see?*
THINGS	Que	*Verb*-t-il?[1]	Qu'arrive-t-il ?	*What is happening?*
	Que	*Verb-Noun?*	Que voyez-vous ?	*What do you see?*
	Interrog. pronoun			
PERSONS	Qui est-ce qui	*Verb?*	Qui est-ce qui arrive ce soir ?	*Who is coming this evening?*
	Qui est-ce que	*Noun Verb?*	Qui est-ce que vous voyez ?	*Whom do you see?*
THINGS	Qu'est-ce qui	*Verb?*	Qu'est-ce qui arrive ?	*What is happening?*
	Qu'est-ce que	*Noun Verb?*	Qui est-ce que vous voyez ?	*What do you see?*

[1] A very limited number of verbs can occur in these impersonal frames.

The interrogative pronouns occur at the beginning of a sentence. The forms **qui est-ce qui, qui,** and **quoi** may also occur at the beginning of a sentence after a preposition:

De qui est-ce qu'il parle?
De qui parle-t-il?
De quoi est-ce qu'il parle?
De quoi parle-t-il?

Verification Drills

■ CONTEXTUAL TRANSFORMATION DRILLS

1. Je cherche Gisèle.
   Qui cherchez-vous?
   Je cherche sa maison.
   J'ai trouvé sa maison.
   J'ai trouvé sa mère.
   Je n'ai pas trouvé Gisèle.
   J'avais apporté des fleurs.
   Je les ai données à sa mère.
   Elle m'a remercié de ces fleurs.

2. Il veut un hôtel.
   Qu'est-ce qu'il veut?
   Il veut le chasseur.
   Il demande la femme de chambre.
   Il demande une couverture.
   On apporte la couverture.
   Il n'aime pas sa chambre.
   Il n'aime pas le chasseur.

3. Cette jeune fille est jolie.
   Qui est-ce qui est jolie?
   Sa maison est jolie.
   Mes cousins y habitent.
   Mes voisins me dérangent.
   Ils font trop de bruit.
   Ce bruit me dérange.
   Je suis furieux.

4. J'écris à mes amis.
   A qui écrivez-vous?
   J'écris avec un stylo.
   J'écris sur du papier blanc.
   Je leur parle de ma sœur.
   Je leur parle de ses ennuis.
   Elle habite chez moi.
   Je vais à la poste avec elle.
   Nous donnons la lettre à un employé.
   Il la met dans la boîte.

5. Charles est l'ami des Adams.
   De qui est-il l'ami?
   Il travaille avec Monsieur Adams.
   Il est reçu par Paul Adams.
   Il va au théâtre avec Paul.
   Il est assis sur un fauteuil.
   Il parle à Paul.
   Il parle de la pièce.
   Il va chez les Chatel.
   Il y va avec Paul.
   Il bavarde avec Maître Chatel.
   Il lui parle de Monsieur Adams.
   Il lui parle de son travail.

76 Verbs with predictable stem changes

EXAMPLES

Comment s'**appelle** sa tante ?
Comment vous **appelez**-vous ?
Où **achètes**-tu les tiennes ?
Charles vient de se **lever.**
Vous pouvez **nettoyer** la salle de bain.
On **emmène** Charles à la campagne.
Je ne sais comment vous **remercier.**

Presentation Drills

■ SIMPLE SUBSTITUTION DRILLS

1. *Tu appelles* la femme de chambre.
   (Nous appelons, J'appelle, Ils appellent, Vous appelez, Elle appelle, On appelle, Tu appelles)
2. *Tu répètes* chaque mot.
   (Nous répétons, Je répète, Ils répètent, Vous répétez, Elle répète, Tu répètes)
3. Pourquoi *achètes-tu* ces chaussures ?
   (achetons-nous, est-ce que j'achète, achètent-ils, achète-t-elle, achètes-tu)

Discussion

A number of verbs with infinitives in / –e / (written **-er**) show two present tense stems: one before the / –õ / and / –e / endings, and the other elsewhere.

(1) Present tense stems which show / ə / and / ɛ /:

nu	ʒət	õ	nous jetons
vu	ʒət	e	vous jetez
il	ʒɛt		ils jettent
ʒə	ʒɛt		je jette
ty	ʒɛt		tu jettes
il	ʒɛt		il jette

nu	mən	õ	nous menons
vu	mən	e	vous menez
il	mɛn		ils mènent
ʒə	mɛn		je mène
ty	mɛn		tu mènes
il	mɛn		il mène

Similarly,

nuz	apəl	õ	ʒ	apɛl	nous appelons	j'appelle
nuz	aʃət	õ	ʒ	aʃɛt	nous achetons	j'achète
nu	ləv	õ	ʒə	lɛv	nous levons	je lève
nu	pəz	õ	ʒə	pɛz	nous pesons	je pèse

(2) Present tense stems which show / e / and / ɛ /:

nu	prefer	õ	nous préférons
vu	prefer	e	vous préférez
il	prefɛr		ils préfèrent
ʒə	prefɛr		je préfère
ty	prefɛr		tu préfères
il	prefɛr		il préfère

Similarly,

nu	repet	õ	ʒə	repɛt	nous répétons	je répète
nuz	ɛsper	õ	ʒ	ɛspɛr	nous espérons	j'espère

(3) Present tense stems which show / j / and / i /:

nuz	etydj	õ	nous étudions
vuz	etydj	e	vous étudiez
ilz	etydi		ils étudient
ʒ	etydi		j'étudie
ty	etydi		tu étudies
il	etydi		il étudie

Similarly,

nu	rəmɛrsj	õ	ʒə	rəmɛrsi	nous remercions	je remercie

(4) Present tense stems which show / waj / and / wa /:

nuz	ãvwaj	õ	nous envoyons
vuz	ãvwaj	e	vous envoyez
ilz	ãvwa		ils envoient
ʒ	ãvwa		j'envoie
ty	ãvwa		tu envoies
il	ãvwa		il envoie

Similarly,

nu	nɛtwaj	õ	ʒə	nɛtwa	nous nettoyons	je nettoie

Note the patterns that appear in the future stems (Section 54) of these verbs:

	Present			*Future*	*Present*	*Future*
(1)	ʒə	ʒɛt	ʒə	ʒɛtəre	je jette	je jetterai
	ʒə	mɛn	ʒə	mɛnəre	je mène	je mènerai
	ʒ	apɛl	ʒ	apɛləre	j'appelle	j'appellerai
	ʒ	aʃɛt	ʒ	aʃɛtəre	j'achète	j'achèterai
	ʒə	lɛv	ʒə	lɛvəre	je lève	je lèverai
	ʒə	pɛz	ʒə	pɛzəre	je pèse	je pèserai
(2)	ʒə	prefɛr	ʒə	prefɛrəre	je préfère	je préférerai
	ʒə	repɛt	ʒə	repɛtəre	je répète	je répéterai
	ʒ	ɛspɛr	ʒ	ɛspɛrəre	j'espère	j'espérerai
(3)	ʒ	etydi	ʒ	etydjœre	j'étudie	j'étudierai
	ʒə	rəmɛrsi	ʒə	rəmɛrsjœre	je remercie	je remercierai
(4)	ʒə	nɛtwa	ʒə	nɛtware	je nettoie	je nettoierai

Verification Drills

■ TRANSFORMATION DRILLS

1. Comment vous appelez-vous ?
   Comment s'appelle-t-il ?
   Où achetez-vous les billets ?
   Combien payez-vous ?
   Répétez-vous ce que je dis ?
   De quoi les remerciez-vous ?
   Qu'espérez-vous ?
   Qui emmenez-vous ?

2. J'achète un journal.
   Nous achetons un journal.
   J'appelle le porteur.
   J'espère le voir demain.
   Je me dépêche.
   Je nettoie les chaussures.
   Je pèse cette lettre.
   Je me lève tôt.

■ CONVERSATION EXERCISES

1.

M. MARTIN Allô ? Je voudrais parler à M. Martin, s'il vous plaît.

LA SECRETAIRE M. Martin n'est pas là ce matin, Monsieur.

M. MARTIN A quelle heure doit-il venir ?

LA SECRETAIRE Il se peut qu'il vienne vers trois heures, Monsieur.

M. MARTIN Mais qu'est-ce qu'il fait donc ? Je n'arrive pas à lui parler. Il n'est jamais dans son bureau.

LA SECRETAIRE M. Martin a beaucoup à faire au dehors, en ce moment.

M. MARTIN Je le sais ; mais il faudrait tout de même que je puisse le voir.

LA SECRETAIRE A quel sujet est-ce, Monsieur ? Quelqu'un d'autre peut peut-être vous répondre ?

M. MARTIN Non, je ne crois pas. Pensez-vous vraiment qu'il vienne cet après-midi ?

LA SECRETAIRE Oui, sans doute. Peut-il vous rappeler ?

M. MARTIN Il peut m'appeler à Opéra 21–56. J'y serai jusqu'à sept heures.

LA SECRETAIRE C'est de la part de qui, Monsieur ? Je n'ai pas votre nom.

M. MARTIN De la part de son frère. Dites-lui qu'il faut que je lui parle aujourd'hui. J'ai quelque chose d'important à lui dire.

2.

CHARLES Mademoiselle, voilà dix minutes que j'essaye d'avoir Jasmin 89-05. Ce n'est jamais libre.

EMPLOYEE Je vais essayer de vous l'avoir.

CHARLES La ligne doit être en dérangement.

EMPLOYEE Je vais voir, Monsieur, ne quittez pas.

CHARLES Allô ? Allô ? Mademoiselle ? Qu'est-ce qui se passe ? Qu'est-ce qu'elle fait ?

EMPLOYEE J'essayais d'avoir votre numéro, Monsieur ; mais ce n'est toujours pas libre.

CHARLES Je parie que c'est en dérangement.

EMPLOYEE Non, Monsieur, on est en train de parler.

CHARLES Deux femmes qui bavardent, c'est certain.

EMPLOYEE Non, Monsieur, ce sont des voix d'homme.

READING

Les Vacances

Il doit être déconcertant,° pour les étrangers qui arrivent à Paris en juillet ou en août, de trouver la ville somnolente,° en partie désertée par ses habitants, les théâtres en relâche° et un grand nombre de magasins fermés. Soixante-seize pour-cent des Parisiens quittent leur ville chaque année — la plupart pendant les mois d'été — pour aller passer leurs vacances à la mer ou à la campagne. Les habitants des grandes villes de province font de même. Seule la population rurale reste chez elle, comme elle l'a toujours fait.

upsetting
drowsy
en... closed

Il n'en était pas de même autrefois ; peut-être parce que les Français sont sédentaires, surtout parce que peu d'entre eux avaient les moyens,° et le temps, de voyager. Mais une première révolution s'est opérée en 1936 quand la loi a assuré trois semaines de congés° payés à tous les employés et ouvriers° des entreprises privées ou publiques. Les Français ont commencé à prendre l'habitude de passer leurs congés hors de chez eux. Le mouvement s'est accentué au cours de ces dernières années, à mesure que° croissait° la prospérité générale et le nombre d'automobiles.

the means
vacations; workers
à... progressively as
was growing

Le plus grand nombre de Français vont encore chez des parents° à la campagne — ou dans une maison héritée,° ou achetée, en province. Les autres se ruent° vers les plages de la Méditerranée ou de l'Atlantique, où chambres d'hôtel, pensions, villas, sont retenues plusieurs mois à l'avance. La jeune génération s'adonne° largement au camping, souvent à bicyclette ou à moto.

relatives; inherited
se... rush
devotes itself

Dans l'ensemble,° les Français préfèrent rester à l'intérieur de leurs propres frontières ; une minorité, cependant, 13% en 1961, commence à s'aventurer au-delà,° pour se distraire, sans nul doute, mais aussi pour « voir » leurs voisins — curiosité dont leurs grands-parents se rendaient rarement coupables.°

Dans... As a whole
beyond
guilty

UNIT **20**

DIALOGUE

Voyages

C'est l'heure du courrier ; Madame Chatel, Paul, Philippe et Jacqueline sont au salon, occupés à lire leurs lettres.

MME CHATEL Avez-vous de bonnes nouvelles de vos parents ?

PAUL Excellentes, Madame, je vous remercie. Maman me charge de vous dire bien des choses.

MME CHATEL Je vais lui écrire demain sans faute ; j'ai honte d'avoir tant tardé à lui répondre.

PAUL Mes parents sont enfin sûrs de venir en France cet été.

MME CHATEL Ah, tant mieux. Votre père ne va donc pas à son congrès ?

PAUL Je suppose que si ; mais ils partiront aussitôt après.

MME CHATEL Comment viennent-ils ? Tout doit être retenu !

PAUL Ils avaient réservé deux passages sur le « France », à tout hasard (1).

Jacqueline lève la tête.

JACQUELINE Je voudrais bien faire une traversée ; je ne suis jamais allée nulle part.

PHILIPPE A ton âge, mon enfant, tout n'est pas absolument perdu.

JACQUELINE Dès que j'aurai ma licence, je demanderai à Papa de m'offrir un petit voyage.

PHILIPPE A condition que tu l'obtiennes, la licence !

JACQUELINE Je voudrais voir une magnifique tempête sur l'océan !

PHILIPPE Tu vois l'Atlantique tous les étés ; et tu as le mal de mer sur le bateau-mouche (2) !

◀ Le Paquebot « France ».

vwa jaʒ↘

Travel

se lœr dy kur je↘ ma dam ʃa tɛl pɔl↗ fi lip e ʒak lin↗ sõ to sa lõ ɔ ky pe a lir lœr lɛtr↘

It is mail time; Mrs. Chatel, Paul, Philippe, and Jacqueline are in the living room, busily reading their letters.

a ve vud bon nu vɛl də vo pa rã↗

MRS. CHATEL Have you good news from your parents?

ɛk se lãt ma dam↘ ʒə vur mɛr si↘ ma mã mə ʃarʒ də vu dir bjɛ̃ dɛ ʃoz↘

PAUL Excellent news, thank you. Mother asks to be remembered.

ʒə vɛ lɥi e krir də mɛ̃ sã fot↘ ʒe õt dav war tã tar de a lɥi re põdr↘

MRS. CHATEL I'm going to write her tomorrow without fail. I'm ashamed to have put off writing her for so long.

mɛ pa rã sõ tã fɛ̃ syr dəv nir ã frãs sɛt e te↘

PAUL My parents are finally certain of coming to France this summer.

a↘ tã mjø↘ vɔt pɛr nə va dõk pa a sõ kõ grɛ↗

MRS. CHATEL Oh, so much the better. Then your father isn't going to his conference?

ʒə sy poz kə si↗ mɛ zil par ti rõ o si to a prɛ↘

PAUL I suppose so, but they will leave immediately afterwards.

kɔ mã vjɛn til↗ tu dwa tɛt rət ny↘

MRS. CHATEL How are they coming? Everything must be booked!

il za vɛ re zɛr ve dø pa saʒ syr lə frãs a tu a zar↘

PAUL They had reserved two spaces on the *France,* just in case.

ʒak lin lɛv la tɛt↘

Jacqueline looks up.

ʒə vu drɛ bjɛ̃ fɛr yn tra ver se↘ ʒən sɥi ʒa mɛ a le nyl par↘

JACQUELINE I would like to make an ocean trip; I've never gone anywhere.

a tõ naʒ mõ nã fã tu nɛ pa zab sɔ ly mã pɛr dy↘

PHILIPPE At your age, my child, all is not absolutely lost.

dɛk ʒo re ma li sãs ʒəd mã drɛ a pa pad mɔ frir œ̃p ti vwa jaʒ↘

JACQUELINE As soon as I get my degree, I'll ask Dad to send me on a trip.

a kõ di sjõk ty lɔb tjɛn la li sãs↘

PHILIPPE Provided you get your degree!

ʒə vu drɛ vwar yn ma ɲi fik tã pɛt syr lɔ se ã↘

JACQUELINE I'd like to see a magnificent storm on the ocean!

ty vwa lat lã tik tu le ze te↘ e ty a lə mal də mɛr syr lə ba to muʃ↘

PHILIPPE You see the Atlantic every summer; and you get seasick on a sight-seeing boat!

SUPPLEMENTARY VOCABULARY

Voyages en bateau

Boat Travel

Les passagers viennent d'embarquer.
Les passagers viennent de débarquer.

The passengers have just boarded.
The passengers have just landed.

Les cabines touristes sont en-dessous.
Le pont B est au-dessus.

The tourist-class cabins are below.
The B deck is above.

Malgré la saison, la mer est calme.
Malgré le temps, je n'avais pas peur.

In spite of the season, the sea is smooth.
In spite of the weather, I was not afraid.

Il va falloir avancer les pendules.
Il va falloir retarder les pendules.

We'll have to set the clocks ahead.
We'll have to set the clocks behind.

L'Argent

J'ai un chèque à déposer.
J'ai un chèque de voyage à toucher.

Je voudrais changer mes dollars.
Je voudrais trois billets de vingt francs.
Je voudrais la monnaie de dix francs.

Il a fait des affaires.
Il a fait des économies.
Il a fait des dettes.

Money

I have a check to deposit.
I have a traveler's check to cash.

I would like to change my dollars.
I would like three twenty-franc bills.
I would like change for ten francs.

He has made money.
He has saved money.
He has contracted some debts.

DIALOGUE NOTES

(1) The **France** is the newest luxury liner in the nationalized French shipping industry, the **Compagnie Générale Transatlantique (la C.G.T.).**

(2) The **bateau-mouche** is a small passenger steamer which plies the Seine on sight-seeing cruises.

Vocabulary Drills

1. Elle me charge de vous dire bien des choses.
Elle me prie de vous dire bien des choses.
Elle me prie *de vous remercier.*
On m'a chargé de vous remercier.
On m'a chargé *de leur donner des nouvelles.*
Vous le priez de leur donner des nouvelles.
Vous le priez *de déposer ce chèque.*
Elle me charge de déposer ce chèque.
Elle me charge *de vous dire bien des choses.*

2. J'ai honte d'être en retard.
J'ai peur d'être en retard.
J'ai peur *de vous déranger.*
Nous avons honte de vous déranger.
Nous avons honte *d'avoir le mal de mer.*
Elle a peur d'avoir le mal de mer.
Elle a peur *de ne pas savoir.*
Vous avez honte de ne pas savoir.
Vous avez honte *d'être en retard.*
J'ai honte d'être en retard.

3. Cela me fait plaisir.
Cela me fait *honte.*
Vous me faites honte.
Vous me faites *peur.*
Ils m'ont fait peur.
Ils m'ont fait *plaisir.*
Nous leur faisons plaisir.
Nous leur faisons *peur.*
Elle me faisait peur.
Elle me faisait *plaisir.*
Cela me fait plaisir.

4. Je suppose que si.
Je crois que si.
Je crois que *non.*
Il pense que non.
Il pense que *oui.*
Nous supposons que oui.
Nous supposons que *non.*
Je suppose que non.
Je suppose que *si.*

5. Je ne suis jamais allée nulle part.
Je ne suis jamais allée *dans aucun pays.*
Je n'ai jamais vu ça dans aucun pays.
Je n'ai jamais vu ça *ailleurs.*
On ne fait jamais ça ailleurs.
On ne fait jamais ça *à l'étranger.*
Ils n'ont jamais voyagé à l'étranger.
Ils n'ont jamais voyagé *nulle part.*
Je ne suis jamais allée nulle part.

6. Ils partiront aussitôt après.
   Ils partiront aussitôt *avant.*
   Je l'avais vu avant.
   Je l'avais vu *devant.*
   Nous étions assis devant.
   Nous étions assis *derrière.*
   Qu'est-ce qu'il y a derrière ?
   Qu'est-ce qu'il y a *après ?*
   Ils partiront aussitôt après.

7. Malgré la saison, la mer est calme.
   Malgré tout, la mer est calme.
   Malgré tout, *j'ai pris des premières.*
   Malgré le prix, j'ai pris des premières.
   Malgré le prix, *nous irons en avion.*
   Malgré sa peur, nous irons en avion.
   Malgré sa peur, *il trouve le paysage magnifique.*
   Malgré la saison, il trouve le paysage magnifique.
   Malgré la saison, *la mer est calme.*

77 Verbs like *ouvrir*

EXAMPLES

Ouvrez vos livres.
Il est **ouvert** tous les dimanches.
Cet imbécile de douanier m'a tout fait **ouvrir.**
La porte était **entr'ouverte.**

Presentation Drills

■ SIMPLE SUBSTITUTION DRILLS

1. *J'ouvre* les valises.
   (Nous ouvrons, On ouvre, Les douaniers ouvrent, Tu ouvres, Vous ouvrez, J'ouvre)
2. *Je n'ouvre* jamais un livre.
   (Nous n'ouvrons, Cet enfant n'ouvre, Tu n'ouvres, Ses frères n'ouvrent, Vous n'ouvrez, Je n'ouvre)
3. Il faut qu'*il ouvre* à huit heures.
   (j'ouvre, nous ouvrions, les employés ouvrent, vous ouvriez, tu ouvres, il ouvre)

■ PROGRESSIVE SUBSTITUTION DRILLS

1. Pourquoi as-tu ouvert les fenêtres ?
   Pourquoi as-tu ouvert *cette lettre ?*
   Pourquoi *a-t-elle ouvert* cette lettre ?
   Pourquoi a-t-elle ouvert *le courrier ?*
   Pourquoi *ont-ils ouvert* le courrier ?
   Pourquoi ont-ils ouvert *mes bagages ?*
   Pourquoi *avez-vous ouvert* mes bagages ?
   Pourquoi avez-vous ouvert *ce télégramme ?*
   Pourquoi *avons-nous ouvert* ce télégramme ?
   Pourquoi avons-nous ouvert *les fenêtres ?*
   Pourquoi *as-tu ouvert* les fenêtres ?

2. Quand ouvrira-t-il les paquets ?
   Avec quoi ouvrira-t-il les paquets ?
   Avec quoi *ouvrirai-je la porte ?*
   Comment ouvrirai-je la porte ?
   Comment *ouvrirez-vous sa malle ?*
   Quand ouvrirez-vous sa malle ?
   Quand *ouvriront-ils le musée ?*
   A quelle date ouvriront-ils le musée ?
   A quelle date *ouvrirons-nous le magasin ?*
   Quand ouvrirons-nous le magasin ?
   Quand *ouvrira-t-il les paquets ?*

Discussion

	uvrir		**ouvrir** *to open*
nuz	uvr	õ[z]	nous ouvrons
vuz	uvr	e[z]	vous ouvrez
ilz	uvr	t	ils ouvrent
ʒ	uvr	=	j'ouvre
ty	uvr	=	tu ouvres
il	uvr	=	il ouvre
Past Participle:	uvɛr(t)		(avoir) ouvert
Imperfect Stem:	uvr–		ouvr–
Subjunctive Stem:	uvr–		ouvr–
Future/Conditional Stem:	uvrir–		ouvrir–

The verb **ouvrir** has one present tense stem; other verbs that pattern like **ouvrir** include:

couvrir	to cover
découvrir	to discover
offrir	to offer
entr'ouvrir	to half-open

Verification Drills

■ SIMPLE CORRELATION DRILLS

1. *J'*ouvre la porte de la cabine.
   (Paul, Ses parents, Vous, Tu, Nous, On, Je)
2. *Je* n'offre pas de les accompagner.
   (Philippe, Nous, Ses cousines, Vous, Tu, On, Je)
3. Pourquoi lui avez-*vous* offert de l'argent?
   (Michel, vos parents, nous, je, tu, on, vous)

■ TRANSFORMATION DRILL

J'offre souvent des fleurs à Maman.
J'offrais souvent des fleurs à Maman.
La bibliothèque ouvre même le dimanche.
Nous ouvrons toujours ses lettres.
Tous les cinémas ouvrent à six heures.
Vous ouvrez la fenêtre.
Les fleurs s'ouvrent au soleil.

■ CHAIN DRILL

Si je pouvais, je lui offrirais la voiture.
Si nous pouvions, nous ______.
Si tu pouvais, tu ______.
Si vous pouviez, vous ______.
Si Philippe pouvait, il ______.
Si les Chatel pouvaient, ils ______.

■ SUPPLEMENTATION DRILL

Le théâtre n'ouvre pas aujourd'hui.
Je crains que le théâtre n'ouvre pas aujourd'hui.
Vous n'offrez pas assez.
Elle n'ouvre pas ma lettre.
Nous n'ouvrons jamais cette boîte.
On ne m'offre pas grand'chose.
Les fenêtres n'ouvrent pas facilement.
Vous ne les ouvrez pas facilement.
Nous n'offrons pas autant que lui.

78 Future tense after certain conjunctions

EXAMPLE Dès que j'**aurai** ma licence, je demanderai à Papa de m'offrir un petit voyage.

Presentation Drills

■ PROGRESSIVE SUBSTITUTION DRILLS

1. Nous en parlerons quand ils viendront.
Nous en parlerons *lorsqu'il sera là.*
Je vous présenterai lorsqu'il sera là.
Je vous présenterai *quand ce sera possible.*
Il vous téléphonera quand ce sera possible.
Il vous téléphonera *lorsqu'il aura le renseignement.*
Je les avertirai lorsqu'il aura le renseignement.
Je les avertirai *quand ils viendront.*
Nous en parlerons quand ils viendront.

2. Dès qu'ils arriveront, je vous avertirai.
Dès qu'ils arriveront, *nous pourrons partir.*
Aussitôt qu'ils entreront, nous pourrons partir.
Aussitôt qu'ils entreront, *vous leur parlerez.*
Dès que vous les verrez, vous leur parlerez.
Dès que vous les verrez, *ils vous le diront.*
Aussitôt qu'ils le sauront, ils vous le diront.
Aussitôt qu'ils le sauront, *je vous avertirai.*
Dès qu'ils arriveront, je vous avertirai.

3. Dès que vous l'aurez fini, vous me le donnerez.
Dès que vous l'aurez fini, *nous irons déjeuner.*
Quand nous aurons tout lu, nous irons déjeuner.
Quand nous aurons tout lu, *nous comprendrons mieux.*
Aussitôt qu'il aura parlé, nous comprendrons mieux.
Aussitôt qu'il aura parlé, *il devra partir.*
Quand la pluie aura cessé, il devra partir.
Quand la pluie aura cessé, *nous sortirons.*
Dès que nous l'aurons vu, nous sortirons.
Dès que nous l'aurons vu, *vous me le donnerez.*
Dès que vous l'aurez fini, vous me le donnerez.

Discussion

Certain conjunctions restrict the tense selection of the following verb according to the verb tense in the other clause:

quand **lorsque**	when	**après que**	after
		pendant que	while
dès que **aussitôt que**	as soon as	**tant que**	as long as
		au moment où	just as

These particular conjunctions are followed by future tense verb forms when reference is made to future time, creating a problem for English speakers, who do not use *shall* and *will* after the corresponding English conjunctions:

Dès qu'il commencera à neiger, nous irons faire du ski. As soon as it starts to snow, we'll go skiing.

Nous serons partis quand il arrivera. We'll be gone when he arrives.

Tant qu'elle étudiera, tout ira bien. As long as she studies, everything will be fine.

Pendant que nous serons à Paris, nous vous écrirons régulièrement. While we are in Paris, we'll write you regularly.

Aussitôt que nous l'aurons vue, nous irons nous asseoir quelque part. As soon as we've seen it, we'll go sit down somewhere.

Lorsqu'ils seront arrivés, nous l'entendrons dire. When they arrive, we'll hear about it.

These conjunctions, of course, may be followed by all the other tenses except the subjunctive when the verb in the other clause is not in the future tense.

Verification Drills

■ TRANSFORMATION DRILLS

1. Dès qu'il est l'heure, je vous avertis.
   Dès qu'il sera l'heure, je vous avertirai.
   Dès que vous avez les renseignements, vous les lui envoyez.
   Dès qu'il sait votre adresse, il me la donne.
   Dès qu'ils téléphonent, je leur dis la date du départ.
   Dès que je sais le prix, je vous le dis.
   Dès que nous avons reçu leur lettre, nous la lui montrons.

2. Quand il fait beau, nous allons vous voir.
   Quand il fera beau, nous irons vous voir.
   Quand mes examens sont finis, je pars en vacances.
   Quand ils veulent, nous sortons.
   Quand je vais mieux, je finis ce travail.
   Quand j'ai fini, nous pouvons commencer autre chose.
   Quand vous voulez me voir, vous m'appelez.

3. Lorqu'ils veulent, je les emmène au théâtre.
   Lorsqu'ils voudront, je les emmènerai au théâtre.
   Lorsque vous avez fini ce livre, vous le donnez à Paul.
   Lorsque nous le pouvons, nous achetons une nouvelle auto.
   Lorsque le temps le permet, nous faisons un pique-nique.
   Lorsque vous avez vu mes amis, vous les aimez.
   Lorsqu'ils vous connaissent, vous leur plaisez aussi.

79 Country names

EXAMPLES Des magasins, on en trouve aux **Etats-Unis.**
Je suis allé en **Suisse** avec Jacqueline.
Mes parents sont enfin sûrs de venir en **France** cet été.

Presentation Drills

■ PROGRESSIVE SUBSTITUTION DRILLS

1. Je voudrais rester en France.
Je voudrais *aller en France.*
Nous devons aller en France.
Nous devons *rentrer en Belgique.*
Ils vont rentrer en Belgique.
Ils vont *s'arrêter en Angleterre.*
Il peut s'arrêter en Angleterre.
Il peut *aller en Italie.*
Vous espérez aller en Italie.
Vous espérez *rester en France.*
Je voudrais rester en France.

2. Est-il allé au Japon ?
Est-il allé *au Brésil ?*
Est-il resté au Brésil ?
Est-il resté *au Portugal ?*
Sont-ils arrivés au Portugal ?
Sont-ils arrivés *aux Etats-Unis ?*
A-t-il atterri aux Etats-Unis ?
A-t-il atterri *aux Pays-Bas ?*
A-t-il habité aux Pays-Bas ?
A-t-il habité *au Japon ?*
Est-il allé au Japon ?

3. Ils arrivent de France.
Ils arrivent *du Japon.*
Nous venons du Japon.
Nous venons *d'Allemagne.*
Il rentre d'Allemagne.
Il rentre *du Mexique.*
Vous arrivez du Mexique.
Vous arrivez *d'Angleterre.*
Je viens d'Angleterre.
Je viens *des Etats-Unis.*
Ils reviennent des Etats-Unis.
Ils reviennent *de France.*
Ils arrivent de France.

Discussion

The names of most countries are nouns marked by **√le.** The great majority of countries are feminine in gender; some masculine country names are construed as plural:

Feminine	*Masculine Singular*	*Masculine Plural*
l'Allemagne	le Brésil	les Etats-Unis
l'Angleterre	le Canada	les Pays-Bas
la Belgique	le Danemark	
l'Egypte	le Japon	
l'Espagne	le Luxembourg	
la France	le Mexique	
la Grèce	le Portugal	
la Grande-Bretagne		
la Hollande		
l'Italie		
la Russie		
la Suède		
la Suisse		

All the continents are marked feminine nouns:

Feminine
l'Afrique
l'Amérique du Nord
l'Amérique du Sud
l'Asie
l'Australie
l'Europe

In prepositional phrases usage is as follows:

Feminine	*Masculine Singular*		*Masculine Plural*	
	Before V	*Before C*		
en	en	au	aux	*in, into, to*
de	d'	du	des	*from, of*
Il va en France. Il vient de France.	Il va au Japon. Il vient du Japon.		Il va aux Etats-Unis. Il vient des Etats-Unis.	
Il va en Amérique. Il vient d'Amérique.	Il va en Israël. Il vient d'Israël.			

Corresponding adjective derivations fall into six basic groups:

	Feminine		*Masculine*
(1)	/ -ɛz /	>	/ -ɛ /
	française		français
	anglaise		anglais
	hollandaise		hollandais
	japonaise		japonais
	portugaise		portugais
	marseillaise		marseillais
	bordelaise		bordelais
(2)	/ -waz /	>	/ -wa /
	suédoise		suédois
	danoise		danois
	luxembourgeoise		luxembourgeois
	quebecoise		quebecois
	chinoise		chinois
(3)	/ -jɛn /	>	/ -jɛ̃ /
	italienne		italien
	australienne		australien
	brésilienne		brésilien
	égyptienne		égyptien
	canadienne		canadien
	israëlienne		israëlien
	parisienne		parisien
(4)	/ -ɛn /	>	/ -ɛ̃ /
	africaine		africain
	américaine		américain
	européenne		européen
	mexicaine		mexicain
	romaine		romain
(5)	other final consonant loss:		
	allemande		allemand
	normande		normand
(6)	no spoken change:		
	asiatique		asiatique
	russe		russe
	belge		belge
	grecque		grec
	suisse		suisse
	espagnole		espagnol
	moscovite		moscovite
	madrilène		madrilène
	basque		basque
	provençale		provençale
	méridionale		méridionale

Verification Drills

■ SIMPLE CORRELATION DRILLS

1. J'ai reçu une lettre de *France.*
   (Italie, Etats-Unis, Japon, Angleterre, Espagne, Mexique, Pays-Bas, Russie, Allemagne, France)

2. Ils arrivent de *Russie.*
   (Allemagne, Japon, Belgique, Etats-Unis, France, Suisse, Italie, Brésil, Pays-Bas, Russie)

■ QUESTION DRILLS

1. Connaissez-vous la France?
   Oui, j'ai habité en France.
   Connaissez-vous l'Italie?
   Connaissez-vous les Etats-Unis?
   Connaissez-vous l'Angleterre?
   Connaissez-vous la Russie?
   Connaissez-vous le Portugal?
   Connaissez-vous le Japon?
   Connaissez-vous les Pays-Bas?
   Connaissez-vous l'Allemagne?

2. Où est Paris?
   Paris est en France.
   Où est New-York?
   Où est Rome?
   Où est Munich?
   Où est Amsterdam?
   Où est Tokyo?
   Où est Moscou?
   Où est San-Francisco?
   Où est Madrid?

80 Writing system tenses

Presentation Drills

■ SIMPLE SUBSTITUTION DRILLS

1. *Il parla* au congrès.
   (Nous parlâmes, On parla, Vous parlâtes, Ils parlèrent, Je parlai, Il parla)

2. *Il voulut* lui rendre service.
   (Nous voulûmes, On voulut, Vous voulûtes, Tu voulus, Ils voulurent, Je voulus, Il voulut)

3. *Elle fit* l'impossible.
   (Nous fîmes, Ils firent, Il fit, Vous fîtes, Tu fis, On fit, Je fis, Elle fit)

■ PROGRESSIVE SUBSTITUTION DRILLS

1. Nous les vîmes souvent.
   Nous les vîmes *un jour.*
   Je les vis un jour.
   Je les vis *quelquefois.*
   Il les vit quelquefois.
   Il les vit *plusieurs fois.*
   Elles les virent plusieurs fois.
   Elles les virent *le jour même.*
   Tu les vis le jour même.
   Tu les vis *un beau matin.*
   Vous les vîtes un beau matin.
   Vous les vîtes *souvent.*
   Nous les vîmes souvent.

2. Il voulait que nous finissions.
   Il voulait *qu'on fît quelque chose.*
   Il demandait qu'on fît quelque chose.
   Il demandait *qu'on l'aidât.*
   Il voulait qu'on l'aidât.
   Il voulait *que vous fussiez heureux.*
   Elle voulait que vous fussiez heureux.
   Elle voulait *que nous finissions.*
   Il voulait que nous finissions.

3. Il partit dès qu'il eut fini.
   Il partit *dès que nous eûmes fini.*
   Elle parla dès que nous eûmes fini.
   Elle parla *dès que vous eûtes frappé.*
   Elles parlèrent dès que vous eûtes frappé.
   Elles parlèrent *dès que j'eus fini.*
   Ils répondirent dès que j'eus fini.
   Ils répondirent *dès qu'il eut fini.*
   Il partit dès qu'il eut fini.

4. Nous partîmes dès que la nuit fut tombée.
   Nous partîmes *dès que ce fut possible.*
   Ils vinrent dès que ce fut possible.
   Ils vinrent *dès que nous fûmes guéris.*
   Nous sortîmes dès que nous fûmes guéris.
   Nous sortîmes *dès que vous fûtes arrivés.*
   Il écrivit dès que vous fûtes arrivés.
   Il écrivit *dès qu'ils furent partis.*
   J'appelai dès qu'ils furent partis.
   J'appelai *dès que la nuit fut tombée.*
   Nous partîmes dès que la nuit fut tombée.

Discussion

Two tenses, the preterit **(le passé simple)** and the imperfect subjunctive **(l'imparfait du subjonctif)** belong chiefly to the French writing system. They may be heard, however, in speeches, oratory, news broadcasts, and in other situations where a French speaker is reading from a written text. Their occurrence in conversation is rare.

The preterit parallels the present perfect (Sections 34 and 40) with reference to time; both constructions refer to a single event now past. The imperfect subjunctive is found in subjunctive environments (Sections 62, 66, and 70).

To determine the preterit forms:

(1) establish the written infinitive form;

(2) subtract the endings **–er, –ir, –oir,** or **–re** (all written infinitive forms end in one of these four combinations, and these endings are the keys to the four traditional written verb conjugations); the remainder is the written preterit stem;

(3) add the endings from the appropriate column to the preterit stem:

Infinitives in **–er**	*Infinitives in* **–ir** *and* **–re**	*Infinitives in* **–oir**
nous __âmes	nous __îmes	nous __ûmes
vous __âtes	vous __îtes	vous __ûtes
ils __èrent	ils __irent	ils __urent
je __ai	je __is	je __us
tu __as	tu __is	tu —us
il __a	il __it	il __ut

Special stems:

Infinitive	*Preterit Stem*		*Infinitive*	*Preterit Stem*	
faire	f–	nous fîmes	être	f–	nous fûmes
mettre	m–	nous mîmes	avoir	e–	nous eûmes
prendre	pr–	nous prîmes	pouvoir	p–	nous pûmes
dire	d–	nous dîmes	devoir	d–	nous dûmes
voir	v–	nous vîmes	savoir	s–	nous sûmes
craindre	craign–	nous craignîmes	connaître	conn–	nous connûmes
naître	naqu–	nous naquîmes	croire	cr–	nous crûmes
asseoir	ass–	nous assîmes	mourir	mour–	nous mourûmes
			lire	l–	nous lûmes
			pleuvoir	pl–	il plut

The verb **venir** and verbs like it (Section 37) have the following forms:

nous vînmes
vous vîntes
ils vinrent
je vins
tu vins
il vint

The imperfect subjunctive stem is always identical to that of the preterit; the endings of the imperfect subjunctive are:

Infinitives in **–er**	*Infinitives in* **–ir** *and* **–re**	*Infinitives in* **–oir**
nous __assions	nous __issions	nous __ussions
vous __assiez	vous __issiez	vous __ussiez
ils __assent	ils __issent	ils __ussent
je __asse	je __isse	je __usse
tu __asses	tu __isses	tu __usses
il __ât	il __ît	il __ût

The verb **venir** and verbs like it (Section 37) have the following imperfect subjunctive forms:

nous vinssions
vous vinssiez
ils vinssent
je vinsse
tu vinsses
il vînt

The past participle verb phrase corresponding to the preterit is called the past anterior **(le passé antérieur).** This verb phrase occurs only after the conjunction **après que** and the other conjunctions listed in Section 78, and only when the other clause contains the preterit tense:

Ils partirent dès qu'ils eurent fini de déjeuner.	They left as soon as they had finished lunch.
Aussitôt que je fus arrivé, nous commençâmes.	As soon as I had arrived, we began.

Corresponding to the imperfect subjunctive is the past participle verb phrase called the pluperfect subjunctive, which parallels the environment and meaning of the spoken past subjunctive (Section 62):

Nous aurions voulu qu'il l'eût su.	We would have wanted him to have known it.
Quoiqu'ils fussent venus, il n'y avait rien à faire.	Although they had come, there was nothing to do.

■ CONTEXTUAL TRANSFORMATION DRILLS

1. En 1920, il vint en France.
   En 1920, il est venu en France.
   Il trouva une chambre sur la Rive Gauche,
   et il commença à étudier.
   Il put aller au Louvre.
   Il étudia ses peintres favoris.
   Ses professeurs l'aidèrent beaucoup.
   Ils le trouvèrent intéressant.
   Il apprit très vite.
   En 1932, il vendit son premier tableau.
   La même année, il partit pour Rome.

2. Nous décollâmes à midi.
   Nous avons décollé à midi.
   Le voyage fut sans histoire,
   et nous arrivâmes à New-York vers neuf heures.
   Nous eûmes quelques ennuis avec les douaniers.
   Mais tout finit par s'arranger.
   Nous trouvâmes nos amis.
   Nous les remerciâmes d'être venus,
   et nous partîmes avec eux.
   Ils nous accompagnèrent à l'hôtel,
   et nous prîmes rendez-vous pour le lendemain.

3. Je fis tout ce que je pus.
   J'ai fait tout ce que j'ai pu.
   J'essayai de les amuser.
   Je leur montrai toute la ville.
   Je les accompagnai au théâtre.
   Je leur fit voir les musées.
   Je fis des courses avec eux.
   Je les emmenai danser.
   Nous fîmes même un pique-nique.
   Ils n'aimèrent rien.

1.

ME CHATEL Quel plaisir de vous revoir, Louis. Vous avez fait bon voyage ?

ANDRE Je ne fais jamais bon voyage ; vous savez que j'ai le mal de mer.

ME CHATEL Pourquoi prenez-vous le bateau ? Vous auriez pu rentrer par avion.

ANDRE Je voyagerai par avion quand ils n'auront plus d'accidents. Vous avez entendu parler de cet avion qui revenait de Suisse ?

ME CHATEL Oui, c'est affreux. Est-ce que vos bagages ont été inspectés ?

ANDRE Oui, tout est fait.

ME CHATEL Très bien, laissez-moi prendre cette valise-là. Comment avez-vous trouvé les Etats-Unis ?

ANDRE Magnifiques.

ME CHATEL Vous auriez pu écrire davantage !

ANDRE Comment ! Mais je vous ai écrit de San-Francisco, de Tucson, et de...

ME CHATEL Je n'ai rien reçu de San-Francisco. La seule lettre que j'aie reçue de vous venait du Canada...

ANDRE Ce n'est pas possible. Qu'est-ce qui s'est passé ?

ME CHATEL De toute façon, cela ne fait plus rien. Venez, vous avez des millions de choses à me dire.

2.

MME CHATEL Est-ce que vos parents vont rester en France, Paul ; ou bien ont-ils l'intention de voyager un peu partout, comme d'habitude ?

PAUL Ma mère voudrait passer deux ou trois semaines en France, et ensuite descendre en Espagne.

MME CHATEL Si vos parents le voulaient, ils pourraient venir chez nous à la Baule. Nous serions vraiment heureux de les avoir.

PAUL Je suis sûr qu'ils aimeraient beaucoup y aller, Madame.

MME CHATEL Je vais écrire demain à votre mère, de toute façon. Vous devez aller en Italie en juillet, n'est-ce pas ?

PAUL Oui, j'ai promis à un de mes amis d'aller le voir. Lui et sa femme habitent à Rome depuis plusieurs années ; c'est lui qui a trouvé une chambre pour Charles Guérard.

MME CHATEL Oui, vous m'avez parlé d'eux.

PAUL Quand partez-vous pour la Baule, Madame ?

MME CHATEL Cela dépend des examens de Jacqueline. Dès que nous saurons la date, nous choisirons celle de notre départ.

PAUL Fin juin, sans doute ?

MME CHATEL Sans doute. Les vôtres et ceux de Philippe seront vers la même date, je suppose. Mais vous pouvez voyager tout seuls. Je vous laisserai vous débrouiller.

PAUL J'espère que Philippe va pouvoir venir avec moi en Italie.

MME CHATEL Je suis certaine que mon mari ne fera aucune objection.

PAUL J'espère que non. Depuis la lettre de Charles, Philippe veut voir l'escalier de la place d'Espagne.

READING

Les Distractions

Si l'attitude des Français a changé, en ce qui concerne° les vacances, elle ne semble pas évoluer° autant à l'égard des° distractions. A la campagne celles-ci ont toujours été rares : quelques bals° pour la jeunesse, le cinéma, peut-être un sport local, comme

en... concerning
develop; **à...** with regard to
dances

la pétanque[1] provençale, ou la pelote[2] basque. Les hommes jouent peut-être aux cartes, quand ils en trouvent le loisir. Mais les principales distractions paysannes sont la célébration des événements familiaux — les mariages, la fin de la moisson° ou de la vendange,° etc. Cependant, les jeunes commencent à se déplacer davantage et, par le cinéma, la radio, la télévision, à connaître et désirer d'autres délassements.°

A la campagne comme dans les villes, le sport tient assez peu de place dans la vie française. Le rugby, le football, les courses cyclistes jouissent d'°une certaine popularité, surtout pour les classes modestes, tandis que les Français plus favorisés se tournent de préférence vers le tennis, les courses de chevaux, le ski en saison, voire° le polo. Mais en général, le Français préfère regarder plutôt que jouer. Les étudiants mêmes ont toujours tendance à considérer les sports comme une perte de temps,° bonne tout au plus pour les cancres.° Bien que les sports aient gagné du terrain° au cours des dernières décades, ils sont encore loin d'occuper une place de premier plan parmi les distractions favorites des Français.

Leur intérêt pour les spectacles et la littérature, en revanche,° a toujours été très grand. Les citadins° lisent, vont au cinéma, au théâtre, regardent les émissions de télévision. La télévision, qui est, comme la radio, une entreprise gouvernementale, n'admet° aucune publicité et présente un nombre limité de programmes au milieu de la journée et dans la soirée. Beaucoup de ces programmes sont éducatifs. Il y a plus de deux millions de postes° en France à l'heure actuelle.°

A Paris, les prix° littéraires sont attendus chaque année avec le plus vif° intérêt, et les nouveaux livres reçus avec la plus grande curiosité dans toute la France. Le théâtre, autrefois limité à Paris et aux grandes villes, se répand° de plus en plus en province, et le gouvernement encourage les efforts de décentralisation. Beaucoup de comédiens connus emmènent leurs troupes dans les villes de province pendant l'été, des groupes se forment ici et là, les festivals dramatiques et musicaux se multiplient. Paris garde certainement sa suprématie artistique, mais la France entière semble de plus en plus avide° de se distraire et d'apporter toute la nouveauté et la variété possible à une existence autrefois volontairement monotone.

grain harvest; grape harvest
relaxations
enjoy
even
perte... waste of time
dunces; **gagné...** gained ground
en... on the other hand
urban dwellers
allows
sets
à... at the present time
prizes
lively
se... is spreading
eager

[1] A bowling game played with metal balls.
[2] A game played in a court with a ball and a wickerwork basket.

APPENDIX I

Spoken verb patterns

The forty spoken verb patterns below account for the patternings of all the verbs that appear in this book. The spoken patterns are based on the present tense stems. Every French verb has at least one present tense stem, many have two, some have three, a few have four, and the one verb **être** has five; the verbs below are grouped according to the number of present tense stems.

Stems			*Present Stem(s)*	*Infinitive Form*	*Future Stem*	*Past Participle Form*	*Preterit Stem*
I. *One present tense stem*							
	[1]	**parler**	parl-	parle	parlər-	parle	parla-
	[2]	**ouvrir**[1]	uvr-	uvrir	uvrir-	uvɛr(t)	uvri-
	[3]	**rire**	ri-	rir	rir-	ri	ri-
II. *Two present tense stems*							
A. Plural stem has a final consonant sound which the singular stem lacks:							
/ s /	[4]	**finir**	finis- / fini	finir	finir-	fini	fini-
	[5]	**connaître**	kɔnɛs- / kɔnɛ	kɔnɛ:tr	kɔnɛ:tr-	kɔny	kɔny-
	[6]	**naître**	nɛs- / nɛ	nɛ:tr	nɛ:tr-	ne	naki-
/ z /	[7]	**conduire**	kõdɥiz- / kõdɥi	kõdɥir	kõdɥir-	kõdɥi(t)	kõdɥi-
	[8]	**lire**	liz- / li	lir	lir-	ly	ly-
/ t /	[9]	**partir**	part- / par	partir	partir-	parti	parti-
	[10]	**mettre**	mɛt- / mɛ	mɛtr	mɛtr-	mi(z)	mi-
/ d /	[11]	**vendre**	vãd- / vã	vãdr	vãdr-	vãdy	vãdi-
/ m /	[12]	**dormir**	dɔrm- / dɔr	dɔrmir	dɔrmir-	dɔrmi	dɔrmi-
/ v /	[13]	**servir**	sɛrv- / sɛr	sɛrvir	sɛrvir-	sɛrvi	sɛrvi-
	[14]	**écrire**	ekriv- / ekri	ekrir	ekrir-	ekri(t)	ekrivi-
	[15]	**suivre**	sɥiv- / sɥi	sɥivr	sɥivr-	sɥivi	sɥivi-

---

[1] Special imperfect stems:

[2]	**ouvrir**	uvri-
[40]	**être**	et-

B. Plural stem otherwise different from singular stem:

[16]	**asseoir**	asɛj- / asje	aswar	asjer-	asi(z)	asi-
[17]	**craindre**	krɛɲ- / krɛ̃	krɛ̃dr	krɛ̃dr-	krɛ̃(t)	krɛɲi-
[18]	**savoir**[2, 3, 4]	sav- / sɛ	savwar	sor-	sy	sy-
[19]	**valoir**[3]	val- / vo	valwar	vodr-	valy	valy-

C. **Nous, vous** stem / other stem:

[20]	**préférer**	prefer- / prefɛr	prefere	prefɛrər-	prefere	prefera-
[21]	**jeter**	ʒət- / ʒɛt	ʒəte	ʒɛtər-	ʒəte	ʒəta-
[22]	**essayer**	ɛsɛj- / ɛsɛ	ɛsɛje	ɛsɛjər-	ɛsɛje	ɛsɛja-
[23]	**étudier**	etydj- / etydi	etydje	etydjər-	etydje	etydja-
[24]	**employer**[3]	ɑ̃plwaj- / ɑ̃plwa	ɑ̃plwaje	ɑ̃plwar-	ɑ̃plwaje	ɑ̃plwaja-
[25]	**envoyer**[3]	ɑ̃vwaj- / ɑ̃vwa	ɑ̃vwaje	ɑ̃vɛr-	ɑ̃vwaje	ɑ̃vwaja-
[26]	**mourir**	mur- / mœr	murir	murr-	mɔr(t)	mury-
[27]	**croire**[3]	krwaj- / krwa	krwar	krwar-	kry	kry-
[28]	**voir**[3]	vwaj- / vwa	vwar	vɛr-	vy	vi-
[29]	**prévoir**[3]	prevwaj- / prevwa	prevwar	prevwar-	prevy	previ-

III. *Three present tense stems*

A. **Nous, vous** stem / **ils** stem / singular stem:

[30]	**boire**[3]	byv- / bwav / bwa	bwar	bwar-	by	by-
[31]	**recevoir**[3]	rəsəv- / rəswav / rəswa	rəsəvwar	rəsəvr-	rəsy	rəsy-
[32]	**pouvoir**[3]	puv- / pœv / pø	puvwar	pur-	py	py-
[33]	**vouloir**[2, 3]	vul- / vœl / vø	vulwar	vudr-	vuly	vuly-
[34]	**venir**[3]	vən- / vjɛn / vjɛ̃	vənir	vjɛ̃dr-	vəny	vɛ̃-
[35]	**prendre**[3]	prən- / prɛn / prɑ̃	prɑ̃dr	prɑ̃dr-	pri(z)	pri-

B. **Nous, ils** stem / **vous** stem / singular stem:

[36]	**dire**	diz- / dit / di	dir	dir-	di(t)	di-

[2] Special imperative stems:

[18]	**savoir**	saʃ-
[33]	**vouloir**	vœj-
[38]	**avoir**	ɛj- / ɛ
[40]	**être**	swaj- / swa

[3] Special subjunctive stems:

[18]	**savoir**	saʃ-
[19]	**valoir**	val- / vaj
[24]	**employer**	ɑ̃plwaj- / ɑ̃plwa
[25]	**envoyer**	ɑ̃vwaj- / ɑ̃vwa
[27]	**croire**	krwaj- / krwa
[28]	**voir**	vwaj- / vwa
[29]	**prévoir**	prevwaj- / prevwa
[30]	**boire**	byv- / bwav
[31]	**recevoir**	rəsəv- / rəswav
[32]	**pouvoir**	pɥis-
[33]	**vouloir**	vul- / vœj
[34]	**venir**	vən- / vjɛn
[35]	**prendre**	prən- / prɛn
[37]	**aller**	al- / aj
[38]	**avoir**	ɛj- / ɛ
[39]	**faire**	fas-
[40]	**être**	swaj- / swa

[4] Special present participle stems:

[18]	**savoir**	saʃ-
[38]	**avoir**	ɛj-
[40]	**être**	et-

IV. *Four present tense stems*

A. **Nous, vous** stem / **ils** stem / **je** stem / **tu, il** stem:

[37]	**aller**[3]	al- / võ / vɛ / va	ale	ir-	ale	ala-
[38]	**avoir**[2, 3, 4]	av- / õ / e / a	avwar	or-	y	y-

B. **Nous** stem / **vous** stem / **ils** stem / singular stem:

[39]	**faire**[3]	fəz- / fɛt / fõ / fɛ	fɛ:r	fər-	fɛ(t)	fi-

V. *Five present tense stems*

Nous stem / **vous** stem / **ils** stem / **je** stem / **tu, il** stem:

[40]	**être**[1, 2, 3, 4]	sɔm / ɛt / sõ / sɥi / ɛ	ɛ:tr	sər-	ete	fy-

Endings

Added to a present stem:

	Present	*Imperative*	*Imperfect*	*Subjunctive*
nu	õ^{z}	õ^{z}	jõ^{z}	jõ^{z}
vu	e^{z}	e^{z}	je^{z}	je^{z}
il	t	—	ɛ^{t}	t
ʒə	z	—	ɛ^{z}	=
ty	z	z	ɛ^{z}	=
il	t	—	ɛ^{t}	=

Present Participle

ã(t)

Added to the future stem:

	Future	*Conditional*
nu	õ^{z}	(i) jõ^{z}
vu	e^{z}	(i) je^{z}
il	õ^{t}	ɛ^{t}
ʒə	e$^{=}$	ɛ^{z}
ty	a^{z}	ɛ^{z}
il	a$^{=}$	ɛ^{t}

Added to the preterit stem:

	Preterit		*Imperfect Subjunctive*
	after stem vowel / a /	after other stem vowels	
nu	m^{z}	m^{z}	sjõ^{z}
vu	t^{z}	t^{z}	sje^{z}
il	ɛr^{t} (/ ɛ / replaces / a /)	r^{t}	s^{t}
ʒə	e$^{=}$ (/ e / replaces / a /)	z	s$^{=}$
ty	z	z	s$^{=}$
il	=	t	t

APPENDIX II

Written verb patterns

Written verb patterns are based on four infinitive endings: **-er, -ir, -oir,** and **-re.** Regular verbs are those which conform to spoken patterns [1] **(parler),** [4] **(finir),** [31] **(recevoir),** and [11] **(vendre);** these groups have internally consistent written correspondences. Those verbs whose spellings do not conform to the four written patterns exemplified by the verbs below are called irregular verbs.

Regular written forms

Infinitive	**parler**	**finir**	**recevoir**	**vendre**
Past Participle	parlé	fini	reçu	vendu
Present Participle	parlant	finissant	recevant	vendant
Imperative	parlons parlez parle	finissons finissez finis	recevons recevez reçois	vendons vendez vends
Present	nous parlons vous parlez ils parlent je parle tu parles il parle	nous finissons vous finissez ils finissent je finis tu finis il finit	nous recevons vous recevez ils reçoivent je reçois tu reçois il reçoit	nous vendons vous vendez ils vendent je vends tu vends il vend
Imperfect	nous parlions vous parliez ils parlaient je parlais tu parlais il parlait	nous finissions vous finissiez ils finissaient je finissais tu finissais il finissait	nous recevions vous receviez ils recevaient je recevais tu recevais il recevait	nous vendions vous vendiez ils vendaient je vendais tu vendais il vendait
Future	nous parlerons vous parlerez ils parleront je parlerai tu parleras il parlera	nous finirons vous finirez ils finiront je finirai tu finiras il finira	nous recevrons vous recevrez ils recevront je recevrai tu recevras il recevra	nous vendrons vous vendrez ils vendront je vendrai tu vendras il vendra

Conditional	nous parlerions vous parleriez ils parleraient je parlerais tu parlerais il parlerait	nous finirions vous finiriez ils finiraient je finirais tu finirais il finirait	nous recevrions vous recevriez ils recevraient je recevrais tu recevrais il recevrait	nous vendrions vous vendriez ils vendraient je vendrais tu vendrais il vendrait
Subjunctive	nous parlions vous parliez ils parlent je parle tu parles il parle	nous finissions vous finissiez ils finissent je finisse tu finisses il finisse	nous recevions vous receviez ils reçoivent je reçoive tu reçoives il reçoive	nous vendions vous vendiez ils vendent je vende tu vendes il vende
Preterit	nous parlâmes vous parlâtes ils parlèrent je parlai tu parlas il parla	nous finîmes vous finîtes ils finirent je finis tu finis il finit	nous reçûmes vous reçûtes ils reçurent je reçus tu reçus il reçut	nous vendîmes vous vendîtes ils vendirent je vendis tu vendis il vendit
Imperfect Subjunctive	nous parlassions vous parlassiez ils parlassent je parlasse tu parlasses il parlât	nous finissions vous finissiez ils finissent je finisse tu finisses il finît	nous reçussions vous reçussiez ils reçussent je reçusse tu reçusses il reçût	nous vendissions vous vendissiez ils vendissent je vendisse tu vendisses il vendît

Here are the complete written paradigms of the dozen most frequent "irregular" verbs:

Infinitive	**aller**
Past Participle	(être) allé
Present Participle	allant
Imperative	allons, allez, va
Present	nous allons, vous allez, ils vont, je vais, tu vas, il va
Imperfect	nous allions, vous alliez, ils allaient, j'allais, tu allais, il allait
Future	nous irons, vous irez, ils iront, j'irai, tu iras, il ira
Conditional	nous irions, vous iriez, ils iraient, j'irais, tu irais, il irait
Subjunctive	nous allions, vous alliez, ils aillent, j'aille, tu ailles, il aille
Preterit	nous allâmes, vous allâtes, ils allèrent, j'allai, tu allas, il alla
Imperfect Subjunctive	nous allassions, vous allassiez, ils allassent, j'allasse, tu allasses, il allât

Infinitive	**avoir**
Past Participle	(avoir) eu
Present Participle	ayant
Imperative	ayons, ayez, aie
Present	nous avons, vous avez, ils ont, j'ai, tu as, il a

Imperfect	nous avions, vous aviez, ils avaient, j'avais, tu avais, il avait
Future	nous aurons, vous aurez, ils auront, j'aurai, tu auras, il aura
Conditional	nous aurions, vous auriez, ils auraient, j'aurais, tu aurais, il aurait
Subjunctive	nous ayons, vous ayez, ils aient, j'aie, tu aies, il ait
Preterit	nous eûmes, vous eûtes, ils eurent, j'eus, tu eus, il eut
Imperfect Subjunctive	nous eussions, vous eussiez, ils eussent, j'eusse, tu eusses, il eût

Infinitive	**devoir**
Past Participle	(avoir) dû
Present Participle	devant
Imperative	*not used*
Present	nous devons, vous devez, ils doivent, je dois, tu dois, il doit
Imperfect	nous devions, vous deviez, ils devaient, je devais, tu devais, il devait
Future	nous devrons, vous devrez, ils devront, je devrai, tu devras, il devra
Conditional	nous devrions, vous devriez, ils devraient, je devrais, tu devrais, il devrait
Subjunctive	nous devions, vous deviez, ils doivent, je doive, tu doives, il doive
Preterit	nous dûmes, vous dûtes, ils durent, je dus, tu dus, il dut
Imperfect Subjunctive	nous dussions, vous dussiez, ils dussent, je dusse, tu dusses, il dût

Infinitive	**être**
Past Participle	(avoir) été
Present Participle	étant
Imperative	soyons, soyez, sois
Present	nous sommes, vous êtes, ils sont, je suis, tu es, il est
Imperfect	nous étions, vous étiez, ils étaient, j'étais, tu étais, il était
Future	nous serons, vous serez, ils seront, je serai, tu seras, il sera
Conditional	nous serions, vous seriez, ils seraient, je serais, tu serais, il serait
Subjunctive	nous soyons, vous soyez, ils soient, je sois, tu sois, il soit
Preterit	nous fûmes, vous fûtes, ils furent, je fus, tu fus, il fut
Imperfect Subjunctive	nous fussions, vous fussiez, ils fussent, je fusse, tu fusses, il fût

Infinitive	**faire**
Past Participle	(avoir) fait
Present Participle	faisant
Imperative	faisons, faites, fais
Present	nous faisons, vous faites, ils font, je fais, tu fais, il fait
Imperfect	nous faisions, vous faisiez, ils faisaient, je faisais, tu faisais, il faisait
Future	nous ferons, vous ferez, ils feront, je ferai, tu feras, il fera
Conditional	nous ferions, vous feriez, ils feraient, je ferais, tu ferais, il ferait
Subjunctive	nous fassions, vous fassiez, ils fassent, je fasse, tu fasses, il fasse
Preterit	nous fîmes, vous fîtes, ils firent, je fis, tu fis, il fit
Imperfect Subjunctive	nous fissions, vous fissiez, ils fissent, je fisse, tu fisses, il fît

Infinitive	**mettre**
Past Participle	(avoir) mis
Present Participle	mettant
Imperative	mettons, mettez, mets
Present	nous mettons, vous mettez, ils mettent, je mets, tu mets, il met
Imperfect	nous mettions, vous mettiez, ils mettaient, je mettais, tu mettais, il mettait

Future	nous mettrons, vous mettrez, ils mettront, je mettrai, tu mettras, il mettra
Conditional	nous mettrions, vous mettriez, ils mettraient, je mettrais, tu mettrais, il mettrait
Subjunctive	nous mettions, vous mettiez, ils mettent, je mette, tu mettes, il mette
Preterit	nous mîmes, vous mîtes, ils mirent, je mis, tu mis, il mit
Imperfect Subjunctive	nous missions, vous missiez, ils missent, je misse, tu misses, il mît

Infinitive	**pouvoir**
Past Participle	(avoir) pu
Present Participle	pouvant
Imperative	*not used*
Present	nous pouvons, vous pouvez, ils peuvent, je peux, tu peux, il peut
Imperfect	nous pouvions, vous pouviez, ils pouvaient, je pouvais, tu pouvais, il pouvait
Future	nous pourrons, vous pourrez, ils pourront, je pourrai, tu pourras, il pourra
Conditional	nous pourrions, vous pourriez, ils pourraient, je pourrais, tu pourrais, il pourrait
Subjunctive	nous puissions, vous puissiez, ils puissent, je puisse, tu puisses, il puisse
Preterit	nous pûmes, vous pûtes, ils purent, je pus, tu pus, il put
Imperfect Subjunctive	nous pussions, vous pussiez, ils pussent, je pusse, tu pusses, il pût

Infinitive	**prendre**
Past Participle	(avoir) pris
Present Participle	prenant
Imperative	prenons, prenez, prends
Present	nous prenons, vous prenez, ils prennent, je prends, tu prends, il prend
Imperfect	nous prenions, vous preniez, ils prenaient, je prenais, tu prenais, il prenait
Future	nous prendrons, vous prendrez, ils prendront, je prendrai, tu prendras, il prendra
Conditional	nous prendrions, vous prendriez, ils prendraient, je prendrais, tu prendrais, il prendrait
Subjunctive	nous prenions, vous preniez, ils prennent, je prenne, tu prennes, il prenne
Preterit	nous prîmes, vous prîtes, ils prirent, je pris, tu pris, il prit
Imperfect Subjunctive	nous prissions, vous prissiez, ils prissent, je prisse, tu prisses, il prît

Infinitive	**savoir**
Past Participle	(avoir) su
Present Participle	sachant
Imperative	sachons, sachez, sache
Present	nous savons, vous savez, ils savent, je sais, tu sais, il sait
Imperfect	nous savions, vous saviez, ils savaient, je savais, tu savais, il savait
Future	nous saurons, vous saurez, ils sauront, je saurai, tu sauras, il saura
Conditional	nous saurions, vous sauriez, ils sauraient, je saurais, tu saurais, il saurait
Subjunctive	nous sachions, vous sachiez, ils sachent, je sache, tu saches, il sache
Preterit	nous sûmes, vous sûtes, ils surent, je sus, tu sus, il sut
Imperfect Subjunctive	nous sussions, vous sussiez, ils sussent, je susse, tu susses, il sût

Infinitive	**venir**
Past Participle	(être) venu
Present Participle	venant
Imperative	venons, venez, viens

Present	nous venons, vous venez, ils viennent, je viens, tu viens, il vient
Imperfect	nous venions, vous veniez, ils venaient, je venais, tu venais, il venait
Future	nous viendrons, vous viendrez, ils viendront, je viendrai, tu viendras il viendra
Conditional	nous viendrions, vous viendriez, ils viendraient, je viendrais, tu viendrais, il viendrait
Subjunctive	nous venions, vous veniez, ils viennent, je vienne, tu viennes, il vienne
Preterit	nous vînmes, vous vîntes, ils vinrent, je vins, tu vins, il vint
Imperfect Subjunctive	nous vinssions, vous vinssiez, ils vinssent, je vinsse, tu vinsses, il vînt

Infinitive	**voir**
Past Participle	(avoir) vu
Present Participle	voyant
Imperative	voyons, voyez, vois
Present	nous voyons, vous voyez, ils voient, je vois, tu vois, il voit
Imperfect	nous voyions, vous voyiez, ils voyaient, je voyais, tu voyais, il voyait
Future	nous verrons, vous verrez, ils verront, je verrai, tu verras, il verra
Conditional	nous verrions, vous verriez, ils verraient, je verrais, tu verrais, il verrait
Subjunctive	nous voyions, vous voyiez, ils voient, je voie, tu voies, il voie
Preterit	nous vîmes, vous vîtes, ils virent, je vis, tu vis, il vit
Imperfect Subjunctive	nous vissions, vous vissiez, ils vissent, je visse, tu visses, il vît

Infinitive	**vouloir**
Past Participle	(avoir) voulu
Present Participle	voulant
Imperative	veuillons, veuillez, veuille
Present	nous voulons, vous voulez, ils veulent, je veux, tu veux, il veut
Imperfect	nous voulions, vous vouliez, ils voulaient, je voulais, tu voulais, il voulait
Future	nous voudrons, vous voudrez, ils voudront, je voudrai, tu voudras, il voudra
Conditional	nous voudrions, vous voudriez, ils voudraient, je voudrais, tu voudrais, il voudrait
Subjunctive	nous voulions, vous vouliez, ils veuillent, je veuille, tu veuilles, il veuille
Preterit	nous voulûmes, vous voulûtes, ils voulurent, je voulus, tu voulus, il voulut
Imperfect Subjunctive	nous voulussions, vous voulussiez, ils voulussent, je voulusse, tu voulusses, il voulût

Two verbs in this book which have only **il** forms are irregular.

Infinitive	**falloir**	**pleuvoir**
Past Participle	(avoir) fallu	(avoir) plu
Present Participle	*not used*	pleuvant
Imperative	*not used*	*not used*
Present	il faut	il pleut
Imperfect	il faudra	il pleuvait
Future	il fallait	il pleuvra
Conditional	il faudrait	il pleuvrait
Subjunctive	il faille	il pleuve
Preterit	il fallut	il plut
Imperfect Subjunctive	il fallût	il plût

APPENDIX III

French-English Vocabulary

The Vocabulary includes all words except (1) words appearing only in the pronunciation and spelling sections; (2) verb forms other than infinitives; (3) adverbs ending in **-ment** when the adjective form is listed; (4) most proper names. Words are entered in their traditional dictionary forms: masculine singular forms for all nouns and adjectives also having feminine forms, infinitive forms for verbs.

The infinitive entries are cross-referenced by a number in brackets to the spoken verb pattern in Appendix I.

The definitions are followed by the number and section of the unit in which they first appear with that meaning.

ABBREVIATIONS

D	Dialogue	*inf*	infinitive
V	Supplementary Vocabulary	*m*	masculine
R	Reading	*n*	noun
[1]	verb pattern	*part*	participle
(1)	unit number	*past*	past
conj	conjunction	*pl*	plural
f	feminine	*prep*	preposition
impers	impersonal	*pres*	present

à at, to, in (1D)
abîmé damaged (19D)
abonné subscriber (18V)
abord *m* access; **d'___** first of all (5D)
absolument absolutely (16D)
accident *m* accident (9D)
accompagner [1] to accompany (2D)
accord *m* agreement; **être d'___** to be in agreement (8D)
accrocher [1] to collide with (19D)
acheter [21] to buy (5D)
acteur *m* actor (16D)
actrice *f* actress (16V)
actualités *fpl* newsreel (16V)
actuel present (20R)
addition *f* restaurant check (4V)
admettre [10] to admit (16D)
admis permitted (8R)
adonner (s') [1] to give oneself up to (19R)
adresse *f* address (9V)
adresser (s') [1] to apply (19V)
aérodrome *m* airport (15V)

affaire *f* thing (11D); **faire des ——s** to make money (20V); **faire une ——** to get a bargain (16R)
affreux hideous (11D)
âge *m* age (2V); **Quel —— a-t-elle?** How old is she? (2V)
agent *m* policeman (7V)
agir (s') [**il** only] [4] to be a matter of (14R)
aider [1] to help (10D)
aile *f* fender (19D)
ailleurs elsewhere; **d'——** besides (9D)
aimable kind (15D)
aimer [1] to like (3D)
ainsi thus (9R); **—— que** as well as (18R)
air *m* air (15V); **avoir l'——** to seem (5D)
aise *f* ease; **être à l'——** to be at ease (6R)
allemand German (6V)
aller [37] to go (3D); to fit (5V); **Comment allez-vous?** How are you? (1V); **s'en ——** to go away (15D)
aller et retour *m* round-trip ticket (11V)
Allô? Hello? [telephone greeting] (19D)
allumer [1] to light (12V)
allumette *f* match (5V)
amener [21] to bring [people] (14V)
américain American (1D)
ami friend (1D)
amuser (s') [1] to have a good time (10D)
an *m* year (2V)
ancien old (13R); former (16V)
anglais English (6D)
année *f* year (1D)
annonce *f* announcement; **petites ——s** want ads (18V)
annuaire *m* telephone directory (16D)
août *m* August (6V)
apercevoir [31] to catch sight of (7D); **s'——** to become aware of (13R)
apéritif *m* a kind of wine drink (12R)
appareil *m* machine (15D); instrument (19D)
appartement *m* apartment (19D)
appeler [21] to call (4D); **s'——** to be named (1V)
apporter [1] to bring (12D)
apprendre [35] to learn (10V)
après after (3D)
après-demain the day after tomorrow (3V)
après-midi *m* afternoon (3V)
arbre *m* tree (14V)
argent *m* money (11V)
arrêt *m* stop (7D)
arrêter (s') [1] to stop (3D)
arrière *m* rear (19D)
arrivée *f* arrival (1D)
arriver [1] to arrive (1D); **y ——** to succeed (13D); **il lui arrive de** + *inf* it happens (11R)
article *m* article (18D)
ascenseur *m* elevator (12V)
asseoir (s') [16] to sit down (6D)
assez enough (15V)
assiette *f* plate (4V)
assis *past part* of **asseoir** seated (11D)
assister à [1] to attend (10V)
assurer [1] to insure (11V); to assure (15D)
attendre [11] to wait (2D)
attention *f* attention, look out (7V)
atterrir [4] to land (15V)
au at the (2D)
au-dessus above (12D)
aujourd'hui today (2D)
auquel to which, to whom (9D)
aussi also (4D); therefore (12R)
aussitôt immediately (20D)
autant as much, as many (4D)
auteur *m* author (16V)
auto *f* car (7V)
autobus *m* local bus (7D)
automne *m* autumn (6V)
autour de around (8D)
autre other (4V); **rien d'——** nothing else (11D); **—— chose** something else (12D)
autrefois formerly (10D)
avaler [1] to swallow (13D)
avance *f* advance; **en ——** ahead of time (7V)
avancer [1] to go ahead (2D); **avancer une pendule** to set a clock ahead (20V)
avant before (2D); **avant de** + *inf* before ——ing (5D)
avant-hier the day before yesterday (3V)
avec with (1D)
avertir [4] to notify (19D)
avide greedy (20R)
avion *m* airplane (15V)
avocat *m* lawyer (6R)
avoir [38] to have (2D); **—— besoin de** to need (11R); **—— chaud** to be warm

(4V); ___ **faim** to be hungry (4V); ___ **froid** to be cold (4V); ___ **l'air** to seem (5D); ___ **soif** to be thirsty (4V); **n'**___ **qu'à** to have only to (11D)
avril *m* April (6V)

bagages *mpl* luggage (1D)
baigner (se) [1] to bathe (10V)
bain *m* bath; **salle de** ___ bathroom (12V)
bal *m* ball, dance (20R)
balcon *m* balcony (16V)
banc *m* bench (14D)
banlieue *f* suburbs (18R)
baraque *f* shack (16R)
bas low (12R)
basket-ball *m* basketball (10V)
bateau *m* boat (20V); ___ **mouche** small sight-seeing boat (20D)
bâtiment *m* building (3D)
bavardage *m* chat (12R)
bavarder [1] to chat (10D)
beau beautiful (3D)
beaucoup much, many (2D)
beige beige (8V)
besoin need; **avoir** ___ **de** to have need of (11R)
bibliothèque *f* library (6D)
bicyclette bicycle (10V)
bien well (5V); very (2D)
bien que although (16D)
bientôt soon (6D)
bienvenu *m* welcome person (1D)
bifteck *m* steak (4D)
billet *m* ticket (7V); banknote (20V)
bistro *m* café (12R)
blanc white (2D)
blé *m* wheat (13R)
blessé *m* wounded; ___ **de guerre** disabled veteran (18R)
bleu blue (8V)
blond blond (8D)
bock *m* a small glass of beer (12R)
boire [30] to drink (9D)
boîte *f* box (19V)
bon good (4D)
bonjour *m* hello (1D)
bonsoir *m* good evening (1V)
bord *m* edge (9D); **à** ___ aboard (15V)
bouche *f* mouth (8V)
boulanger *m* baker (5V)
boulangerie *f* bakery (5V)
boulevard *m* boulevard (5D)
bout *m* end (2D)
bouteille *f* bottle (4V)
bras *m* arm (8V)
brasserie *f* café-restaurant (12R)
briquet *m* lighter (5V)
bruit *m* noise (18D); **faire du** ___ to make noise (8D)
brun brown (8V)
bulletin *m* baggage check (11V)
bureau *m* office (6R)

ça that (3D)
cabine *f* cabin (20V); ___ **téléphonique** telephone booth (19V)
cacher [1] to hide (13R)
cachet *m* capsule (17V)
cadeau *m* gift (16R)
café *m* café (3D); coffee (4D)
calme calm (6R)
camarade *m* friend (4D)
camion *m* truck (7V)
campagne *f* country (14D)
cancre *m* dunce (20R)
candidat *m* examinee (10R)
car for (6R)
caractère *m* personality, temper (10R)
carnet *m* booklet (7V)
carte *f* map (9V)
cas *m* case (17D)
casque *m* helmet; ___ **de pompier** fireman's helmet (16R)
casser (se) [1] to break (10D)
casse-croute *m* snack (14V)
ce this, that (3D)
cela that (13D)
célèbre famous (16V)
celui the one; ___ **-ci** this one; ___ **-là** that one (18D)
cendrier *m* ashtray (8R)
centre *m* center (9V)
cependant however (17R)
certainement certainly (3D)
chaise *f* chair (12V)
chambre *f* bedroom (1D)

chance *f* luck; **avoir de la ___** to be lucky (19D)
changer [1] to exchange (20V); **___ de** + *n* to change (11V)
chanteuse *f* singer (16V)
chapeau *m* hat (5V)
chaque each (17V)
chariot *m* cart (11D)
chasseur *m* porter (12D)
chat *m* cat (16D)
château *m* castle (14V)
chaud hot; **avoir ___** to be warm [person] (4V); **il fait ___** it's hot weather (6V)
chauffage *m* heating (12D)
chauffeur *m* driver; **___ de taxi** taxi driver (11R)
chaussure *f* shoe (5D)
chef-d'oeuvre *m* masterpiece (16D)
chemin *m* way (9V); **___ de fer** railroad (11V)
cheminée *f* fireplace (14V)
chemise *f* shirt (5V)
chèque *m* bank check (20V); **___ de voyage** traveler's check (20V)
cher expensive (5D); dear (11D)
chercher [1] to look for (6D); **passer ___** to come by and call for (6D)
cheval *m* horse (10V)
cheveu *m* hair (8V)
cheville *f* ankle (10D)
chez at someone's house (1D)
chien *m* dog; **___ de garde** watchdog (17R)
choisir [4] to choose (3D)
choquer (se) [1] to be shocked (8R)
chose *f* thing (4V)
ciel *m* sky (15V)
cigarette *f* cigarette (5V)
cinéma *m* movies (3V)
cinq five (2V)
circulation *f* traffic (11R)
citadin *m* urban dweller (20R)
clair light (8V); **le plus ___** the most of (12R)
classe *f* class (2D)
clef *f* key; **fermé à ___** locked (11V)
climat *m* climate (6V)
clou *m* nail (7D)
coeur *m* heart (17V)
coin *m* corner (11V)
colis *m* package (19V)
combien how much, how many (5D)
comme as (13D); since (13R); **Qu'est-ce que vous avez ___** + *n*? What kind of *n* do you have? (4V)
commencer [1] to begin (2D)
comment how (1V)
commerçant *m* shopkeeper (17R)
commettre [10] to commit (12R)
compagnie *f* company (15D)
compartiment *m* compartment (11V)
complet *m* suit (5V)
comprendre [35] to understand (1V)
compris included (4D)
compter [1] to count; **___ sur** to count on (14R)
comptoir *m* counter (15D)
concerne affects; **en ce qui ___** with regard to (20R)
concert *m* concert (16V)
concierge apartment caretaker (17R)
condamner [1] to condemn (16D)
condition *f* condition; **à ___ que** provided that (20D)
conduire [7] to drive (10V); to lead the way (12D)
conférence *f* lecture (9R)
confiance *f* confidence (15D)
confirmer [1] to confirm (15D)
confortable comfortable (5D)
congé *m* leave (19R)
congrès *m* convention (20D)
connaissance *f* acquaintance (1D)
connaître [5] to be acquainted with (3D)
conserves *fpl* preserves (18R)
construire [7] to build (14V)
contagieux contagious (17V)
content pleased (6D)
contenter (se) [1] to be content (11R)
continuer [1] to continue (7V)
contradictoire contradictory (16D)
contraire *m* opposite; **au ___** on the contrary (6D)
contre against (8D)
conversation *f* conversation (13V)
corps *m* body (8V)
costume *m* suit (12V)
côté *m* side (7D); **à ___ de** next to (5D); **du ___ de** toward (9V)

coton *m* cotton (5V)
coucher (se) [1] to go to bed (13V)
couchette *f* berth (11V)
couleur *f* color (5V)
couloir *m* corridor (2D)
coupable guilty (19R)
couper [1] to cut (19V); **se** ___ to cut oneself (13V)
cour *f* courtyard (12D)
courant *m* current; **être au** ___ to know about (18D)
coureur *m* runner (10V)
courrier *m* mail (19V)
cours *m* course (2D); ___ **de la Bourse** stock market prices (6R)
course *f* errand (5D); race (10V); ___ **cycliste** bicycle race (10V)
court short (9V)
cousin cousin (1D)
couteau *m* knife (4D)
coûter [1] to cost (5D)
couverture *f* blanket (12D)
craindre [17] to fear (17D)
cravate *f* necktie (5V)
critique *f* criticism (18D)
croire [27] to believe (2D)
croisement *m* intersection (11R)
cuillère *f* spoon (4V); **cuillerée** spoonful (17V); **cuillerée à café** teaspoonful (17V)
cuir *m* leather (5V)
cuisine *f* cooking (4D); kitchen (14V)

d'abord first of all (5D)
dame *f* lady; **rayon pour** ___**s** ladies' counter (5V); **jouer aux** ___**s** to play checkers (12R)
dangereux dangerous (9V)
dans in (1V)
danser [1] to dance (17D)
date *f* date (6V)
dater [1] to date (14V)
davantage more (12R)
de of, from (1D)
débarquer [1] to disembark (20V)
debout standing [person] (17D)
débrouiller (se) [1] to manage (15D)
décembre *m* December (6V)
déchirer [1] to tear (18V)
décider [1] to decide (13D)
décoller [1] to take off [airplane] (15V)
déconcertant disconcerting (19R)
décrire [14] to describe (8V)
défendre [11] to defend (18D)
dégats *mpl* damage (19D)
dehors outside (6D)
déjà already (2D)
déjeuner *m* lunch (4V); **petit** ___ breakfast (17D)
déjeuner [1] to have lunch (4D)
delà beyond; **au-**___ beyond (19R)
délasser (se) [1] to relax (12R)
demain tomorrow (3D)
demander [1] to ask (2D); **se** ___ to wonder (15D)
demi-heure *f* half hour (3V)
demi-tour *m* half-turn; **faire** ___ to turn around and go back (15R)
demie *f* half (2D)
dent *f* tooth (8V)
dentelle *f* lace (16R)
départ *m* departure (15V)
dépêcher (se) [1] to hurry (2D)
dépendre [11] to depend (7D)
déposer [1] to drop (12D); to deposit (20V)
depuis since (3V); ___ **quand** how long (3V)
dérangement *m* disturbance; **en** ___ out of order (19V)
déranger [1] to disturb (6D)
dernier last (9V); latest (16V)
derrière behind (7V)
des of the, some (3D)
désagréable disagreeable (17D)
descendre [11] to come down; ___ **le boulevard** to walk down the boulevard (5D); ___ **à l'hôtel** to put up at a hotel (12D); ___ **les valises** to take down the suitcases (11D)
désolé sorry (12D)
dès que as soon as (20D)
dessert *m* dessert (4D)
dessin *m* cartoon (18V)
dessous beneath; **en** ___ underneath (20V)
dessus over; **au-**___ above (12D)
détail *m* detail (13D)
dette *f* debt (20V)
deux two (2D)

deuxième second (7V)
devant in front of (2D)
devenir [34] to become (11D)
devoir [31] to have to (1D)
dévoué devoted (16R)
différent different (13D)
difficile difficult (10V)
digne worthy (15D)
dimanche *m* Sunday (3V)
dîner *m* dinner (6R)
dire [36] to say (6D); **vouloir** ___ to mean (13D)
diriger (se) [1] to make one's way toward (11D)
discours *m* speech (18V)
discuter [1] to discuss (8D)
disputer (se) [1] to quarrel (18D)
distance *f* distance (9V)
distraction *f* amusement (10R)
dix ten (2D)
doigt *m* finger (8V)
donc therefore (4D)
donner [1] to give (4V); **se** ___ **la peine de** to take the trouble to (13R); ___ **sur** to look out onto (12D)
dont of which, whose (14D)
dorénavant henceforth (18R)
dormir [12] to sleep (12D)
douanier *m* customs official (11D)
doubler [1] to pass another car (19D)
doute *m* doubt; **sans** ___ probably (11D)
douter [1] to doubt (17V); **se** ___ **de** to suspect (15D)
douze twelve (2V)
droit *m* law (10R); right (18D); **tout** ___ straight ahead (7V)
droite *f* right; **à** ___ on the right (3D)
drôle funny (16D); strange (13V)
du of the, some (2D)

eau *f* water (4V)
échelle *f* ladder (12R)
économie *f* economy; **faire des** ___**s** to save one's money (11R)
écouter [1] to listen (1V)
écrire [14] to write (15D)
écrivain *m* writer (16V)
effet *m* effect; **en** ___ as a matter of fact (6D)
égard *m* consideration; **à l'**___ **de** with respect to (20R)
église *f* church (7V)
elle she, her (1D)
embarquer [1] to embark (20V)
émission *f* broadcast, telecast (18D)
emmener [21] to take someone away (14D)
empêcher [1] to prevent (11D)
employé clerk (12D)
employer [24] to employ (19V)
emporter [1] to carry something away (12V)
emprunter [1] to borrow (14D)
en in (2D); some (3D); ___ **haut** upstairs (4D); ___ + *pres part* while ___ing (5D)
encore still (1D); **pas** ___ not yet (4D)
endroit *m* place (14D)
enfant child (1V)
enfin at last (20D)
enlever [21] to take off (12V)
ennui *m* worry, trouble (9V)
ennuyer [1] to bore (14D)
énormément enormously (10D)
enregistrer [1] to register (11V)
enrhumé having a cold (17V)
enseigner [1] to teach (13R)
ensemble together (3D); **dans l'**___ on the whole (19R)
entendre [11] to hear (6D)
entendu all right (6D)
entr'acte *m* intermission (16V)
entre between, among (8D)
entrée *f* front hall (1D)
entrer [1] to enter (1D)
entretien *m* maintenance (17R)
entr'ouvert ajar (17D)
envie *f* longing; **avoir** ___ **de** to feel like (3D)
environ about (5D); **les** ___**s** the outskirts (14D)
envoyer [25] to send (19V)
épais thick (15V)
équipe *f* team (10D)
erreur *f* mistake (12R)
escalier *m* flight of stairs (14V)
espérer [20] to hope (6D)
essayer [22] to try (9D)
essence *f* gasoline (9V)
est *m* east (9V)
Est-ce que...? [question introducer] (1D)

et and (1D)
étage *m* floor of a building (4D)
étancher [1] to quench (12R)
état *m* state, condition (9D)
été *m* summer (6V)
éteindre [17] to turn off the light (12V)
étoile *f* star (15V)
étonner [1] to surprise (13D); **s'**___ to be surprised (12R)
étrange strange (16R)
étranger stranger, foreigner (6V)
être [40] to be (1D); ___ **à** to belong to (9D)
étroit narrow (11R)
étude *f* study (10R)
étudiant *m* student (1D)
étudier [23] to study (3D)
évoluer [1] to develop (20R)
examen *m* test (15D)
examiner [1] to examine (12D)
excédent *m* excess charge (15V)
excellent excellent (9D)
excuser [1] to excuse (17D)
exemple *m* example; **par** ___ for instance (6D)
exercice *m* exercise (10D)
exprès on purpose (11D)
exprimer [1] to express (18D)

face *f* face; **en** ___ **de** opposite (8D)
facile easy (10V)
façon *f* manner; **de toute** ___ anyhow, anyway (9D)
faculté *f* [each of the schools of a French university] (10D)
faillir to fail; **avoir failli** + *inf* almost + *past* (13V)
faim *f* hunger; **avoir** ___ to be hungry (4V)
faire [39] to do, to make (1D); **il fait beau** it's beautiful weather (3V); ___ **des économies** to save money (11R); ___ **du sport** to go in for sports (10D); ___ **l'idiot** to act like a fool (17D); ___ **partie de** to belong to (10D); ___ **faire** + *n* to have something done (5D)
faits-divers *mpl* news in brief, news items (18V)
falloir *impers* to need (5D)
famille *f* family (1V)
fatigué tired (1D)
faut (il) *pres* of **falloir** it is necessary (5D)
faute *f* mistake; **de sa** ___ his fault (19D); **sans** ___ without fail (20D)
fauteuil *m* armchair (16V)
femme *f* wife (6V); woman; ___ **de chambre** chambermaid (12D)
fenêtre *f* window (4D)
fer *m* iron; **chemin de** ___ railroad (11V)
fermer [1] to close (1V)
feu *m* fire (15V)
feuille *f* leaf; ___ **de papier** sheet of paper (18V)
février *m* February (6V)
fiche *f* form (12D)
fièvre *f* fever (17D)
fille *f* daughter (1V); **jeune** ___ girl (2D)
film *m* film (6D)
fils *m* son (1V)
fin *f* end (13V)
finir [4] to finish (3D)
fleur *f* flower (14V)
fleuve *m* river (15V)
fois *f* time, occasion (8D)
foncé dark [color] (8V)
fonctionnaire official, civil servant (18R)
football *m* soccer (10D)
fôret *f* forest (14D)
fort strong, loud (19D)
foule *f* crowd (14D)
fouler [1] to sprain; **se** ___ **la cheville** to sprain one's ankle (10D)
fourbu dead tired (16R)
fourchette *f* fork (4V)
frais *mpl* expenses (13R)
franc *m* franc (5D)
français French (1D)
frapper [1] to hit, to knock (17D)
frère *m* brother (1V)
fresque *f* fresco (15R)
frites *fpl* French fries (16R)
froid *m* cold; **avoir** ___ to be cold (4V); **il fait** ___ it's cold weather (6V)
froissé wrinkled (12V)
fromage *m* cheese (4D)
front *m* forehead (8V)
fruit *m* fruit (4V)

fumer [1] to smoke (11D)
furieux furious (13D)

gagner [1] to win (10V); ___ **du terrain** to gain ground (20R); ___ **sa vie** to earn a living (18R)
gant *m* glove (5V)
garagiste *m* garageman (9D)
garçon *m* boy (2D); waiter (4D)
gare *f* station (1D)
garer [1] to park (9V)
gauche *f* left; **à** ___ on the left (7V); **comptoir de** ___ the left-hand counter (15D)
général general; **en** ___ generally (5D)
gens *mpl* people (9D)
géographie *f* geography (15V)
glace *f* ice cream (4D)
goût *m* taste (13V)
grand large, tall (8D); big (8V)
grand'chose *m* much (14V)
grand'monde many people (14V)
grave serious (17V)
grippe *f* flu (17V)
grippé suffering from the flu (17V)
gris gray (8V)
groupe *m* group (2D)
guéri cured (17V)
guéridon *m* [kind of round table] (12R)
guichet *m* ticket window (19V)
guide *m* guide (14V)
guigne *f* tough luck (19D)

habiller [1] to dress (13D)
habiter [1] to dwell (7D)
habitude *f* habit (4D)
habituer (s') [1] to get used to (13D)
°**hall**[1] *m* large hall (15D)
°**hasard** *m* chance; **à tout** ___ just in case (20D)
°**hâte** *f* haste; **avoir** ___ **de** to be in a hurry to (18R)
°**haut** high (18R); **en** ___ upstairs (4D)
hériter [1] to inherit (19R)
heure *f* hour (3V); o'clock (2D); **Quelle** ___ **est-il?** What time is it? (2D); **à l'**___ on time (7V); **de bonne** ___ early (14D); **à l'**___ **actuelle** at the present time (20R)

[1] So-called **h aspiré** is marked °.

heureux happy (1D)
hier yesterday (3V)
histoire *f* history, story (13V)
hiver *m* winter (6V)
homme *m* man (5V); ___ **d'affaires** businessman (12R)
°**honte** *f* shame; **avoir** ___ to be ashamed (20D)
horloge *f* clock (7V)
horloger *m* watchmaker (5D)
horreur *f* horror; **avoir** ___ **de** to detest (11D)
°**hors** out of; ___ **de Paris** outside of Paris (11R)
hôtel *m* hotel (12D)
hôtesse *f* hostess, stewardess (15V)
°**huit** eight (2D)
humain human (8V)
humeur *f* mood (13D); **être d'**___ **à** to be in a mood to (17D)

ici here (1D); **par** ___ around here (2D)
idée *f* idea (8D)
idiot *m* fool (17D)
il he (1D)
imbécile stupid (11D)
immédiatement immediately (12D)
immeuble *m* apartment building (7D)
importer *impers* [1] to matter; **n'**___ **quoi** no matter what (17D)
informations *fpl* news bulletin (18V)
injurieux harmful (18D)
installer (s') [1] to get settled (4D)
insuffisant inadequate (12D)
insupportable unbearable (11D)
intelligent intelligent (18D)
intention *f* intention; **avoir l'**___ **de** to intend to (13D)
interdit forbidden (10V)
intéressant interesting (3D)
intéresser [1] to interest (11D)
intérieur *m* inside (6D)
interroger [1] to ask questions (16D)
italien Italian (6V)

jamais ever (10D); **ne...** ___ never (7D)
jambe *f* leg (8V)
janvier *m* January (6V)

jardin *m* garden (14V)
jaune yellow (8V)
je I (1D)
jeter [21] to throw, to throw away (18V)
jeu *m* game (10V)
jeudi *m* Thursday (3V)
jeune young (1D)
joli pretty (2D)
jouer [1] to play (10D)
jouir [4] to enjoy (20R)
jour *m* day (3V)
journal *m* newspaper (18D)
journaliste *m* newspaperman (18D)
journée *f* whole day (3V)
juillet *m* July (6V)
juin *m* June (6V)
jusqu'à *prep* until (3D)
jusqu'à ce que *conj* until (17D)
justement just (14D)

kilomètre *m* kilometer (9V)
kiosque *m* newsstand (7V)
klaxonner [1] to honk (11R)

là there (1D); **____-bas** over there (5D); **ceux-____** those (8D)
lac *m* lake (10V)
laine *f* wool (5V)
laisser [1] to let (3D); to leave (4D)
lait *m* milk (4V)
lampe *f* lamp (12V)
langue *f* language (9R)
laquelle *f* which (15D)
latin Latin (3D)
laver (se) [1] to wash (13V)
le the (1D); it (7D)
leçon *f* lesson (10D)
lecture *f* reading (6D)
léger light (11V)
légume *m* vegetable (4V)
lendemain *m* the following day (5D)
lent slow (11V)
lequel *m* which (18D)
lettre *f* letter (19V); **en toutes ____s** in full (8R)
leur their (5D); to them (8D)
lever to raise (20D); **se ____** to get up (13V)
liberté *f* liberty (18D)
libraire *m* bookseller (5V)
librairie *f* bookstore (5V)
libre free (3D)
licence *f* [kind of university degree] (10R)
lieu *m* place (12R); **au ____ de** instead of (15D)
ligne *f* line (15D); route (7D)
lire [8] to read (7R)
lit *m* bed (12V)
livre *m* book (1V)
livrer [1] to deliver (11V)
locataire tenant (17R)
loge *f* concierge's room (17R)
loi *f* law (19R)
loin far (7D)
loisir *m* leisure (20R)
long long (8V)
longtemps a long time (5D)
louer [1] to rent (11V)
lourd heavy (11V)
loyer *m* rent (17R)
lui him, to him, to her (8D); **____-même** himself (3D)
lumière light (15V)
lundi *m* Monday (3V)
lune *f* moon (15V)
luxe *m* luxury (11R)

machine *f* machine (9D)
Madame *f* Madame (1D)
Mademoiselle *f* Miss (1D)
magasin *m* store (3D); **grand ____** department store (5V)
magnifique magnificent (14D)
mai *m* May (6V)
maillot *m* tights; **____ de bain** bathing suit (14V)
main *f* hand (2D)
maint many a (12R)
maintenant now (8D)
mais but (1D)
maison *f* house (3D)
Maître [title of address for a lawyer] (6R)
mal badly (5V)
mal *m* harm; **avoir ____** to have an ache (8V); **faire ____ à** to hurt someone (17V); **le ____ de mer** seasickness (20D)
malade sick (13D)
maladie *f* illness (17D)

malgré in spite of (20V)
malheureusement unfortunately (7R)
malle *f* trunk (1D)
maman *f* Mom (1D)
mandat *m* money order (19V)
manger [1] to eat (4V); **salle à** ___ dining room (1D)
manifestation *f* demonstration (7R)
manquer [1] to miss; ___ **de** + *n* to lack something (10D); ___ **à** + *n* to miss something (10D); ___ **de** + *inf* to fail to (12R)
manteau *m* coat (8V)
marche *f* step (15R); walking (16R)
marché *m* market; **bon** ___ cheap (5D)
marcher [1] to walk (7D); to work (12V)
mardi *m* Tuesday (3V)
marron chestnut [color] (8V)
mars *m* March (6V)
match *m* game (10V)
matin *m* morning (3D)
matinée *f* the whole morning (3V)
mauvais bad (6D)
me me, to me (5D)
mécontent displeased (7R)
médecin *m* doctor (17D)
médicament *m* medicine (5V)
meilleur better (2D)
même same (4V); **lui-**___ himself (3D); ___ **pas** not even (13D); **tout de** ___ nevertheless (16D)
mensuel monthly (18R)
menu *m* menu (4V)
mer *f* sea; **mal de** ___ seasickness (20D)
merci thank you (1D)
mercredi *m* Wednesday (3V)
mère *f* mother (1V)
Mesdames *fpl* Ladies (1V)
Mesdemoiselles *fpl* Young Ladies (1V)
Messieurs *mpl* Gentlemen (1V)
mesure *f* measure; **à** ___ **que** progressively as (19R)
métro *m* Paris subway (7V)
mettre [10] to put (11D); ___ **des heures pour** to take hours to (11V)
meuble *m* piece of furniture (14V)
meurtrier *m* murderer (16D)
midi *m* noon (2V); **le Midi** southern France (9V)
mieux better (3D); **faire** ___ **de** to do better to (9D); **tant** ___ so much the better (20D)
minuit *m* midnight (2V)
minute *f* minute (3V)
mode *f* style (13D)
moi me (2D)
moins less; ___ **le quart** a quarter to the hour (2D)
mois *m* month (3V)
moisson *f* grain harvest (20R)
moitié *f* half (7D)
moment *m* moment (6D); **en ce** ___ at the present time (10D)
mon my (1D)
monde *m* world; **tout le** ___ everyone (8D); **beaucoup de** ___ a crowd (2D); **pas grand'**___ not many people (14V); **un** ___ **fou** a crowd of people (16R)
monnaie *f* monetary change (20V)
monsieur *m* gentleman; Sir (1D)
monter [1] to go upstairs (4D); to board (7D); ___ **à cheval** to go horseback riding (10V); ___ **à bicyclette** to go bicycle riding (10V)
montre *f* watch (2D)
montrer [1] to show (3D)
monument *m* monument (14V)
morceau *m* piece (4V)
mort *past part* of **mourir** dead (6V)
mot *m* word (13D)
moto *f* motor scooter (9D)
mouillé wet (12V)
moustique *m* mosquito (14D)
moyen *m* means (19R)
mur *m* wall (18R)
musée *m* museum (3D)
musique *f* music (16V)

nager [1] to swim (10V)
naître [6] to be born (6V)
nationalité *f* nationality (6V)
naturellement naturally (15D)
né *past part* of **naître** born (6V)
n'est-ce pas? isn't it? (3D)
ne... pas not (2D)
ne... que only (2D)
neiger *impers* [1] to snow (6V)
nettoyer [24] to clean (12V)
neuf nine (2D); brand-new (7D)

nez *m* nose (8V)
noir black (8V)
nom *m* name (12D)
nombreux numerous (6R)
non no (1D)
nord *m* north (9V)
notre our (17D)
nôtre (le) ours (3D)
nous we, us, to us (2D)
nouveau new (17D)
nouvelle *f* piece of news (18D)
novembre *m* November (6V)
nuage *m* cloud (15V)
nuit *f* night (3V)
nul not one; **nulle part** nowhere (14D)
numéro *m* number [numeral] (12V); issue (18V)
nylon *m* nylon (5V)

obéir [4] to obey (7D)
obtenir [34] to obtain (17D)
occasion *f* opportunity; **d'____** secondhand (11R)
occuper [1] to occupy (19V); **s'____ de** to take care of (11D)
océan *m* ocean (15V)
octobre *m* October (6V)
oeuvre *f* work; **chef d'____** masterpiece (16D)
offensé offended (13D)
offrir [2] to offer (13D)
ombrelle *f* parasol (16R)
on one, people, they (5D)
oncle *m* uncle (1V)
onze eleven (2V)
opérer [20] to operate; **s'____** to take place (19R)
opinion *f* opinion (16D)
orchestre *m* orchestra (16V)
ordonnance *f* doctor's prescription (17V)
ordonner [1] to prescribe (17V)
ou or (2D)
où where (1D)
oublier [1] to forget (11D)
ouest *m* west (9V)
oui yes (1V)
ouvreuse *f* usherette (8R)
ouvrier *m* worker (13R)
ouvrir [2] to open (1V)

page *f* page (18V)
pain *m* bread (4V)
paire *f* pair (5D)
panne *f* breakdown (9V); **être en ____** to have a breakdown (9D)
pantalon *m* trousers (8V)
papa *m* Dad (20D)
papier *m* paper (18V)
paquet *m* package (5V)
par by, for (6D); **____ ici** around here (2D)
paraître [5] to appear (6D)
parce que because (6D)
pardon excuse me (11D)
pareil similar (18D)
parent *m* parent (1V); relative (19R)
parfois occasionally (9R)
parier [1] to bet (12R)
parler [1] to speak (1V); **entendre ____** to hear (6D)
parmi among (2D)
part *f* share; **C'est de la ____ de qui?** Who is speaking? (19V); **nulle ____** nowhere (14D); **quelque ____** somewhere (6D)
partagé divided (13R)
partie *f* part (13V); game (10V); **faire ____ de** to be a member of (10D)
partir [9] to leave (9D)
pas *m* step (9V)
pas not (1D); **ne... ____** not (1V); **____ du tout** not at all (6D)
passage *m* passage (20D)
passager *m* passenger (15V)
passer [1] to spend (1D); to pass by (5D); **____ un film** to show a film (6D); **____ chercher** to come by and pick up (6D); **____ des examens** to take tests (10R); **se ____** *impers* to happen (7D)
passionnément passionately (7R)
pauvre poor (19D)
payer [1] to pay (15V)
paysage *m* countryside (11D)
peau *f* skin (16D)
pêcher [1] to fish (10V)
peine *f* trouble; **se donner la ____ de** to take the trouble to (13R); **à ____** hardly (19D)
peintre *m* painter (16V)
peinture *f* paint, painting (16V)
pendant during (10D)

pendule *f* clock (20V)
penser [1] to think (13D)
pension *f* room and board (12V)
perdre [11] to lose (10V)
perdu lost (2D)
père *m* father (1V)
permettre [10] to permit (2D)
permis *m* permit (11R)
personne *f* person (12V); **ne... ___** no one (18D)
perte *f* loss (20R)
pertinemment pertinently (13R)
peser [21] to weigh (15D)
petit small (3D)
peu little (4D)
peur *f* fear; **avoir ___** to be afraid (20V)
peut-être maybe (3D)
pharmacien *m* druggist (5V)
pharmacie *f* pharmacy (5V)
photo *f* photograph (18V)
phrase *f* sentence (13V)
pièce *f* room (14V); play (16D)
pied *m* foot (8V); **à ___** on foot (7D); **aller à ___** to walk (7D)
pierre *f* stone (18R)
piéton *m* pedestrian (9D)
pillule *f* pill (17V)
pilote *m* pilot (15V)
pique-nique *m* picnic (14D)
pire worse (15D)
place *f* place, position, seat (7D)
plafond *m* ceiling (14V)
plage *f* beach (19R)
plainte *f* complaint (17R)
plaire [8] to please (1V); **se ___** to enjoy oneself (14R)
plaisanter [1] to joke (9D)
plaisir *m* pleasure (1D); **faire ___ à** to please (15R)
plein full (4D)
pleuvoir *impers* to rain (6D)
plonger [1] to dive (10V)
pluie *f* rain (6V)
plupart *f* most (8D)
plus more; **de ___** moreover (11R)
plusieurs *pl* several (5D)
pneu *m* tire (9D)
poignet *m* wrist (10D)
pointure *f* size (5D)
poisson *m* fish (4V)
poivre *m* pepper (4V)
politique *f* politics (8D)
pomme *f* apple; **___ de terre** potato (4V)
pont *m* bridge (7D); ship's deck (20V)
porte *f* door (1V)
portefeuille *m* wallet (5V)
porter [1] to carry (10D); to wear (5D)
porteur *m* porter (11D)
poser [1] to put down (12D)
possible possible (3D)
poste *f* post office (19V)
poste *m* set [T.V. or radio] (20R)
pour for, in order to (3D)
pourboire *m* tip (4D)
pourquoi why (6D)
pourtant however (13R)
pourvu que provided that (17D)
pousser [1] to push (9D)
pouvoir [32] to be able to (3D); **il se peut que** it's possible that (16D)
précédent previous (16V)
préférence *f* preference; **de ___** preferably (14R)
premier first
prendre [35] to take (4D); **___ sa retraite** to retire (18R)
près near (3D)
présenter [1] to present (1D)
président *m* president (18D)
presque almost (2D)
presse *f* press (18D)
pressé in a hurry (6R)
prêt ready (17D)
prêter [1] to lend (9D)
prier [1] to pray; **je vous prie** please (9D)
principe *m* principle (18D)
printemps *m* spring (6V)
prix *m* price (7V); prize (20R)
probablement probably (14D)
prochain next (7V)
professeur *m* teacher (3D)
promener (se) [21] to take a walk (3D)
proposer [1] to propose (14D)
propre own (19R)
publicité *f* advertising (18V)
puis then (17D)
puisque since (17D)

quai *m* embankment (7V); track (11D)
quand when (3V)
quart *m* quarter (2D)
quartier *m* neighborhood (12D); quarter (3D)
quatorze fourteen (2V)
quatre four (2V)
que what, that (3D); **ne...** ___ only (2D)
quel which (2V); what a (13D)
quel que whatever (17D)
quelque some, any (5D); ___ **chose** something (11V); ___**fois** sometimes (8D); ___ **part** somewhere (6D)
quelqu'un someone (6D)
question *f* question (1V)
queue *f* line; **faire la** ___ to stand in line (15D)
qui who (2D); **ce** ___ that which (3D)
quinze fifteen (2V)
quitter [1] to leave (3D)
quoi what (19D)

raccrocher [1] to hang up (19V)
raconter [1] to tell (6R)
raison *f* reason; **avoir** ___ to be right (2D)
ramener [21] to bring someone back (14V)
ranger [1] to straighten up (12V)
rapide fast (11V)
rappeler [21] to remind someone of (17D); **rappelez-moi au bon souvenir de** remember me to (14R)
rapport *m* contact (9R)
rapporter [1] to bring something back (12V)
raser (se) [1] to shave (13V)
rayon *m* counter (5V)
rayonne *f* rayon (5V)
réaliser [1] to make real; ___ **un rêve** to make a dream come true (11R)
réception *f* receiving desk (12D)
receveur *m* conductor (7V)
recevoir [31] to receive (8D); to entertain (12R); **être reçu à l'examen** to pass the test (10R)
réciter [1] to recite (16D)
recommander [1] to recommend (12D); to register [a letter] (19V)
recoucher (se) [1] to go back to bed (17D)
redemander [1] to ask again (12V)
réfléchir [4] to reflect (13D)
regarder [1] to look at (6D)
région *f* region (9V)
règle *f* rule (11R)
regret *m* regret; **à** ___ regretfully (18R)
rejoindre [17] to rejoin (15D)
relâche *m* respite; **en** ___ closed down [theater] (19R)
reliefs *mpl* scraps of food (8R)
remarquable remarkable (16D)
remercier [23] to thank (15D)
remonter [1] to go upstairs again (12V)
remords *m* remorse (16D)
remplir [4] to fill (9R)
rencontre *f* chance meeting (7D)
rencontrer [1] to meet (8D)
rendez-vous *m* appointment (7V)
rendre [11] to give back (18D); ___ **malade** to make ill (13D)
renseignement *m* piece of information (9V)
renseigner [1] to inform (9V)
rentrer [1] to go home (5D)
repaire *m* lair (17R)
répandre (se) [11] to spread (20R)
réparer [1] to repair (5D)
repas *m* meal (17V)
répéter [20] to repeat (1V)
répondre [11] to answer (17D)
repos *m* rest (17V)
représentation *f* performance (16D)
république *f* republic (18D)
réserver [1] to reserve (20D)
restaurant *m* restaurant (4D)
rester [1] to stay (3D); **il nous reste du temps** we have some time left (5D)
retard *m* delay; **en** ___ late (7V)
retarder [1] to set back [the clock] (20V)
retenir [34] to retain (12D)
retour *m* return; **aller et** ___ round-trip ticket (11V)
retraite *f* retirement; **prendre sa** ___ to retire (18R)
retrouver (se) [1] to meet (5D)
réunion *f* meeting (12R)
réussir [4] to succeed (13R)
revanche *f* revenge; **en** ___ on the other hand (20R)
rêve *m* dream (11R)
réveiller (se) [1] to wake up (13V)
revenir [34] to come back (12V)

revoir [28] to see again; **au ___** good-bye (1V)
révoltant disgusting (15R)
revue *f* magazine (18V)
rez-de-chaussée *m* ground floor (4D)
rhume *m* cold (17V)
ridicule ridiculous (16D)
rien (ne) nothing (11D); **ça ne fait ___** that doesn't matter (9D)
rire [3] to laugh (18D)
rive *f* river bank; **___ droite** Right Bank (12R)
robe *f* dress (5V)
roman *m* novel (16V)
rosier *m* rosebush (18R)
rouge red (8V)
route *f* route (9V); **en ___ pour** on the way to (10D)
roux red [hair] (8V)
rue *f* street (3D)
ruer (se) [1] to rush (19R)
russe Russian (6V)

saison *f* season (6V)
salade *f* salad (4V)
salaire *m* wages (13R)
salle *f* room; **___ à manger** dining room (1D); **___ de cours** classroom (2D); **___ d'attente** waiting room (11V)
salon *m* drawing room (6R)
samedi *m* Saturday (3D)
sandwich *m* sandwich (4D)
sans without (11D); **___ souci** without concern (18R)
santé *f* health (17V)
satisfaire [39] to satisfy (7R)
savoir [18] to know; **___** + *inf* to know how to (10V)
second second (11V)
seize sixteen (2V)
sel *m* salt (4V)
semaine *f* week (3V)
semblable *m* fellow creature (12R)
sembler [1] to seem (4D)
sens *m* meaning (8R)
sentir (se) [9] to feel (17D)
sept seven (2V)
septembre *m* September (6V)
serrer [1] to clasp; **se ___ la main** to shake hands (2D)
service *m* service (4D); favor (14R)
serviette *f* napkin (4V); briefcase (11V); towel (12V)
servir [13] to serve (4D); **se ___ de** to use (11R)
seul alone (7D)
seulement only (18D)
si if (1V); how about (3D); yes (4D)
siècle *m* century (14V)
signer [1] to sign (12D)
silence *m* silence (13D)
sincère sincere (18D)
six six (2V)
soeur *f* sister (1D)
soie *f* silk (5V)
soif *f* thirst; **avoir ___** to be thirsty (4V)
soigner [1] to attend [a patient] (17D)
soir *m* evening (3V)
soirée *f* whole evening (3V)
soixantaine *f* about sixty (14D)
soixante-dix seventy (5D)
soleil *m* sun (6V)
somnolent drowsy (19R)
son his (1V)
sonner [1] to ring (19D)
sorte *f* sort; **toutes ___s de** all kinds of (17R)
sortie *f* exit (11D)
sortir [9] to go out, to come out (3D); to take someone out (17D); **___ de l'ordinaire** to stand out (16R)
sottise *f* foolish act (18D)
souffrir [2] to suffer (17V)
sourire [3] to smile (2D)
sous under (7V)
souvent often (8D)
spirituel witty (16V)
sport *m* sport (10D)
sportif sporting (10V)
station *f* station (7V)
stylo *m* fountain pen (8V)
sucre *m* sugar (4V)
sud *m* south (9V)
suédois Swedish (6V)
suite *f* continuation; **tout de ___** immediately (5D)
suivre [15] to follow (11D); **___ un cours**

to take a course (8D); **faire ___ une lettre** to forward a letter (15R)
sujet *m* subject (16D); **au ___ de** about (19V)
sur on (7D)
sûr sure (3D)
sursis *m* reprieve (7R)
surtout particularly (10R)
surveiller [1] to watch over (17R)
survoler [1] to fly over (15V)

tabac *m* tobacco (13D)
table *f* table (4D)
tableau *m* picture (14V)
taille *f* size (5V)
tailleur *m* woman's suit (8V)
taire (se) [8] to be quiet (1V)
tamponner [1] to collide with [a car] (19D)
tandis que while (12D)
tant so much, so many; **___ pis** too bad (12D); **___ mieux** so much the better (20D)
tante *f* aunt (1V)
tard late (4D)
tarder [1] to delay (20D)
tasse *f* cup (4D)
taxi *m* taxi (12D)
te you, to you (1V)
télégramme *m* telegram (19V)
téléphone *m* telephone (19D)
téléphoner [1] to call (13D)
télévision *f* television (18D)
tellement to such a degree (5D)
tempête *f* storm (20D)
temps *m* time (2D); weather (6V)
tenir [34] to hold (6D)
tennis *m* tennis (10V)
terrasse *f* terrace (8D)
terre *f* land, earth; **par ___** on the floor (12D); **pomme de ___** potato (4V)
tête *f* head (8V)
thé *m* tea (4V)
théâtre *m* theater (16D)
ticket *m* check, ticket (7D)
tiennes (les) *fpl* yours (5D)
tiens well (6D)
timbre *m* stamp (19V)
tirer [1] to pull; **___ la conclusion** to draw the conclusion (12R)
titre *m* title (16D)
tomber [1] to fall (13V)
ton your (18D)
tôt early (3D)
toucher [1] to cash (19V); to collect (17R)
toujours always (12D); still (14D)
tour *m* tour; **faire un ___** to go for a walk (6D)
tourner [1] to turn (7V)
tout all, every, very (3D); **___ seul** all alone (7D); **___ droit** straight ahead (7V); **___ de même** nevertheless (12R); **___ de suite** immediately (5D); **___ le monde** everybody (8D); **___ au plus** at the very most (20R)
tousser [1] to cough (11D)
train *m* train (11D); **être en ___ de** to be in the act of (9D)
traîner [1] to drag (13R)
traiter [1] to treat (17R); **___ une affaire** to negotiate a deal (12R)
trajet *m* trip (7D)
travail *m* work (10D)
travailler [1] to work (3D)
traversée *f* crossing (20D)
traverser [1] to cross (7D)
treize thirteen (2V)
treizième thirteenth (14V)
trente thirty (4D)
très very (1D)
tricoter [1] to knit (17R)
trois three (2V)
tromper (se) [1] to be mistaken; **se ___ de route** to take the wrong road (9V)
trop too much, too many (3D)
trottoir *m* sidewalk (9D)
trouver [1] to find (1D); to think (18D)
tu you (3D)

un a, one (2D)
unique single (12R)
usage *m* usage (8R)
usine *f* factory (13R)
utile useful (17D)
utiliser [1] to use (15D)

vacances *fpl* vacation (9V)
valise *f* suitcase (1D)
valoir [19] to be worth (3D)

veille *f* the night before (16V)
vendanges *fpl* grape harvest (20R)
vendeur *m* seller (9D)
vendre [11] to sell (5V)
vendredi *m* Friday (3V)
venir [34] to come (4D); ___ **de** + *inf* to have just (8D)
vent *m* wind; **il fait du** ___ it's windy (6V)
vérité *f* truth (18V)
verre *m* glass (4V)
vers around (6D); toward (11D)
vert green (5D)
vêtement *m* piece of clothing (5V)
viande *f* meat (4V)
vide empty (7D)
vie *f* life (10V)
vieux old (6D)
vif lively (20R)
ville *f* city (9V); **en** ___ downtown (3V)
vin *m* wine (4V)
vingt twenty (2V)
virage *m* turn in the road (9V)
visage *m* face (8V)
visite *f* visit (14D)
visiter [1] to visit (3D)
vite fast (7D)
vivement sharply (18D)
voici here is, are (1D)
voilà there is, are (1D)
voir [28] to see (1D)
voire even (20R)
voisin *m* neighbor (8D)
voiture *f* car (10D)
voix *f* voice (19D)
volant *m* steering wheel (11R)
volontiers willingly (3D)
votre your (1D)
vouloir [33] to want (1D); ___ **dire** to mean (13D); **en** ___ **à** to hold something against someone (14R); ___ **bien** to be willing (3D); to condescend (13R)
vous you (1D)
voyage *m* trip (1D); **faire bon** ___ to have a good trip (11D)
voyager [1] to travel (11D)
voyageur *m* traveler (11D)
vrai true (6D)
vraiment really (3D)

y there, to it (3D)
y avoir *impers* [38] there is, are (2D)
yeux *mpl* eyes (8V)

Index

This Index contains bracketed references to the Dialogue Notes (N) and the Pronunciation (P), Spelling (S), and Grammar (G) sections. The numbers following the brackets refer to the pages.

B 4
C 5
D 6
E 7
F 8
G 9
H 0
I 1
J 2